Marlene Macarcus
Philadelphia 1960

ERICH RAEDER · MEIN LEBEN

Von 1935 bis Spandau 1955

ERICH

RAEDER

MEIN LEBEN

Von 1935

Bis Spandau 1955

———

1957

Verlag Fritz Schlichtenmayer

Tübingen-Neckar

INHALTSVERZEICHNIS

BILDERVERZEICHNIS

VORWORT

Für die Kriegsmarine und für mich als ihren Oberbefehlshaber war kein außenpolitisches Ereignis zwischen den beiden Kriegen von gleich großer Bedeutung wie der Abschluß des deutsch-englischen Flottenabkommens im Jahre 1935. Mit ihm endete die Periode der äußeren Unfreiheit, die uns der Ausgang des ersten Weltkrieges und der Friedensvertrag von Versailles gebracht hatten. Mein Erleben bis zu diesem Zeitpunkt und meine Gedanken darüber sind im ersten Band meines Erinnerungswerkes enthalten. Der zweite Band behandelt die danach eingetretenen Entwicklungen und Ereignisse. Beide Bände gehören jedoch untrennbar zusammen, um so mehr, als die Marine in der Zeit nach 1935 keine andere war als vorher. Nur aus der Kenntnis ihrer früheren Erlebnisse und Erfahrungen, besonders seit 1918, wird man ihr Wesen und ihre Eigenart verstehen und ihren Leistungen gerecht werden können.

Noch weniger aber, als es im ersten Band möglich war, kann in den folgenden Kapiteln eine zusammenhängende Gesamtdarstellung gegeben werden. Bei der seit 1935 einsetzenden Vergrößerung der Marine und der kaum übersehbaren Fülle von Anforderungen, die an sie herantraten, ist es unmöglich, ihren Aufbau und ihre Leistungen, vor allem während des Krieges, auch nur einigermaßen vollständig zu schildern. Dies muß einer Zeit vorbehalten bleiben, in der alle Unterlagen zugänglich sind, und muß Männern überlassen werden, denen — anders als mir — eine längere Frist zur Verfügung steht. Es ist, wie im ersten Band, mein Bestreben, die Vorgänge so zu beschreiben, wie ich sie aus der damaligen Zeit heraus gesehen und beurteilt habe. Ich versuche, damit einen Beitrag für die Auseinandersetzung mit dieser schicksalhaften Periode unserer Vergangenheit zu geben.

Wiederum habe ich eine Reihe von hervorragenden Persönlichkeiten mit Namen nennen und ihre Tätigkeit für die deutsche Kriegsmarine würdigen können. Es ist mir schmerzlich, daß viele andere gleich verdienstvolle Mitarbeiter nicht erwähnt werden konnten, deren Anteil genau so unentbehrlich gewesen ist. Bei der Niederschrift meiner Lebenserinnerungen habe ich in Dankbarkeit meiner alten Marinekameraden gedacht. Der Krieg hat schwere, blutige Opfer von den Angehörigen der Marine gefordert. Als erste standen daher diejenigen vor meinem Auge, die ihr Leben für Deutschland hingegeben haben. Möge mein Buch dazu beitragen, daß sie nicht vergessen werden!

Kiel 1957   *Erich Raeder*

Innere Voraussetzungen für
den Ausbau der Marine

Das deutsch-englische Flotten-
abkommen von 1935 erweiterte den äußeren Rahmen für den
Aufbau der Kriegsmarine. Bei ihrer nun einsetzenden Vergrößerung und den neu an sie herantretenden Aufgaben mußte
sich zeigen, ob sie in den vorhergegangenen turbulenten Jahren
eine wirklich tragfähige organisatorische und vor allem diszi-
plinare Grundlage geschaffen hatte. Wenn man rückschauend
feststellen kann, daß die Erweiterung der Marine glatt und
ungestört vor sich gegangen ist, so ist das in erster Linie dem
Umstande zu verdanken, daß wir uns dabei auf einen festen
Stamm von Offizieren, Unteroffizieren und Mannschaften
stützen konnten, die durch die Schule der Reichsmarine gegangen waren und deren Grundsätze in sich aufgenommen
hatten. Jetzt bewährten sich die sorgfältige Auswahl und Erziehung unseres Personals sowie die Betonung des Vorranges
der Manneszucht vor allen anderen Fragen. Sowohl die Mann-
schaftsdienstgrade wie besonders die Unteroffiziere und Feldwebel versahen den ihnen obliegenden Dienst voll und einwandfrei und besaßen zu einem großen Teil die Voraussetzungen für eine Verwendung in höheren und wichtigeren Stellen. Wir konnten daher bei der Vergrößerung der Marine

mehr als bisher bewährte Unteroffiziere und Feldwebel zu Offizieren befördern, bei vielen anderen wenigstens die zwölfjährige Dienstzeit verlängern und ihnen in gehobenen Stellungen eine größere Verantwortung geben. Die einzelnen Dienstzweige der Offiziere und Beamten hatten sich in der Zeit der Weimarer Republik dienstlich und persönlich sehr gut zusammengefunden. Gewisse Gegensätze, die in der Kaiserlichen Marine — geschichtlich bedingt — stellenweise bestanden hatten, waren praktisch beseitigt. Die gemeinsame Arbeit an der gleichen Aufgabe hatte die Marineangehörigen aller Dienstgrade und -zweige eng miteinander verbunden. Die in fünfzehn Jahren zielbewußter Arbeit erreichte innere Festigkeit hat sich allen Beanspruchungen gewachsen gezeigt und auch später bis zum Ende des Krieges gehalten.

Bei der innen- und außenpolitischen Unruhe der Zeit nach dem ersten Weltkrieg war es nur selbstverständlich, daß die Wehrmacht Wert darauf legte, sich ihr Gefüge nach den Gesetzen und Gesichtspunkten aufzubauen, wie sie zu allen Zeiten für eine soldatische Gemeinschaft gültig sind; sie war bestrebt, sich dafür die notwendige Ruhe und Stabilität zu sichern, denn nur eine langfristige planvolle Arbeit ermöglicht das allmähliche Entstehen einer zuverlässigen Truppe. Ihr Können und Geist lassen sich nicht durch häufige und wechselnde Einwirkungen von außen formen; sie müssen in der Stille wachsen. Es hatte in der Weimarer Zeit nicht an Persönlichkeiten gefehlt, die hierfür volles Verständnis besessen haben, ja ohne die ein systematischer Aufbau der Reichswehr überhaupt nicht möglich gewesen wäre. Neben den beiden Reichspräsidenten Ebert und Hindenburg waren es Männer wie Noske, Geßler, Severing, Heinig, Brüning, Groener, Schöpflin, Ersing und viele andere gewesen, die sich dafür eingesetzt haben. Aber man hatte doch häufig in Reichstagsdebatten und bei anderen Gelegenheiten erleben müssen, daß der Reichswehr und ihren Organen nicht aufgeschlossen und sachlich, sondern mit unverhohlener Abneigung entgegengetreten wurde.

Eine Wehrmacht muß wachsen und erstarken wie ein Baum, der, wenn ihn einmal Stürme umtosen, den Gewalten trotzt. Damit ein junger Baum gedeihen kann, bedarf er aber der verstehenden Pflege. Daran hat es der Reichswehr in der Weimarer Zeit oft gemangelt. Trotzdem ist es nie ihr Wunsch oder Streben gewesen, sich als ein Fremdkörper im Volk zu entwickeln; das hätte ihrer ganzen Vergangenheit und ihrem inneren Wesen widersprochen. Ein Soldat, der nicht mehr mit allen Fasern im eigenen Volke wurzelt oder etwa glaubt, die Gebundenheit an Nation und Heimat abstreifen zu können, ist bei uns undenkbar. Niemand ist auf den absurden Gedanken gekommen, die ihm anvertraute deutsche Jugend zu Landsknechten ohne solche Bindungen erziehen zu wollen. Die Reichswehr war vielmehr niemals etwas anderes als ein Teil des deutschen Volkes, dessen Weg sie seit 1919 getreulich mitgegangen ist. Seine Sorgen und Leiden, aber auch seine Hoffnungen waren die ihren; sie war sichtbar das Spiegelbild des damaligen Deutschlands. Bei ihrer zahlenmäßigen Schwäche und rückständigen Bewaffnung war sie sich auch der kaum tragbaren Verantwortung bewußt, in den nicht voraussehbaren Wechselfällen des Völkerlebens das Organ für die Sicherheit des deutschen Volkes zu sein. So war es selbstverständlich, daß sie den Druck des Versailler Vertrages, der auf dem ganzen Volk lastete, besonders stark empfand. Die Entwaffnungsbestimmungen dieses Diktates lagen wie Fesseln auch um jeden einzelnen Angehörigen der Marine. Wenn überhaupt in der Truppe ein guter Geist herrschen sollte, so mußte er verbunden sein mit der Hoffnung und der sicheren Erwartung, daß es eines Tages gelingen würde, diese Fesseln abzustreifen.

Eine derartige Einstellung war keineswegs nur eine Sache des Verstandes und der nüchternen Überlegung. Es war ganz

13

einfach die Sehnsucht nach der Freiheit, wie sie in einem gesunden Volk und in jedem noch natürlich denkenden Menschen vorhanden ist. Ein Volk kann unendlich viel Schweres ertragen; es wird selbst an einem verlorenen Krieg mit seinen Opfern nicht zerbrechen, sondern sich langsam wieder vom Boden erheben können. Die Fesseln aber, die der Freiheit angelegt werden, haben von Tag zu Tag ein schwereres Gewicht. Man wird weder die geistige Entwicklung des deutschen Volkes zwischen den beiden Kriegen, noch die innere Haltung seiner Soldaten verstehen können, wenn man dieses mächtige menschliche Gefühl außer acht läßt. Sehr vieles von dem, was in Deutschland nach dem Ende des ersten Weltkrieges geschehen ist und uns heute kaum mehr verständlich erscheint, ist auf die Auswirkungen des Versailler Diktates zurückzuführen.

Die Reichsmarine, die sich gemäß der Verfassung und zugleich, weil es für sie wie für den Staat so erforderlich war, aus jeder politischen Betätigung heraushielt, hat aber bei jedem Wechsel der Regierung in der Weimarer Republik und bei jeder neuen Abrüstungsverhandlung immer wieder gehofft, daß eine Lockerung der Fesseln in der einen oder anderen Form erreicht werden könnte. Tatsächlich ist dies, wie Reichskanzler Wirth einmal bezeugt hat, das Streben sämtlicher Regierungen seit 1918 gewesen. Die Marine hat die Lage gewiß mit innerer Ungeduld ertragen. Aber sie ist, nachdem die Ereignisse des Kapp-Putsches überwunden waren, den Weg einer unbedingten Staatstreue gegangen. Diese äußerte sich nicht nur in einer unverändert gleichbleibenden Erfüllung der Pflicht des Tages, sondern auch in dem Fernhalten von solchen Strömungen, die sich gegen den Staat richteten.

In jedem Jahr ergänzte sich die Reichsmarine durch etwa 1500 Freiwillige aus allen Schichten und Kreisen unseres deutschen Volkes. In ihr kamen nicht einzelne landsmannschaftliche Einstellungen oder die Auffassungen bestimmter sozialer

Kreise zur Geltung; sie war tatsächlich ein »Schmelztiegel« der Nation. Sie hat ohne innere Vorbehalte, ohne Schwanken und ohne die geringste Erschütterung der Weimarer Republik und ihren Regierungen gedient. Das Primat der Politik war ihr eine Selbstverständlichkeit.

Das Klima in der Weimarer Republik ist für die Marine keineswegs immer günstig gewesen. Sie ist vielfachen Angriffen und oftmals unberechtigten Kritiken ausgesetzt gewesen und hat häufig nicht die Unterstützung gefunden, die sie gebraucht hätte. Dadurch war sie gezwungen, sich ständig selbst zu überprüfen, gegen gelegentliche Mißgriffe und Auswüchse scharf vorzugehen und überall Verbesserungen durchzuführen. Dabei ist sie in sich fest und sicher geworden. Die Ereignisse von 1918 und 1920, die — wie im ersten Band dargestellt — an das innerste Mark der Marine gerührt hatten, waren von ihr verarbeitet und überwunden worden. Sie hatte viele Erkenntnisse gewonnen, die sorgfältig durchdacht und in die allgemeine Auffassung eingegangen waren: Manneszucht, Kameradschaft, Zuverlässigkeit und Treue gegen den Staat.

Dies war das Ergebnis der fünfzehnjährigen Erziehungsarbeit gewesen. Später sind die Dinge von Parteiseite gern so dargestellt worden, als ob die Leistungen der Marine im Kriege nur auf den Einfluß der nationalsozialistischen Staatsführung zurückzuführen wären. Zweifellos hat die Förderung, die die Marine durch sie erhielt, zu ihrem Teil beigetragen. Aber es wäre niemals möglich gewesen, in den wenigen Jahren zwischen 1933 und 1939 eine leistungsfähige Marine mit einer festen Disziplin aufzubauen, wenn nicht bereits in der Weimarer Republik das tragfähige Fundament geschaffen worden wäre. Zu dieser Grundlage gehörte die Auffassung, daß die Wehrmacht einen Teil des Volkes bildete, mit dem sie fest verbunden war, und daß sie zugleich im Leben des Staates eine Funktion hatte, innerhalb deren ihre Pflichten und Rechte, aber auch ihre Grenzen genau bestimmt waren.

15

Sie hatte allein die verfassungsmäßigen soldatischen Aufgaben des Staates zu erfüllen und besaß daneben weder Berechtigung noch Auftrag zu einer politischen Tätigkeit; sie führte kein gesondertes Eigenleben, sondern war ein Diener des Staates. Nach solchen Gesichtspunkten hatte ich seit 1928 die Marine geführt und hatte damit die Linie meiner Vorgänger fortgesetzt. Ich glaube, alles getan zu haben, was in meiner Macht stand, um ein gutes Verhältnis der Marine zum Staat und ein gegenseitiges Verstehen herbeizuführen. Eine Betätigung der Marine in irgend einer innenpolitischen Richtung ist nicht erfolgt. Die Marine hat daher von sich aus nichts zu der damaligen Entwicklung beigetragen. Sie war — ebenso wie die ganze Reichswehr — eine Stütze des Weimarer Staates, vielleicht eine der sichersten, jedenfalls aber die letzte. Daß die Wehrmacht allein durch ihre Existenz in den bewegten Jahren vor 1933 ein Abgleiten in einen regelrechten Bürgerkrieg verhindert hat, scheint mir auch bei nachträglicher Betrachtung sicher zu sein.

Auf der anderen Seite war es aber selbstverständlich, daß die Angehörigen der Marine als Glieder unseres Volkes denselben geistigen Einflüssen und äußeren Einwirkungen ausgesetzt waren wie dieses. Nach mehr als vierzig Friedensjahren war 1914 der Weltkrieg ausgebrochen, an dessen Entstehen sich das deutsche Volk unschuldig fühlte. Um so härter wurde es nach der Niederlage durch das Diktat von Versailles getroffen, in dem als einer der wichtigsten Punkte die Anerkennung der Schuld Deutschlands am Kriege verlangt wurde. Die uns auferlegten Friedensbedingungen, die wir aus dem Zwang der Situation heraus schließlich annehmen mußten, waren unfaßbar. In dem Vertrag war neben anderen Bestimmungen vorgesehen, daß — im Gegensatz zu dem ausdrücklich erklärten Selbstbestimmungsrecht der Völker — deutsche Gebietsteile abgetrennt, das linksrheinische Gebiet besetzt, Danzig vom Reich losgelöst und die Kolonien weggenommen wurden.

Durch die Einrichtung des polnischen Korridors wurde ein Unruheherd geschaffen, von dem damals schon der französische Marschall Foch sagte, daß »dort die Quellen eines künftigen Krieges liegen«. Neben der Ablieferung der Handelsflotte wurden uns ungeheure materielle und unerfüllbare finanzielle Reparationsleistungen auferlegt. Das deutsche Saargebiet wurde für fünfzehn Jahre außerhalb des Reiches gestellt. Der Anschluß Österreichs an Deutschland, der damals in beiden Ländern der Wunsch des größten Teiles der Bevölkerung und der Politiker war, wurde verhindert; der Artikel 61 der deutschen Reichsverfassung, der den Anschluß vorsah, mußte abgeändert werden. Um die völlige Abhängigkeit Deutschlands sicherzustellen, war durch die Entwaffnungsbestimmungen jede Möglichkeit verbaut worden, eine militärische Macht zu errichten, während gleichzeitig durch Militärbündnisse und Aufrüstung rings um Deutschland eine Lage herbeigeführt wurde, die uns unter ständigen Druck setzte.

Nach dem Vielen, was in der Folgezeit auf uns eingestürmt ist, kann man sich heute nur noch schwer vorstellen, in welcher Bedrängnis wir uns damals befanden. Die deutschen Regierungen jener Zeit — in diesem Zusammenhang darf ich besonders auch den Reichswehrminister Groener erwähnen — haben in einer ständigen Sorge gelebt, daß von polnischer Seite ein Angriff gegen uns erfolgen könnte, dem wir keine nennenswerte Abwehr entgegensetzen konnten. Die Besorgnis war berechtigt; denn als das Ruhrgebiet durch die Franzosen im Jahre 1923 besetzt wurde, hatte es sich gezeigt, daß wir nicht in der Lage gewesen waren, dies durch passiven Widerstand zu verhindern. Die Besetzung des Ruhrgebietes dauerte mehr als zwei Jahre, die Rheinlandbesetzung wurde teilweise sogar noch bis 1930 aufrechterhalten.

Der außenpolitische Druck, der trotz aller Bemühungen unserer Regierungen nur in ganz geringem Maß gemildert wurde, fand sein Gegenstück in der Unsicherheit der innenpolitischen Lage. Das deutsche Volk war in sich uneins und zerrissen, was schon aus der Zersplitterung in zahlreiche Parteien hervorging. Wie nicht anders zu erwarten war, hatte die aufgezwungene außenpolitische Unfreiheit stärkste Rückwirkungen nach innen. Die Welle der Inflation ging über uns hinweg und führte zum Zusammenbruch vieler Existenzen und zur allgemeinen Verarmung. Ständig nahm die Arbeitslosigkeit zu, und die Gefahr des Kommunismus wurde immer größer. Unter letzterem hatte der Soldat in Uniform durch Belästigungen und Angriffe besonders zu leiden.

Die Staatsmänner und Politiker unserer Gegner, die hinter dem Versailler Vertrag standen, hatten geglaubt, das deutsche Volk auf lange Zeit im Zustand der Unfreiheit und politischen Bedeutungslosigkeit halten zu können. Sie haben sich offensichtlich kein Bild davon gemacht, daß ein Volk sich auf die Dauer niemals mit einer Unterdrückung abfinden kann, wie sie uns der Friedensvertrag auferlegt hatte. Die Wegnahme von Teilen des Staatsgebietes, Besetzung und Kontrollmaßnahmen, Mißachtung der natürlichen Souveränität eines Volkes und eine entsprechende Behandlung seiner Regierung beschwören Entwicklungen und Strömungen herauf, die eines Tages unvermeidlich zu einer Auflehnung führen müssen. Wie in einer Verblendung haben die Siegermächte uns erst unerfüllbare Bedingungen auferlegt und dann den demokratischen Regierungen der Weimarer Republik ein wirkliches Eingehen auf die dauernd vorgebrachten berechtigten deutschen Forderungen abgelehnt, während der Kommunismus, von ihnen kaum ernst genommen, drohend emporwuchs. Wenige Jahre später waren sie jedoch bereit, dem nationalsozialistischen Staat auf allen Gebieten weit entgegenzukommen und ihm das zu gewähren, was sie den Weimarer Staatsmännern verweigert hatten.

Die Alliierten des zweiten Weltkrieges haben guten Grund gehabt, beim Nürnberger Prozeß eine Erwähnung oder Erör-

terung des Versailler Vertrages und seiner Folgen grundsätzlich zu verbieten. Denn die Entwicklung in Deutschland, die
immer dringender den Ruf nach dem »starken Mann« entstehen ließ und schließlich zum Nationalsozialismus als dem
anscheinend einzigen Ausweg führte, ist zum größten Teil eine
Folge der Situation gewesen, die die Feindmächte von 1918
durch das Friedensdiktat und ihre weitere Politik geschaffen
haben. Der nur auf diesem Hintergrund denkbare Nationalsozialismus knüpfte an die Auswirkungen des Friedensvertrages an und zeigte zugleich in seinem Parteiprogramm eine
Reihe von Zielen auf, die bei den enttäuschten deutschen Menschen der damaligen Zeit Anklang finden mußten.

Trotz des Aufkommens dieser neuen politischen Richtung
veränderte sich die loyale Einstellung der Marine gegenüber
der Regierung und dem Weimarer Staate nicht. Ihre Disziplin
blieb unerschüttert; es gab keinerlei Zwischenfälle. Ich hätte
auch jedes politische Hervortreten scharf unterdrückt. Man
muß sich, nachdem der scheinbare Aufstieg und die unbestreit-
baren außenpolitischen Erfolge des Nationalsozialismus in
einen Krieg und in ein noch schlimmeres Unglück als den Vertrag von Versailles ausgemündet sind, in die Not jener Tage
zurückversetzen, um zu verstehen, wie das deutsche Volk
Anfang der dreißiger Jahre zunehmend von der Bewegung
ergriffen wurde. Die Tatsache bestand jedenfalls, und es gab
kein legales Mittel, die Übernahme der Regierung durch die
stärkste Partei unter Hitlers Führung zu verhindern. Der einzige dafür in Frage kommende Weg wäre um die Jahreswende
1932/33 der Verfassungsbruch gewesen. Niemand hätte es
jedoch fertiggebracht, den Generalfeldmarschall von Hindenburg dazu zu bringen, den Eid zu brechen, den er als Reichspräsident und Oberbefehlshaber der Wehrmacht auf die Weimarer Verfassung geleistet hatte. Der Reichswehr ist es erspart
geblieben, in einen unlösbaren Konflikt zu kommen, der hätte
entstehen können, wenn die Ereignisse im Januar 1933 zu

einer bewaffneten Auseinandersetzung zwischen der Regierung und der Bewegung Hitlers geführt hätten. Durch den legalen Übergang der politischen Führung vom Kabinett Schleicher an das Kabinett Hitler ist eine solche Lage vermieden worden.

Die Übernahme der Regierung durch das Kabinett Hitler bedeutete für die Wehrmacht keine Veränderung ihrer Stellung im Staate; nach wie vor unterstand sie dem Reichspräsidenten als Staatsoberhaupt. Auch ließ die Zusammensetzung der neuen Regierung zunächst nichts grundsätzlich Neues erkennen, da ihr überwiegend Minister angehörten, die nicht aus der NSDAP kamen. Bei den verschiedenen Wahlen und Abstimmungen zeigte sich, daß die Regierung einen Rückhalt in allen Teilen des Volkes hatte. Die Annahme des Ermächtigungsgesetzes im Reichstag am 24. März 1933, dem sämtliche Abgeordnete der bürgerlichen Parteien zustimmten, war hierbei von größter Bedeutung. Ebenso übte der Abschluß des Konkordates zwischen dem Deutschen Reich und dem Vatikan im Juli 1933 eine erhebliche Wirkung aus. In weiten Kreisen wurde es als Erleichterung empfunden, daß durch eine großzügige Arbeitsbeschaffung die Arbeitslosigkeit wesentlich vermindert wurde. Die Erfolge und Fortschritte auf den verschiedensten Gebieten wurden mit Befriedigung, neuer Hoffnung und freudiger Zustimmung aufgenommen. Mochten die Voraussetzungen dafür günstiger sein als in den vergangenen Jahren und die Vorarbeit der Weimarer Regierungen ihr Teil dazu beigetragen haben, daß jetzt Ergebnisse erzielt wurden, die bis dahin unerreichbar gewesen waren — tatsächlich und sichtbar hatte Hitler den Erfolg gehabt und vieles fertiggebracht, was vorher zwar erstrebt, aber doch nicht gelungen war. Nach der politischen Zerrissenheit der Weimarer Zeit brachte das deutsche Volk ihm ein wachsendes Vertrauen entgegen.

Überall bei Behörden und sonstigen öffentlichen Stellen konnte man bemerken, daß das Verständnis für die Aufgaben der Wehrmacht größer wurde und gegenüber den Soldaten eine positive Einstellung vorhanden war. Im Marinebereich war dies namentlich auch auf den Werften festzustellen, wo Soldaten und Arbeiterschaft in enge Berührung kommen und auf gute Zusammenarbeit angewiesen sind. Selbstverständlich lief nicht alles glatt und ohne Reibungen mit den Parteiorganen ab. Die Befehlshaber und Kommandeure mußten sich häufig zur Wehr setzen oder schlichtend einwirken. Aber innerhalb der Marine nahmen solche Gegensätzlichkeiten keine größere Bedeutung an. Sie konnten meist ohne mein Eingreifen geordnet werden.

Auf den zahlreichen Auslandsfahrten unserer Kriegsschiffe wurde immer wieder festgestellt, daß die Auslandsdeutschen der Entwicklung in Deutschland zum größten Teil lebhaft zustimmten. Die Aufnahme unserer Besatzungen durch andere Nationen war überwiegend und oft betont freundschaftlich. Wenn irgendwo auch Gegenströmungen vorhanden gewesen sein mögen, so traten sie doch bei den Kriegsschiffsbesuchen nicht in Erscheinung. Der allgemeine Eindruck war, daß das Ansehen Deutschlands sich im Ausland erheblich gehoben hatte. Die Beziehungen zu anderen Kriegsmarinen, besonders zur englischen, wurden ungezwungener und herzlicher. Es war daher begreiflich und aus dem Wissen der damaligen Zeit auch berechtigt, daß wir mit Vertrauen und Zuversicht der weiteren Entwicklung entgegensahen.

Diese Einstellung ist je nach Veranlagung und Temperament des Einzelnen natürlich unterschiedlich gewesen. Vornehmlich bei älteren Offizieren war manchmal eine gewisse Skepsis anzutreffen. Aber es wurde selbstverständlich niemandem ein Vorwurf gemacht, wenn er Bedenken oder Kritik äußerte; er hatte keinerlei Nachteile zu befürchten. Mir war eine Reihe von Offizieren bekannt, die ohne Zweifel mit dem

System des nationalsozialistischen Staates und der Partei nicht einverstanden waren und dies offen zum Ausdruck gebracht haben. Solange diese Offiziere ihre Pflicht taten — und sie haben sie bis zum Kriegsende getan —, sind sie weder geringer bewertet noch benachteiligt worden. Mochten also die Auffassungen verschieden sein, mochten von der begeisterten Zustimmung über eine vorsichtige Zurückhaltung bis zu einer Ablehnung alle Einstellungen vertreten sein — das Entscheidende war, daß die Marine in ihrer Gesamtheit der neuen Regierung gegenüber die gleiche Loyalität zeigte und ebenso zuverlässig war, wie sie es in den vorausgegangenen Jahren der Weimarer Republik gelernt und bewiesen hatte. Die Marine hatte in den zurückliegenden Zeiten ihre bitteren Erfahrungen gemacht. Es gab daher für jeden ihrer Angehörigen keinen Zweifel daran, daß eine unbedingte Disziplin in den eigenen Reihen selbst bei größten Belastungen aufrechterhalten werden müsse. Weiter war klar, daß eine Auflehnung gegen den Staat, wie sie beim Kapp-Putsch von Teilen der Marine erfolgt war, nie wieder eintreten dürfe und daß auch ein Hintergehen der Regierung mit bester Absicht, wie es im Zusammenhang mit dem Lohmann-Fall festgestellt worden war, nie zum Guten führen könne.

In der Weimarer Republik war ich für die Belange der Marine eingetreten und hatte ihre Interessen nach Kräften gewahrt; ich sah keinen Anlaß, von meinen Grundsätzen und Auffassungen unter der neuen Regierung abzugehen. Meiner Aufgabe konnte ich aber nur dann gerecht werden, wenn ich dem Staate gegenüber nicht eine feindselige oder ablehnende Haltung einnahm, sondern wenn ich — wie die Mehrheit des deutschen Volkes und auch der Marine — den Staat und seine Führung bejahte. Hätte ich nicht diese Einstellung gehabt, so hätte ich damals meinen Abschied genommen. Es wäre mir unmöglich gewesen, innerlich den Staat abzulehnen und gleichzeitig das Vertrauen der Marine in meine Person zu fordern. Nur auf der Grundlage meiner ehrlichen Loyalität gegenüber dem Staat konnte ich meine Aufgabe erfüllen; sie bestand darin, den meiner Führung anvertrauten Wehrmachtteil für seine militärischen Aufgaben auszubauen, auszubilden und zu erziehen und der Marine die ihr im Staate gebührende Stellung zu erhalten und zu festigen. Niemand hat in jenen Tagen in die Zukunft sehen können und gewußt, was sich Jahre später ereignen würde. Für den Weg, den ich mit der Marine gegangen bin, trage ich die Verantwortung vor der Geschichte.

Die Auswirkungen des Flottenabkommens

Großadmiral Earl Beatty, der als Führer der britischen Schlachtkreuzer und danach als Flottenchef während des ersten Weltkrieges in den Seeschlachten und Gefechten in der Nordsee der deutschen Flotte gegenüber gestanden hatte, äußerte am 26. Juni 1935 im englischen Oberhaus: »Ich bin der Meinung, daß wir den Deutschen Dank schuldig sind. Sie kamen zu uns mit ausgestreckten Händen und erklärten, daß sie mit dem Stärkeverhältnis von 35 : 100 einverstanden seien. Wenn sie andere Vorschläge gemacht hätten, hätten wir sie auch nicht hindern können. Daß wir nun wenigstens von *einem* Lande der Welt kein Wettrüsten zu befürchten haben, ist wahrlich eine Sache, für die man dankbar sein muß.«

Der britische Admiral hatte die Lage richtig erkannt. Der Verzicht, der von deutscher Seite durch die freiwillige Beschränkung auf 35 Prozent der Gesamttonnage der englischen Flottenstärke im deutsch-englischen Flottenabkommen vom 18. Juni 1935 ausgesprochen war, war zweifellos groß. Er war für uns nur annehmbar gewesen, weil wir hofften, dadurch England für alle Zeiten als Gegner auszuschalten und unter Umständen sogar zu einem Bündnis mit ihm zu kommen. Daß auf britischer Seite die politische Bedeutung des Abkommens und der für England errungene Vorteil hoch gewertet wurde, ging später auch aus einem Gespräch hervor, das ich zusammen mit Freiherr von Neurath im Winterhalbjahr 1938/39 mit dem englischen Botschafter Sir Neville Henderson auf einem Empfang bei Hitler hatte. Ich fragte ihn, in welcher Weise Großbritannien sich für das großzügige Entgegenkommen Deutschlands in der Frage des Stärkeverhältnisses der Flotten erkenntlich zeigen werde; bisher habe man unser weitgehendes Angebot offenbar als etwas Selbstverständliches angenommen. Der Botschafter erwiderte ernst, daß dies durchaus nicht der Fall wäre und daß die britische Einstellung noch bei der Regelung des Kolonialproblems in Erscheinung treten würde. Von einer beabsichtigten Regelung der Kolonialfrage war mir allerdings bis dahin nichts bekannt.

Innerhalb der vereinbarten Begrenzung der künftigen deutschen Flottenstärke war — soweit man das voraussehen konnte — genügend Spielraum vorhanden, um eine angemessene Flotte im Rahmen einer deutschen Kontinentalpolitik aufzubauen, zu der sich Hitler mir gegenüber bereits bei unserer ersten dienstlichen Besprechung bekannt hatte. Ferner kam hinzu, daß der Washingtoner Vertrag von 1922, der die Flottenstärken der Vertragspartner begrenzt hatte, im Jahre 1936 ablief und mit seiner Verlängerung wegen der ablehnenden Haltung einzelner Vertragsmächte nicht zu rechnen war. Man konnte annehmen, daß England dann früher oder später zu einer Vergrößerung seiner Flotte schreiten würde, wodurch sich automatisch die zulässige Stärke der deutschen Flotte erhöhte.

Die britische Marine hatte im Jahre 1935 in den wichtigeren Schiffsklassen folgenden Bestand: 12 Schlachtschiffe, 3 Schlachtkreuzer, 8 Flugzeugträger, 19 Schwere und 35 Leichte Kreuzer, 19 Flottillenführer, 150 Zerstörer und 54 U-Boote. Für Deutschland ergab sich an erlaubter Tonnage: Großkampfschiffe rund 184 000, Flugzeugträger 47 000, Schwere

Kreuzer 51 000, Leichte Kreuzer und Zerstörer zusammen 119 000 und U-Boote (45 Prozent) 23 700 Tonnen. Demgegenüber besaß die deutsche Marine zu diesem Zeitpunkt an moderneren, nach dem ersten Weltkrieg gebauten Schiffen nur die drei Panzerschiffe der »Deutschland«-Klasse = zusammen etwa 35 000, 6 Leichte Kreuzer = 40 000 sowie 12 Torpedoboote = 11 000 Tonnen.

Bevor aber die bei uns bestehenden Baupläne der Öffentlichkeit bekanntgegeben und weitere Absichten festgelegt werden konnten, wurde die Fertigstellung und die baldige Indienststellung der ersten deutschen Unterseeboote betrieben. Der Bau dieser Kategorie von Kriegsschiffen war sorgfältig vorbereitet worden. Es lagen die Bauunterlagen für drei Typen von 250, 500 und 750 Tonnen vor. Für den kleinsten Typ waren auch weitgehende materielle Vorbereitungen getroffen worden. Die Einzelteile waren so bereitgestellt und vorbereitet, daß das erste 250-Tonnen-Boot in kürzester Frist zusammengebaut, zu Wasser gebracht und in Dienst gestellt werden konnte. Am 27. September 1935 wurde die erste U-Bootsflottille aus sechs kleinen U-Booten gebildet, während weitere sechs Boote ähnlichen Typs zur Unterseebootsschule traten. Den Chef dieser ersten Flottille, die nach dem berühmten U-Bootskommandanten aus dem ersten Weltkrieg die Bezeichnung »Unterseebootsflottille Weddigen« erhielt, Kapitän zur See Dönitz, ernannte ich bald darauf zum Führer der Unterseeboote und übertrug ihm damit den Aufbau der neuen deutschen Unterseebootswaffe — eine Aufgabe, die einen Offizier von außergewöhnlichem Format erforderte.

Um von vornherein beim Aufbau der U-Bootwaffe eine gesunde Disziplin sicherzustellen, wurde auf die Auswahl der Offiziere besonderer Wert gelegt. Dönitz erbat die Kommandierung des Korvettenkapitäns (Ing) Thedsen als Flottillen- und später Verbandsingenieur, eines Offiziers, der sich im ersten Kriege als Maschinist und Leitender Ingenieur auf

U-Booten bereits ausgezeichnet hatte. Er ist bis zum Ende des zweiten Krieges, zuletzt als Konteradmiral (Ing), in dieser Stellung geblieben. Aus der Reihe der neu ausgebildeten Unterseebootskommandanten wurde Kapitänleutnant Godt sehr bald in den Stab des Führers der Unterseeboote kommandiert und hat — ebenfalls bis Kriegsende — die Stellung des Chefs des Stabes innegehabt. Von den Marinebaubeamten, die für die U-Boote spezialisiert waren, möchte ich die Ministerialräte Schürer und Bröking sowie die Marineoberbauräte Aschmoneit, Diestelmeyer, Sperling und Friese nennen.

Die Indienststellung des ersten Unterseebootes gaben wir der Öffentlichkeit gleichzeitig mit unserem Flottenbauplan am 9. Juli 1935 bekannt. Die Erklärung lautete:

»Zum Aufbau der Kriegsmarine auf den im Flottenabkommen mit England festgelegten Stand von 35 v. H. des englischen Deplacements sind folgende Neubauten auf Stapel gelegt oder werden im Laufe des Jahres 1935 auf Stapel gelegt werden:

1. 2 Panzerschiffe von je 26 000 Tonnen Wasserverdrängung mit 28-cm-Geschützen.
2. 2 Kreuzer von je 10 000 Tonnen Wasserverdrängung mit 20-cm-Geschützen.
3. 16 Zerstörer von je 1625 Tonnen mit 12,7-cm-Geschützen (Stapellegung 1934 und 1935).
4. a) 20 U-Boote zu je 250 Tonnen. Das erste dieser U-Boote ist am 29. Juni in Dienst gestellt worden. Zwei weitere sind zu Wasser.
   b) 6 U-Boote zu je 500 Tonnen.
   c) 2 U-Boote zu je 750 Tonnen.

Der Bau des ersten Flugzeugträgers, ebenso die Pläne der 1936 und in den folgenden Jahren nach dem Grundsatz der qualitativen Gleichberechtigung auf Stapel zu legenden weiteren Schlachtschiffe werden vorbereitet.«

Die französische Kriegsmarine hatte zu dieser Zeit die beiden Schlachtschiffe der »Dunkerque«-Klasse in Bau, die mit ihrer Größe von 26 500 Tonnen, acht 33-cm-Geschützen und 30 Knoten Geschwindigkeit in der französischen Öffentlichkeit vielfach als »Antwort« auf die deutschen »pocket-battleships« (Westentaschen-Schlachtschiffe) von 10 000 Tonnen mit sechs 28-cm-Geschützen und 26 Knoten Geschwindigkeit bezeichnet wurden. Der Bau des ersten französischen Schlachtschiffes von 35 000 Tonnen sollte im November 1935 in Angriff genommen werden. Insgesamt hatte die französische Marine damals einen Bestand von fast 60 Prozent der englischen. Bemerkenswert war die Größe der französischen Unterseebootswaffe, die mit 96 U-Booten und 15 Neubauten den britischen Bestand von 54 fertigen und 6 im Bau befindlichen U-Booten weit übertraf. Die französische Flotte besaß also, wenn sie nur den damaligen Stand aufrecht erhielt, eine fast doppelte Überlegenheit gegenüber der Stärke, die wir nach dem deutsch-englischen Abkommen erreichen konnten. So konnte weder die im Flottenabkommen als Endziel erlaubte Größe der deutschen Flotte, noch weniger aber ihr vorhandener Bestand an Schiffen Anlaß zu einer Beunruhigung sein.

Der einzige Punkt, der vielleicht der englischen Öffentlichkeit zunächst nicht ganz unbedenklich erscheinen mochte, lag in der Vereinbarung, daß Deutschland bei den Unterseebooten sofort bis zu 45 Prozent des englischen Bestandes an Tonnage aufbauen konnte und daß ihm eine Erhöhung auf die gleiche Gesamttonnage wie die englische U-Bootswaffe nach vorherigen freundschaftlichen Besprechungen zwischen den beiden Regierungen gestattet sein sollte. Hier wirkte die Erklärung des I. Lords der britischen Admiralität, Sir Bolton Eyres-Monsell, beruhigend, mit der er vor dem Unterhaus bekanntgab, daß die Deutschen sich bereit erklärt hätten, sich künftig den internationalen Abmachungen über die Kriegführung mit U-Booten anzuschließen, durch die eine warnungslose Versenkung von Handelsschiffen untersagt war. Deutschland ist dann auch am 23. September 1936 dem »Londoner U-Boot-Protokoll« offiziell beigetreten.

Diese Entwicklung hatte ihre Vorgeschichte. Der uneingeschränkte Unterseebootskrieg, wie er in dem zweiten Teil des ersten Weltkrieges durchgeführt worden war, bedeutete etwas völlig Neues sowohl in militärischer wie in völkerrechtlicher Beziehung. Bei Politikern, Seeoffizieren und Völkerrechtlern gingen die Ansichten über seine Zulässigkeit scharf auseinander, um so mehr, als auch die Rechtmäßigkeit der Bewaffnung von Handelsschiffen umstritten war. Auf der Flottenkonferenz in Washington 1921/22 hatten die fünf Seemächte England, Frankreich, Italien, Japan und die USA neben anderen Vereinbarungen einen Vertrag unterzeichnet, in dem allgemein festgelegt war, daß die Kriegführung der Unterseeboote sich nach den gleichen Regeln richten sollte, wie sie für die Kriegführung von Überwasserschiffen bestanden. Den getroffenen Abmachungen wurde aber wegen ihrer sich zum Teil widersprechenden Fassung wenig Bedeutung beigemessen. Der Vertrag wurde im übrigen von Frankreich nicht ratifiziert; Japan zog seine Unterschrift am 19. Dezember 1934 zurück.

Auf der Flottenkonferenz in London von 1930, an der wieder die gleichen fünf Seemächte wie in Washington teilnahmen, wurden die Bestimmungen verschiedenen Änderungen unterzogen. Dabei wurde auf Antrag Frankreichs eine Klausel der Washingtoner Vereinbarungen gestrichen, wonach U-Bootskommandanten, die gegen die Regeln verstießen, als Piraten behandelt werden sollten. Der französische Delegierte in der Juristen-Kommission erreichte den Wegfall dieser Bestimmung mit der bemerkenswerten Begründung, daß, falls die Verletzung des Abkommens den Kommandanten befohlen sei, nach Völkerrecht nur der Staat und nicht der Soldat hafte. Dieser Standpunkt der französischen Regierung wurde bei den späteren internationalen Prozessen gegen deutsche militärische Befehlshaber außer acht gelassen.

Der Londoner Flottenvertrag von 1930 wurde von Frankreich und Italien nicht ratifiziert. Die Vertragschließenden kamen daher 1936 erneut in London zusammen, um den Bestimmungen, die sich mit der U-Bootkriegführung befaßten, die Form eines selbständigen Vertrages — des »Londoner U-Boot-Protokolls« — zu geben. Den Abmachungen, die den U-Booten die Regeln der Überwasserkriegführung auferlegten, schloß sich auch Deutschland an, wie es bei Abschluß des deutsch-englischen Flottenabkommens im Vorjahr zugesichert hatte. Diese wichtigen und für den Charakter einer zukünftigen U-Bootkriegführung wesentlichen Vereinbarungen sind für die deutsche Kriegsmarine in die »Prisenordnung« eingefügt worden, die von den Sachverständigen für Völkerrecht im Oberkommando der Kriegsmarine in den folgenden Jahren neu bearbeitet wurde. Sie bildete die Grundlage, auf der der Einsatz der deutschen U-Boote bei Kriegsbeginn 1939 erfolgte.

Für den Aufbau der deutschen Seestreitkräfte waren neben dem deutsch-englischen Flottenvertrag die Bestimmungen des neuen Londoner Vertrages von 1936 von Bedeutung. Die Flottenverträge von Washington 1921/22 und London 1930 liefen Ende des Jahres 1936 ab. Vereinbarungsgemäß sollte vor diesem Zeitpunkt auf einer Konferenz ein neuer Vertrag an Stelle der ablaufenden Verträge zwischen den Seemächten verhandelt werden. Die vorgesehene Konferenz trat Ende 1935 in London zusammen. Da inzwischen auch Deutschland durch seine Wiederaufrüstung auf Grund seines Abkommens mit England in die Reihe der Seemächte eingetreten war, wurde erwogen, es in die Konferenz mit einzubeziehen. Dies erschien schon deswegen notwendig, weil in dem deutsch-englischen Flottenabkommen zwar das Gesamtstärkeverhältnis zur britischen Flotte festgelegt war, jedoch keinerlei Abmachungen im einzelnen über die Höchstgrenze der Schiffsgrößen und der Bewaffnung enthalten waren. Eine Einladung Deutschlands zur Teilnahme an der Londoner Konferenz, zu der wir uns grundsätzlich bereit erklärt hatten, scheiterte jedoch an dem Widerspruch Frankreichs, das in einem solchen Vorgehen eine förmliche Anerkennung des »Bruches des Versailler Vertrages« sah, unter die es seine Unterschrift nicht setzen wollte. Schließlich wurde der Ausweg gefunden, daß die Verhandlungen mit Deutschland getrennt geführt werden sollten und daß neben den neuen Abmachungen der alten Partner ein zweiseitiger Vertrag zwischen Deutschland und England — dasselbe galt für die Sowjetunion und England — geschlossen werden sollte.

Der dann zustande gekommene »Londoner Vertrag von 1936« ließ alle Bindungen der früheren Verträge fallen, die sich auf das Stärkeverhältnis der einzelnen Seemächte zueinander bezogen. Es wurden lediglich Höchstgrenzen für die Schiffstypen an Größe und Kaliber festgesetzt. Japan hatte sich an den Vertragsverhandlungen nicht beteiligt; Italien lehnte es wegen der gegen Italien aus Anlaß des Abbessinien-Krieges verhängten Sanktionen ab, den Vertrag zu unterzeichnen.

Der Wegfall der in früheren Verträgen versuchten Vereinbarungen über die Flottenstärken der Vertragspartner beendigte die Bestrebungen, die seit anderthalb Jahrzehnten unternommen worden waren, um ein Wettrüsten zur See zu verhindern. Jede Seemacht konnte nunmehr die Zahl ihrer Kriegsschiffe nach ihren eigenen Gesichtspunkten und Überlegungen bestimmen. Der Gedanke der Abrüstung, soweit sie die Flotten betraf, war damit im Grunde gescheitert. Lediglich für Deutschland bestand eine freiwillig übernommene Bindung an die britische Flottenstärke.

Nur zwei Beschränkungen waren aus den Zeiten der Abrüstungsverträge geblieben: die Höchstgrenzen der Wasserverdrängung und des Kalibers für die einzelnen Schiffstypen sowie eine Baupause bis zum 1. Januar 1943 für Schlachtschiffe unter 17 500 Tonnen und Schwere Kreuzer. Nach dieser Regelung war der Bau von Panzerschiffen unseres bisherigen Typs und von Schweren Kreuzern nicht gestattet. Dieser Kreuzertyp war aber in den anderen Marinen zahlreich vorhanden, so daß dessen Verbot einen wesentlichen Nachteil für Deutschland gebracht hätte. Infolgedessen wurde bei dem Notenwechsel zwischen der britischen und deutschen Regierung anläßlich des neuen Vertrages festgelegt: Deutschland, das zunächst zugesagt hat, sich auf den Bau von drei Schweren Kreuzern zu beschränken, kommt wegen der sowjetischen Forderung auf sieben derartige Kreuzer erneut auf seine ursprüngliche Forderung nach fünf solcher Schiffe zurück. Die englische Regierung erkennt dieses deutsche Recht ausdrücklich an. Deutschland sagt aber zu, den vierten und fünften Kreuzer nur zu bauen, »wenn besondere Umstände eintreten, um seinerseits nichts zu tun, was das allgemeine Bauen solcher Kreuzer wieder aufleben lassen könnte«.

Durch die internationalen Verträge und Abmachungen war der Gesamtumfang einer späteren deutschen Flotte sowie die Art ihrer Schiffstypen in rohen Umrissen festgelegt. Bei der Frage, in welcher Form ihr Aufbau im einzelnen erfolgen sollte, waren viele Gesichtspunkte zu berücksichtigen. Es waren nicht allein die geschilderten außenpolitischen, sondern auch allgemein militärische und technische Überlegungen dafür entscheidend.

Zunächst war grundsätzlich zu klären, ob die Zusammensetzung der deutschen Seestreitkräfte für einen bestimmten begrenzten Zweck erfolgen sollte und die Schiffe dafür zu konstruieren wären oder ob eine vielseitig verwendbare Flotte anzustreben wäre. Der Aufbau einer Marine richtet sich naturgemäß in erster Linie nach den vermutlichen Gegnern im Falle eines Krieges. Eine Flotte, die gegen eine Kontinentalmacht

32

zu kämpfen hat, sieht anders aus als eine, die gegen eine See-macht eingesetzt werden muß. Bei ersterer liegt der Schwer-punkt des Ausbaus auf den Streitkräften des Küstenvorfeldes (Zerstörer, Torpedo- und Schnellboote, Minensuchboote und kleine U-Boote). Im anderen Fall müssen solche Seestreitkräfte bevorzugt gebaut werden, die zur ozeanischen Kriegführung geeignet sind (Flugzeugträger, Überwasserstreitkräfte mit gro-ßem Fahrbereich und hoher Geschwindigkeit, mittelgroße und große U-Boote, Versorgungsschiffe). Jedoch nur ausnahms-weise — wenn überhaupt — kann man eine bestimmte Kriegs-lage mit so hoher Wahrscheinlichkeit vorhersehen, daß man andere Fälle dabei außer acht lassen darf. Wenn diese Vor-aussetzung nicht gegeben ist, muß eine Flotte mit einer mög-lichst vielseitigen Verwendbarkeit aufgebaut werden.

Für unsere Entschlüsse bestand eine Grundlage durch die Erklärungen Hitlers mir gegenüber bei meinem ersten Vor-trag im Februar 1933. Bei dieser Gelegenheit hatte er — wie im ersten Band ausgeführt — als seine politische Auffassung dargelegt, daß er mit »England, Italien und Japan niemals Krieg habe wolle. Die deutsche Flotte sei daher im Rahmen ihrer Aufgaben innerhalb der deutschen Kontinentalpolitik auszubauen«. Damit schieden die erwähnten Staaten und in logischer Folgerung auch die Vereinigten Staaten von Ame-rika als etwaige Gegner aus. Innerhalb einer europäischen Kontinentalpolitik konnten nur die sowjetische und die fran-zösische sowie gegebenenfalls die polnische Marine mit fran-zösischer Unterstützung als diejenigen in Frage kommen, de-ren Stärke und Zusammensetzung bei unserem Aufbau zu beachten war. Dabei war die Sowjetunion überwiegend Kon-tinentalmacht, während Frankreich zugleich als Kontinental-macht und als Seemacht zu rechnen war. Ich muß aber beto-nen, daß weder bei der damaligen Gelegenheit noch sonst in diesen Jahren jemals von seiten der Staatsführung von der Möglichkeit oder gar der Vorbereitung eines Krieges gegen einen dieser Staaten die Rede gewesen ist. Andererseits hat mir Hitler seinen Wunsch, mit England in Frieden zu leben, immer wieder zum Ausdruck gebracht. Nach meiner Überzeugung war die kurz nach seinem Amtsantritt als Reichskanzler mir gegebene Richtlinie durchaus seine damalige grundsätzliche Auffassung. Eine andere wäre unsinnig gewesen und hätte meinen Widerspruch gefunden. Ich habe auch weiterhin keine Gelegenheit versäumt, um darauf hinzuweisen, daß eine See-kriegführung gegen England bei den gegebenen Stärkever-hältnissen und der beiderseitigen geographischen Lage ganz aussichtslos sein würde.

Auf Grund der Ansichten, wie sie zu jener Zeit wohl in den Kriegsmarinen der meisten Staaten bestanden — inzwi-schen ist durch den Einfluß der Luftwaffe ein erheblicher Wan-del eingetreten —, stellten wir die folgenden Überlegungen an: in einer Flotte bedingen die einzelnen Schiffstypen einander und ergänzen sich gegenseitig. Das gilt besonders für die geo-graphischen Gegebenheiten unserer Küsten. U-Boote können aus ihren Häfen nicht auslaufen, wenn nicht die Zufahrtswege durch die Minensuchstreitkräfte freigehalten werden. Diese wieder brauchen leichte oder unter Umständen sogar schwere Seestreitkräfte zum Schutz gegen feindliche Zerstörer und Kreuzer. Zerstörer und Geleitfahrzeuge sind zur Sicherung von schweren Streitkräften, zum Geleitdienst von ein- und auslaufenden Schiffen, zum Minenlegen und zu anderen Auf-gaben verschiedener Art erforderlich. Das Natürliche und im allgemeinen militärisch Richtige ist daher, die Zusammenset-zung einer Flotte, welche nicht für ganz bestimmte Aufgaben gebaut wird, in der Weise vorzunehmen, daß die Stärken der einzelnen Schiffsarten in einem angemessenen Verhältnis zu-einander stehen. Nur dann wird diese Flotte für die wechseln-den und nicht voraussehbaren Aufgaben jeder wahrscheinli-chen Kriegslage mit vollem Nutzen verwendet werden kön-nen. Die Flotte muß also »ausgewogen« sein.

Da für uns ein Anlaß für einen speziellen Kriegsfall nicht vorlag, mußten wir grundsätzlich eine derartige Flotte anstreben. Während des Krieges 1939/45 ergab sich — nachdem wider Erwarten England unser Hauptgegner geworden war —, daß eine stärkere Betonung der U-Boote beim Ausbau der Flotte notwendig gewesen wäre. Bei unseren anfänglichen Überlegungen aber war die Lage so, daß die U-Boote als Kampfmittel durch die internationalen Abmachungen, denen wir beigetreten waren, in ihrer Wirkung sehr beeinträchtigt waren. Ein Einsatz von U-Booten im Handelskrieg konnte nur unter Bedingungen stattfinden, die die Aussichten auf Erfolge stark herabsetzten. Es kam hinzu, daß wir uns zu Anfang des Aufbaus über die zu entwickelnden U-Bootstypen noch nicht klar waren. Die Meinungen darüber gingen auseinander. Verschiedene Stellen im Oberkommando der Kriegsmarine vertraten die Ansicht, daß auch in Zukunft das U-Boot, wie im letzten Kriege, einzeln und weiträumig operieren würde und daher groß sein müßte. Dagegen forderte der Führer der U-Boote, Kapitän zur See Dönitz, in erster Linie ein bewegliches, kampfkräftiges U-Boot von mittlerer Größe, von dem wir innerhalb der im Flottenabkommen festgelegten Gesamttonnage eine größere Zahl bauen konnten. Er würde damit in der Lage sein, Geleitzüge, die nach den gültigen Regeln des Seekrieges ohne weiteres angegriffen werden konnten, durch ganze U-Bootgruppen anzupacken, die von See oder auch von Land aus gemeinsam geführt werden sollten. Diese Auffassung setzte sich schließlich durch; die von Dönitz seit 1936 für die Gruppenverwendung der U-Boote entwickelte »Rudeltaktik« war, wie sich später erwies, ein entscheidender Fortschritt gegenüber dem ersten Weltkrieg und ermöglichte die großen Kriegserfolge unserer U-Boote.

Es war selbstverständlich, daß Kapitän zur See Dönitz sich mit allem Nachdruck für den Ausbau der ihm anvertrauten U-Bootwaffe einsetzte. Das war seine Aufgabe. Dönitz ist aber keineswegs einseitig eingestellt gewesen und hat dies in der Betrachtung der Gesamtlage ebenso gezeigt, wie später als Oberbefehlshaber der Kriegsmarine bewiesen. Ich mußte jedenfalls die systematische Entwicklung der gesamten Flotte im Auge haben mit allen ihren Auswirkungen auf Politik und Wirtschaft, mußte die Kapazität der Werften, die Leistungsfähigkeit der Industrie, den Ausbau der Häfen und Schleusen sowie die Möglichkeit der Bereitstellung des Personals berücksichtigen. Nicht zuletzt hatte ich die Forderungen der Marine bei der Staatsführung durchzusetzen und meistens durchzukämpfen. Denn Hitler mußte auch die Forderungen abwägen, die neben vielen anderen Stellen im besonderen Heer und Luftwaffe erhoben.

Im Oberkommando der Kriesmarine sind damals wie auch später lebhafte Auseinandersetzungen und Meinungskämpfe über die vielfältigen Fragen des Flottenbaus im Gange gewesen. Die Auffassungen prallten oft heftig aufeinander, und die Vorüberlegungen und Planungen wurden nach allen Seiten erörtert. Viel Arbeit wurde geleistet, um Klarheit in die Probleme zu bringen. Aus der großen Zahl der unermüdlichen und verdienstvollen Mitarbeiter möchte ich den Chef des Marinewaffenamtes, Admiral Witzell, vom Konstruktionsamt den Amtschef, Ministerialdirektor Schulz, sowie die Ministerialräte Burkhardt und Brandes, den Chef des Kommandoamtes, Admiral Guse, und meinen Chef des Stabes, Admiral Densch, besonders hervorheben.

In der erwähnten Veröffentlichung vom 9. Juli 1935 nach Abschluß des Flottenabkommens hatten wir unter anderem gesagt, daß wir zwei »Panzerschiffe« auf Stapel gelegt hätten. Es handelte sich um die späteren »Scharnhorst« und »Gneisenau«. Den Gedanken, den bisherigen Typ der Panzerschiffe der »Deutschland«-Klasse weiterzubauen, hatten wir wegen der inzwischen bei anderen Marinen durchlaufenen Entwicklung aufgegeben. Die drei »Deutschland«-Schiffe, die noch unter den Beschränkungen des Versailler Vertrages entworfen und gebaut waren, hatten zur Zeit ihres Baues große Vorzüge besessen: starke artilleristische Überlegenheit über die international eingeführten 10 000-Tonnen-Kreuzer und höhere Geschwindigkeit als die damaligen Schlachtschiffe anderer Nationen (mit Ausnahme von drei englischen Schlachtkreuzern), mit der sie einem Gefecht mit artilleristisch überlegenen Gegnern ausweichen konnten. Inzwischen war man in Frankreich von dem langsamen, stark armierten und schwer gepanzerten Schlachtschiff zu einem leichter gepanzerten, aber ebenfalls stark armierten Typ von hoher Geschwindigkeit — etwa 30 Knoten — übergegangen, nämlich den beiden von den Franzosen als Schlachtkreuzer bezeichneten Schiffen »Dunkerque« und »Strasbourg«. Ferner lagen Nachrichten sowohl von Frankreich wie von anderen größeren Marinen vor, nach welchen allgemein die Absicht bestand, künftig auch den schwer gepanzerten und stark armierten Schlachtschiffen eine hohe Geschwindigkeit zu geben. Damit verloren unsere »Deutschland«-Schiffe ihre Geschwindigkeitsüberlegenheit gegenüber den stärker armierten — nun schnelleren — Schlachtschiffen.

Bei »Scharnhorst« und »Gneisenau« mußten wir daher zu einer wesentlich höheren Geschwindigkeit übergehen und dafür eine viel größere Antriebsleistung als bei den ersten drei Panzerschiffen vorsehen. Gleichzeitig mußte der Panzerschutz erheblich verstärkt werden, was aber nur bei einer Vergrößerung der Schiffe auf rund 30 000 Tonnen möglich war. Die Entwurfsbearbeitung ergab, daß die Neubauten, die — der Definition der Flottenverträge folgend — nun die Bezeichnung »Schlachtschiff« erhielten, den beiden französischen Schlachtkreuzern »Dunkerque« und »Strasbourg« in ihrer Standfestigkeit mindestens gleich, an Geschwindigkeit etwas überlegen sein würden. Dagegen erschien zunächst ihre Armierung von neun 28-cm-Geschützen in drei Drillingstürmen gegen acht 33 cm der Franzosen, aufgestellt in zwei Vierlingstürmen

vorn, unterlegen zu sein. Nach den sehr eingehenden Schieß-
platzversuchen stellte jedoch das für unsere Schiffe konstru-
ierte 28-cm-Geschütz mit seiner systematisch weiterentwik-
kelten Panzersprenggranate einen bedeutenden Fortschritt dar
und besaß eine so große Wirkung, daß es im Vergleich zum
Panzerschutz der »Dunkerque«-Klasse als voll ausreichend zu
betrachten war. Hinzu kam eine erhebliche Überlegenheit in
der Feuergeschwindigkeit gegenüber den französischen 33-cm-
Vierlingstürmen. Meine Fachleute hatten außerdem den Standpunkt vertreten, daß es auf den französischen Schiffen kaum
möglich sein würde, die theoretische Feuerkraft der Vierlings-
türme durch Turmsalven praktisch voll auszunutzen, ohne
auf diesen verhältnismäßig leicht gebauten Schiffen schwere
schiffbauliche Schäden zu bewirken. Diese Ansicht wurde später durch Nachrichten über die Erprobungen der französischen
Schiffe bestätigt.

Natürlich wurde im Hinblick auf künftige schwer gepan-
zerte Schlachtschiffe als etwaige Gegner eine Erhöhung des
Kalibers der schweren Artillerie — etwa auf sechs 38-cm-Ge-
schütze — erwogen. Sie wäre aber ohne eine sehr erhebliche
Bauverzögerung nicht durchzuführen gewesen und erschien
auch politisch bedenklich. Die nächsten beiden Schlachtschiffe
»Tirpitz« und »Bismarck« wurden dann in der Größe von
35 000 Tonnen und mit einem Kaliber von 38 cm entworfen
und dafür ein Geschütz in Konstruktion genommen, dessen
Durchschlagskraft gegenüber jedem Schlachtschiff ausreichend
sein sollte, das unter der damals festgelegten Größenbeschrän-
kung erwartet werden konnte.

Bei unseren Schiffsneubauten standen wir ferner vor der
außerordentlich schwierigen Entscheidung, welche Art der Antriebsanlagen wir für sie wählen sollten. Wir waren mit der
Entwicklung des Dieselmotors für den Schiffsantrieb in der
zurückliegenden Zeit sehr weit gekommen. Auf den Panzerschiffen hatten sich die Motoren nach Überwindung erhebli-

cher Anfangsschwierigkeiten durchaus bewährt. Wir verdankten das der vorbildlichen Zusammenarbeit des dann leider bald verstorbenen genialen Ministerialrates Laudahn im Konstruktionsamt des Oberkommandos der Kriegsmarine mit der MAN (Maschinenfabrik Augsburg-Nürnberg) sowie der hingebenden Arbeit unserer Ingenieuroffiziere und des gesamten Maschinenpersonals in den Erprobungsstellen und an der Front. Durch den sparsamen Brennstoffverbrauch des Dieselmotors war es ermöglicht worden, den Panzerschiffen einen außergewöhnlich großen Fahrbereich zu geben und sie dadurch für überseeische Aufgaben ohne Stützpunkte in besonderem Maße geeignet zu machen.

Für den Dieselantrieb war inzwischen eine scharfe Konkurrenz entstanden durch die Einführung des Hochdruckheißdampfes für Kraftwerksanlagen an Land und — nach Bewährung dort — auch für Antriebsanlagen von Schiffen. Die Ansichten der Sachverständigen über die grundsätzlichen Vor- und Nachteile der beiden Antriebsarten stimmten zwar weitgehend überein; dagegen gingen sie sehr auseinander bezüglich des Risikos, das bei den geforderten hohen Leistungen mit dem Übergang auf den Hochdruckheißdampf verbunden war. Es wäre natürlich am günstigsten gewesen, die verschiedenen in Frage kommenden Systeme solcher Anlagen zunächst auf Versuchsfahrzeugen einzubauen und nach allen Richtungen zu erproben. So hatten wir es vor dem ersten Weltkrieg bei der Einführung der Dampfturbinen gemacht. Ebenfalls waren verschiedene Vorstufen vorausgegangen, bevor wir den Sprung zu den Motorenanlagen der Panzerschiffe machten. Ein ähnliches Vorgehen war aber jetzt vor einem etwaigen Übergang auf Hochdruckheißdampf-Anlagen nicht möglich.

Als die Aufgabe an uns herantrat, die Neubauten mit hohen Geschwindigkeiten und entsprechend sehr großer Maschinenleistung auszustatten, war die Entwicklung der Motoren noch nicht so weit fortgeschritten, daß sie eine solche Leistung bei tragbarem Gewichts- und Raumbedarf hergaben. Zwar wurde nun bei der MAN die Weiterentwicklung von geeigneten Motoren hoher Leistung mit allem Nachdruck betrieben. Aber ein Abwarten dieser Entwicklung hätte die Fertigstellung der geplanten Schlachtschiffe, Kreuzer und Zerstörer — also fast aller Überwasserstreitkräfte — erheblich hinausgeschoben, ohne daß man die Dauer dieser Verzögerung übersehen konnte. Daher mußte ich mich schließlich für die Turbinenanlage mit Hochdruckheißdampf entscheiden. Auf unseren Werften waren, um wenigstens die neuartigen Kessel mit ihren Hilfsmaschinen zu erproben, Versuchsanlagen gebaut worden. Diese wurden unter Hinzuziehung hervorragender Sachverständiger (z. B. Professor Bauer in Bremen) eingehend — allerdings nur an Land — erprobt und als geeignet befunden. Dabei gewannen vor allem die Ingenieuroffiziere, die die Anlagen an Bord der Schiffe zu betreiben haben, ein günstiges Urteil über den Hochdruckheißdampf.

Wir bauten zunächst auf den schnellen Minensuchbooten, den sogenannten Flottenbegleitern, auf den ersten Zerstörern und auf Aviso »Grille« Hochdruckheißdampf-Anlagen ein. Bei ihrer Inbetriebnahme stellten sich jedoch Mängel heraus, die hauptsächlich mit der sehr weit gesteigerten Gewichts- und Raumbeschränkung für die neuen Antriebsanlagen zusammenhingen. Es zeigte sich, daß sie noch zahlreiche Unvollkommenheiten hatten und große Anforderungen an aufmerksame Bedienung und an die Ausbildung des Maschinenpersonals stellten. Die Gruppe der technischen Sachverständigen, die sich für die Einführung des Hochdruckheißdampfes eingesetzt hatte, glaubte, diese Erscheinungen als die mit jeder Neuerung verbundenen »Kinderkrankheiten« ansehen zu müssen; nach ihrer Überwindung würden mit Sicherheit hohe Leistungen erzielt werden.

Von sämtlichen Stellen, die mit den Antriebsanlagen zu tun hatten, sowohl von der Front wie von den Baubeamten, ist mit aller Energie angestrebt worden, diese Anfangsschwierigkeiten zu meistern. Durch systematische Ausbildung des Betriebspersonals, sorgfältige Erprobungen, Austausch von Erfahrungen und technische Verbesserungen ist viel erreicht worden. Trotz dieser Bemühungen blieb aber eine gewisse Störanfälligkeit bestehen, die sich nachher im Kriege bemerkbar machen sollte und erst im Laufe des Krieges durch technische Änderungen und Auswertung der bisherigen Erfahrungen behoben werden konnte. Es muß besonders anerkannt werden, daß die Leitenden Ingenieure und ihr Personal in einem unermüdlichen Kampf gegen Störungen und Schwierigkeiten ihre Maschinenanlagen immer wieder fahrbereit gehalten und bei ihrem Einsatz eine große Verantwortungsfreudigkeit gezeigt haben.

Auf den Schlachtschiffen mit den größten überhaupt gebauten Hochdruckheißdampf-Anlagen gelang es den zähen Bemühungen aller Beteiligten, die Maschinenanlagen in den ersten Kriegsmonaten auf eine bemerkenswerte Höhe der Leistung und der Betriebssicherheit zu bringen und weiterhin zu erhalten. Auch die Anlage auf dem Schweren Kreuzer »Prinz Eugen«, der etwas später in Bau gegeben worden war als seine Schwesterschiffe »Blücher« und »Admiral Hipper«, wies schon sehr erhebliche Verbesserungen auf. Bei allen Vorteilen, die von dieser Art des Antriebs erwartet werden konnten — hohe Leistung, wenig Gewicht, knapper Raumbedarf und schnelle Fahrbereitschaft — war jedoch von vornherein klar, daß niemals ein so großer Fahrbereich wie beim Dieselmotor mit seinem geringen Brennstoffverbrauch zu erreichen war. Infolgedessen habe ich meine Entscheidung zugunsten des Hochdruckheißdampfes nur als zeitlich begrenzt angesehen, bis ein Motorentyp frontreif sein würde, der den stark gesteigerten militärischen und technischen Anforderungen entsprach.

Der Kampf um das Problem des Schiffsantriebs hat uns in der Marineleitung lange Zeit beschäftigt und in der ganzen

Marine zu lebhaften sachlichen Auseinandersetzungen geführt. Es wurden selbstverständlich auch die Ansichten der Fachindustrie gehört, um diese entscheidende Frage nach allen Seiten hin zu klären. Ein endgültiger Beweis, ob in technischer Beziehung die getroffene Entscheidung richtig oder falsch war, ist durch die späteren Kriegserfahrungen nicht erbracht worden, weil der beabsichtigte Übergang zu Motorenanlagen mit der erforderlichen hohen Leistung nicht mehr zur Auswirkung gekommen ist und somit ein praktischer Vergleich der Antriebsanlagen nicht erfolgen konnte. Militärisch betrachtet blieb aber damals keine andere Lösung als der Übergang zum Antrieb mit Hochdruckheißdampf. Die beiden Schlachtschiffe »Scharnhorst« und »Gneisenau« konnten mit den neuen Anlagen ohne besondere Verzögerungen fertiggestellt werden.

Die Kriegsmarine beim Aufbau

Das Londoner Flottenabkommen hatte zweifellos die außenpolitische Atmosphäre entspannt — mindestens zwischen der Hauptseemacht England und Deutschland; eine klare Zielsetzung für die deutsche Marine ermöglichte ihr einen planvollen Aufbau. Neue Entwicklungen setzten ein, alte wurden verstärkt weitergeführt. Die Marine erhielt in allen ihren Teilen einen fühlbaren inneren Aufschwung, der in den beiden folgenden Jahren 1936 und 1937 schon sichtbar in Erscheinung trat. Er wurde stark gefördert durch die Verbindung mit anderen Kriegsmarinen und durch die Erlebnisse unserer Besatzungen beim Anlaufen fremder Häfen. Wegen der vermehrten Zahl der Offizier- und Unteroffizieranwärter waren jeweils drei Schulschiffe auf Ausbildungsreisen im Ausland unterwegs. Überall fanden sie eine sehr freundliche und entgegenkommende Aufnahme. Unsere Kommandanten berichteten nach dem Zusammentreffen mit englischen Kriegsschiffen stets von einer betont kameradschaftlichen Einstellung der britischen Offiziere und Besatzungen. Ähnlich war das Verhältnis zur französischen und zur nordamerikanischen Marine. König Gustav V. von Schweden erwies dem deutschen Panzerschiff »Admiral Scheer« in Stockholm am 21. Juni 1936 die Ehre seines Besuches und empfing

43

den Kommandanten und einige Offiziere zu einer Audienz. Der Kreuzer »Emden« erhielt während seines Aufenthaltes im Schwarzmeerhafen Varna Ende Oktober 1936 den Besuch von Zar Boris von Bulgarien. Zahlreiche fremde Kriegsschiffe suchten ihrerseits deutsche Häfen auf. Der französische Schulkreuzer »Jeanne d'Arc« lief Mitte 1937 Kiel an; es war das erste französische Kriegsschiff in einem deutschen Hafen nach dem Weltkrieg. Ein amerikanisches Geschwader von drei Linienschiffen ging dort ebenfalls für eine Woche vor Anker. Argentinische Schlachtschiffe statteten Hamburg und Wilhelmshaven einen Besuch ab. Zum ersten Mal seit dreißig Jahren war auch ein japanisches Kriegsschiff, der Kreuzer »Ashigara«, in Kiel zu Gast; seine Besatzung wurde in Berlin empfangen. Schwedische Linienschiffe, Zerstörer und Unterseeboote lagen wiederholt in den deutschen Ostseehäfen.

Der günstige Eindruck, den unsere Besatzungen aus dem Ausland mitbrachten, wurde durch die XI. Olympischen Spiele 1936 in Berlin bestätigt, bei denen sich zeigte, wie gern die teilnehmenden Nationen als Gäste Deutschlands gekommen waren. Die Kriegsmarine war bei den Vorbereitungen und der Durchführung der Segelwettkämpfe im August 1936 in Kiel beteiligt; einer der bekannten Segler der Marine, Korvettenkapitän Rogge, war Mitglied des internationalen Schiedsrichterausschusses. Kurze Zeit später waren zwei schwedische Schulschiffe, der italienische Kreuzer »Gorizia« und der britische Kreuzer »Neptune« im Kieler Hafen zu Besuch. Der Kommandant des britischen Kreuzers, Captain Bedford, hatte sich dabei eines besonderen Auftrages zu entledigen. Von deutscher Seite waren 1934 die Trommeln des Gordon Highlander Regiments, die im Kriege in deutsche Hände gefallen waren, an den britischen General Sir Jan Hamilton zurückgegeben worden. In Erwiderung dieser Geste ließ nun die britische Admiralität an die deutsche Marine die Schiffsglocke des Schlachtkreuzers »Hindenburg« übergeben, die in Scapa

Flow geborgen und bisher von dem englischen Schlachtkreuzer »Revenge« geführt worden war. Ich habe die Schiffsglocke in Kiel persönlich entgegengenommen; es war mir ein willkommener Anlaß, mit meinem Dank zugleich den Wunsch nach einem guten Verstehen zwischen den beiden Nationen und ihren Marinen auszusprechen. Ebenso war ich sehr erfreut, daß anläßlich der Krönungsfeier des englischen Königs Georg VI. am 20. Mai 1937 das neueste deutsche Panzerschiff »Admiral Graf Spee« an der internationalen Flottenparade auf Spithead-Reede teilnehmen konnte. Bei der Krönung in London vertraten Generalfeldmarschall von Blomberg die gesamte Wehrmacht und Admiral Otto Schultze, ein bekannter U-Bootkommandant des Weltkrieges, die Kriegsmarine.

In diesen beiden Jahren erhielt die Flotte durch Neuindienststellungen weiteren Zuwachs. Auch die Neubauten näherten sich ihrer Fertigstellung. Im Oktober 1936 lief das Schlachtschiff »Scharnhorst« vom Stapel, wobei Generalfeldmarschall von Blomberg die Taufrede hielt. Als nächstes Schiff folgte im Dezember 1936 das Schlachtschiff »Gneisenau«. Die Taufe nahm der Oberbefehlshaber des Heeres, Generaloberst Freiherr von Fritsch, mit einer eindrucksvollen Ansprache vor. Der erste der neuen Schweren Kreuzer lief am 6. Februar 1937 auf der Werft von Blohm & Voss in Hamburg ab und wurde auf den Namen »Admiral Hipper« getauft. Ich hielt die Gedächtnisrede auf den großen Kreuzerführer, meine Frau vollzog die Taufe.

Es war für die Marine und für mich selbstverständlich, daß der erste Kreuzer den Namen des Admirals von Hipper erhalten mußte, des Mannes, der in seiner Person in idealer Weise Angriffsgeist und Ritterlichkeit vereinigte. In den Tagen, als ich meine Stapellaufrede vorbereitete, trat mir seine unvergeßliche Gestalt wieder vor Augen. Ich habe keinem meiner Vorgesetzten eine solche Verehrung entgegengebracht wie Admiral von Hipper. Er war eine geborene Führerpersönlichkeit, einfach, offen, furchtlos und von einer inneren Sicherheit, die ihn auch in den schwierigsten Lagen nicht verließ. Ihm war die Kraft und Seelenstärke zu eigen, Verantwortung zu übernehmen und zu tragen. Als sein Chef des Stabes habe ich ihn fast fünf Jahre lang beim täglichen Dienst sowie im Gefecht beraten können. Ich habe darüber niemals vergessen, daß in den Augenblicken, in denen das Schicksal auf des Messers Schneide steht, ein Rat oder Vorschlag nur wenig bedeuten kann; es kommt vielmehr allein auf die innere Kraft des verantwortlichen Befehlshabers an, einen Entschluß zu fassen und ihn gegen aufkommende Zweifel durchzuhalten.

Mit den sichtbaren Zeichen des beginnenden Aufbaues ging gleichzeitig die systematische und intensive Arbeit aller Marinedienststellen und Behörden einher. An den grundsätzlichen Auffassungen, die wir uns in der zurückliegenden Zeit erworben hatten, brauchten wir nichts zu ändern. Nach wie vor stand alles im Vordergrund, was zur Herbeiführung und Aufrechterhaltung einer festen Manneszucht dienen konnte. Auf diesen Punkt habe ich auch in meinen Ansprachen immer wieder hingewiesen. Völlig einheitlich war in der Marine die Ansicht, daß der Aufbau sich vorwiegend in der zunehmenden Zahl der Schiffsneubauten und der Steigerung ihrer Kampfkraft zeigen müsse; dafür könnten Einschränkungen auf anderen Gebieten nötigenfalls in Kauf genommen werden.

Nach diesem Grundsatz wurde die Aufteilung des Gesamtetats der Marine vorgenommen. Die Reihenfolge der Dringlichkeit der einzelnen Aufgaben und die Zuteilung entsprechender Geldmittel für ihre Durchführung wurde von dem Marinekommandoamt und der Haushaltsabteilung in Zusammenarbeit mit den technischen Ämtern und dem Verwaltungsamt vorgeschlagen. Da ich die letzte Entscheidung hatte, war sichergestellt, daß eine gleichbleibende Linie verfolgt und dadurch die Mittel ökonomisch und mit der größten militärischen Wirkung angesetzt wurden.

Hierbei wie auch sonst konnte ich mich darauf verlassen, daß die einzelnen Stellen der Marine, vor allem im Oberkommando, gut zusammenarbeiteten. Jede militärische Entscheidung — und deren waren in diesen Jahren sehr viele zu treffen — beruht auf der Beachtung zahlreicher Faktoren. So sind für die Wahl eines Schiffstyps zunächst rein operative Überlegungen notwendig, für welche Aufgaben er gedacht ist und welchen militärischen Ansprüchen er genügen soll; das Stärkeverhältnis zu anderen Marinen und die außenpolitische Lage sind in Betracht zu ziehen. Von der Technik hängt es dann ab, wie viele der Forderungen berücksichtigt und wieweit sie verwirklicht werden können. Aus dem Zusammenspiel der militärischen und technischen Seite ergeben sich Lösungen, meistens Kompromisse, von denen diejenigen gewählt werden müssen, die den eigenen Absichten und der bei etwaigen Gegnern zu erwartenden militärischen Entwicklung am besten entsprechen. Das letzte Wort muß daher die für den Einsatz der Streitkräfte im Kriegsfalle verantwortliche und das Gesamtproblem überschauende Persönlichkeit haben.

Soldaten und Techniker der Marine haben sich in langen Jahrzehnten gut zusammengefunden. Auf dem weiten Weg vom Segelschiff bis zum modernen Schlachtschiff und U-Boot ist das allseitige, ehrliche Bemühen unverkennbar, die militärischen Anforderungen sowie die technischen Möglichkeiten und Vorschläge in ein ausgewogenes Verhältnis zueinander zu bringen. Solange Menschen verpflichtet sind, an bestimmte Aufgaben von einem verschiedenen Ausgangspunkt heranzugehen, werden Differenzen und Meinungskämpfe nie ganz zu vermeiden sein. Denn nur aus dem Ringen um die Probleme kann ein Höchstmaß an Gesamtleistung entstehen. Wenn die Beteiligten dabei sachliche Gesichtspunkte vertreten und nicht persönliche Macht- oder Prestigegründe im Auge haben, sind solche Auseinandersetzungen nur ein Beweis, daß jeder einzelne der ihm übertragenen Aufgabe das nötige Interesse entgegenbringt.

In gleicher Weise haben die militärischen und technischen Stellen mit denen der Verwaltung zusammengearbeitet. Es ist selbstverständlich, daß ein Wehrmachtteil nicht verwaltet werden kann, sondern militärisch geführt werden muß. Diese Führung ist aber auf vielen Gebieten von der Verwaltung abhängig. Für die Marine spielt die Frage des Nachschubs, besonders an Brennstoff, entscheidend in das operative Gebiet hinein; auch beruht alles, was mit der Versorgung und Unterbringung der Truppe zusammenhängt, auf dem guten Funktionieren der Verwaltung.

Wenn natürlich auch hin und wieder Reibungen vorkamen und ich in Einzelfällen gelegentlich schlichtend eingreifen mußte, so habe ich doch jederzeit die Überzeugung gehabt, daß stets im Interesse der Sache gehandelt und mir entsprechende Vorschläge gemacht wurden. Jeder hat auf seinem Platz mit Begeisterung an unserer gemeinsamen Aufgabe mitgewirkt. Ich möchte ausdrücklich hervorheben, daß nicht nur die wenigen Männer, die ich aus diesem oder jenem Anlaß namentlich nenne, voll ihre Pflicht erfüllt haben, sondern daß dies uneingeschränkt von allen meinen näheren Mitarbeitern wie von der ganzen Marine gilt.

Ein Organismus wie die Marine lebt nur zu einem Teil davon, daß ihm von oben her Richtlinien, Anweisungen und Befehle gegeben werden. Bedeutend stärker noch wirkt auf ihn ein, wieviel Arbeit, Verständnis und Liebe zur Sache von dem einzelnen beigetragen wird. Die führenden Männer haben daher in erster Linie den nie versiegenden Strom des Willens zur Leistung in die richtigen Bahnen zu leiten. Ich habe in den Jahren meiner Kommandoführung kaum jemals für schnellere und intensivere Arbeit irgend einer Stelle zu sorgen brauchen, dagegen manchmal allzu großen Eifer und

Vorwärtsdrang mäßigen müssen. Überall war das Bestreben und der Wunsch vorhanden, das beste Resultat zu erzielen. Auf den folgenden Seiten möchte ich einige Beispiele dafür anführen; sie erscheinen mir typisch für die große Verschiedenheit der Aufgaben und für die Art, wie die damit betrauten Stellen meist selbständig und mit eigenen Gedanken an sie herangingen. Daß auf den anderen Gebieten genauso gearbeitet wurde, braucht nicht betont zu werden.

Die Marine ist — ohne ihre Schuld und ohne es vorauszusehen — schon nach wenigen Jahren in die Lage gekommen, gegen die größten Seemächte und damit gegen eine vielfache Überlegenheit im Zustande einer eben begonnenen Rüstung antreten zu müssen. Sie darf sich aber sagen, daß sie wissentlich im Frieden nichts versäumt und ihre ganze Kraft in eine gründliche Arbeit gesteckt hat. Niemand wird bestreiten, daß hierbei Fehlleitungen, Irrtümer und Unterlassungen vorgekommen sind; sie sind bei allen kriegführenden Staaten in Erscheinung getreten. Für die deutsche Kriegsmarine trage ich dafür die volle Verantwortung. Aber daß alle Angehörigen der Marine, der Admiral wie der Matrose und Heizer, der Beamte wie der Angestellte und Werftarbeiter, ernst und pflichtbewußt ihr Bestes gegeben haben, um eine der Bedeutung des deutschen Volkes angemessene Flotte aufzubauen, ist eine unbestrittene Tatsache. Sie sollte auch immer in Betracht gezogen werden, wenn man nachträglich feststellen kann, daß es uns in den kurzen Jahren des Aufbaus nicht überall gelungen ist, das abzustreifen, was wir als Folgen des Versailler Vertrages noch mit uns herumschleppten.

Minenwaffe

Alle Kriegführenden hatten im ersten Weltkrieg von der Mine weitgehend Gebrauch gemacht. In den Gewässern vor den deutschen Flußmündungen hatte sich daraus ein regelrechter Kleinkrieg entwickelt. Immer wieder versuchte der Gegner, unsere Auslaufwege durch Sperren zu verblocken, während wir alles daran setzten, sie offen zu halten. Schließlich stand die ganze Hochseeflotte im Dienste des Minensuchens, um unseren U-Booten das Passieren des Minengebietes zu ermöglichen.

Einen entscheidenden Anstoß erhielt die Minenentwicklung durch die britische Marine, die im Sommer 1918 vor der flandrischen Küste zum ersten Mal eine neue Minenart einsetzte, gegen die wir damals keine Abwehr besaßen. Während die bis dahin üblichen verankerten Minen dicht unter der Wasseroberfläche standen und bei Berührung durch ein Schiff detonierten, lag die neue Mine, die »Grundmine«, auf dem Meeresboden. Ihre Zündung wurde ausgelöst, wenn ein Schiff mit seinem magnetischen Feld in die Nähe kam. Diese Wirkung ging nur bis zu einer bestimmten Tiefe. Flache Gewässer wie an unseren Küsten der Nord- und Ostsee boten die besten Voraussetzungen für ihre Verwendung.

Die Auswertung der Kriegserfahrungen zeigte, daß die Kaiserliche Marine der Sperrwaffe im Frieden nicht die Beachtung geschenkt hatte, die ihr zukam. Die Reichsmarine errichtete daher bereits 1920 ein Sperrversuchskommando, das auch die Erfahrungen des früheren Gegners aufgriff und sich sofort den mit der Grundmine zusammenhängenden Fragen zuwandte. Der Ausbau der Minenwaffe war schon gut im Gange, als ich als Chef der Marineleitung 1928 auf die Weiterentwicklung selbst Einfluß nehmen konnte. Auch ich vertrat wie meine Vorgänger die Auffassung, daß auf die Minenwaffe ein sehr viel größeres Gewicht als früher gelegt werden müßte. Ich ließ der Sperrwaffeninspektion und dem Sperrversuchskommando freie Hand in ihrer Arbeit; nur die allgemeinen Ziele wurden festgelegt. Unsere magnetische Grundmine war in ihrem Hauptteil, dem Zündapparat, schon fertig. An vielen anderen Problemen, wie an einem elektromagnetischen Räumgerät, wurde laufend gearbeitet; bereits 1931 begannen die ersten Versuche mit Flugzeugminen. Die für die Entwicklung und Erprobungsarbeit zur Verfügung stehenden Mittel wurden vermehrt, soweit dies bei unserem knappen Haushalt möglich war. Bei taktischen Übungen der Verbände, bei Kriegsspielen und Flottenmanövern wurde immer wieder der Einfluß und die Auswirkung der Mine in Betracht gezogen; sämtliche Kreuzer und Torpedoboote waren zum Minenwerfen eingerichtet und machten entsprechende Übungen.

Zum Minensuchen verwendeten wir hauptsächlich »M-Boote« von rund 500 bis 600 Tonnen, die auf eine bewährte Konstruktion des Weltkrieges zurückgingen. Dagegen wurde der Bau der sogenannten »Flottenbegleiter« — schnelle Minensuchboote von etwa 700 Tonnen — aufgegeben, da sie nicht den Erwartungen entsprachen. Für die eigentliche Minenräumtätigkeit hatten wir seit 1929 eine gut gelungene Neukonstruktion von 100 bis 150 Tonnen großen Motorräumbooten, »R-Boote« genannt, die sich im zweiten Kriege als für viele Zwecke geeignet erwiesen; wir haben ungefähr 400 Fahrzeuge dieses Typs gebaut.

1933 wurde zu der bereits bestehenden eine zweite Minensuchflottille aufgestellt und ein »Führer der Minensuchboote« ernannt, in dessen Hand die Aufgaben des Minensuchens und -räumens zusammenliefen. Als Flottillenchefs und Führer der Minensuchboote wurden im allgemeinen Offiziere kommandiert, die schon längere Zeit auf Minensuchbooten gefahren waren, so daß die gewonnenen Erfahrungen ausgewertet wurden und eine gewisse Tradition der Minensucher entstand. Nach der Einführung der Wehrpflicht wurde daneben die Ausbildung von Reserveoffizieren und kurz dienenden Mannschaften organisiert, um in einem Kriegsfall vorgebildetes Personal für diejenigen Fahrzeuge zu haben, die — wie Fischdampfer und Logger — mobilmachungsmäßig zum Minensuchen in Frage kamen. Alljährlich wurde eine sorgfältig vorbereitete taktische Sperrübung abgehalten, bei der das Auslegen, Suchen und Räumen von Minen so kriegsmäßig wie möglich durchgeführt wurde. Die größte dieser Uebung fand im Juni 1939 in der Helgoländer Bucht statt. Ich habe persönlich daran teilgenommen und bin von Boot zu Boot gestiegen, um die Besatzungen bei ihrer Tätigkeit zu besichtigen; ich wollte ihnen dabei auch das Gefühl vermitteln, wie hoch ihre Arbeit, die leicht als selbstverständliche Routinearbeit angesehen wird und doch in ihrer täglichen Durchführung wichtig und unerläßlich ist, von der Führung bewertet wird. Die gezeigten Leistungen waren vorzüglich und haben mich sehr beeindruckt. Die Minensucher haben sich dann im Kriege hervorragend bewährt. Dies war nicht zuletzt das Verdienst des Führers der Minensuchboote, des trefflichen Kommodore Ruge, der seine Verbände in See ausgezeichnet führte und es gleichzeitig verstand, den Minensuchern durch eine weitgehende Fürsorge wie Einrichtung von Erholungsheimen und viele andere Betreuungsmaßnahmen einen Ausgleich für ihren harten Dienst zu schaffen.

Die Marinen aller größeren Staaten haben zwischen den beiden Kriegen an der Weiterentwicklung des Minenwesens gearbeitet. Wahrscheinlich hat sich die deutsche Marine zwangsläufig mit den Problemen des Minenkrieges und der Minenabwehr am gründlichsten befaßt, denn sie sah sich mit schwachen Kräften in der Defensive in flachen und engen Gewässern, die für eine Minenverwendung durch den Gegner besonders geeignet waren. Das Interesse, das von der ganzen Marine der Entwicklung der Sperrwaffe entgegengebracht worden ist, hat sich in jeder Beziehung bezahlt gemacht. Wir hatten schließlich eine ganze Reihe von verschiedenen Minenarten. Nach der magnetischen kam die akustische Mine, die durch die Schraubengeräusche eines darüber fahrenden Schiffes ausgelöst wurde, und endlich die Druckdosenmine, die durch den Druck der Bugwelle eines Schiffes zur Wirkung kam; dazu gab es allerlei komplizierte Einrichtungen, durch die man genau einstellen konnte, nach wie langer Zeit oder nach wievielen Überläufen die Mine scharf werden sollte. Es war eine Fülle von Kombinationen beim Auslegen von Minensperren möglich, die dem Gegner die Räumarbeit erheblich erschwerten. Wir konnten andererseits das Auftreten neuer Minensysteme beim Gegner schnell feststellen und unsere Abwehr darauf einrichten. Dank der unermüdlichen und systematischen Tätigkeit unserer seemännischen, technischen und wissenschaftlichen Minenfachleute und ihrer vorbildlichen Zusammenarbeit besaßen wir in der Qualität unserer Mine wie auch in der Abwehr der gegnerischen eine Überlegenheit, die wir während des ganzen Krieges aufrechterhalten konnten.

Nachrichtendienst

Die Funktelegraphie war bis zum ersten Weltkrieg soweit entwickelt, daß sie damals bei allen Operationen eine wichtige Rolle spielte. Doch weder in technischer noch in militärischer Beziehung war ihre Bedeutung von den Kriegsmarinen in vollem Umfange erkannt worden, vor allem aber nicht ihre Gefahren. Man funkte mit möglichst geringer Lautstärke in dem Glauben, so vom Gegner nicht gehört zu werden, und hatte ein verhältnismäßig primitives Schlüsselverfahren, um die Verwertung etwa doch aufgefangener Funksprüche durch den Gegner zu verhindern. Als jedoch die britische Admiralität Ende 1914 ein deutsches Signalbuch in die Hand bekam, konnte sie in den deutschen Funkschlüssel eindringen. Etwa bis 1917 haben die Engländer auf diese Weise die deutschen Funksprüche in großem Umfang mitlesen können. Dies änderte sich erst, nachdem wir zu neuen, für den Gegner nicht lösbaren Schlüsselverfahren übergegangen waren. Auch wir haben im ersten Weltkrieg erfolgreiche Funkaufklärung betrieben.

Die zum Teil negativen Erfahrungen des ersten Krieges wurden sehr bald in der Reichsmarine ausgewertet. Hierzu war um so mehr Veranlassung, als in dieser Zeit eine geradezu stürmische Entwicklung technischer Art auf dem gesamten Gebiet der drahtlosen Telegraphie einsetzte. Die Möglichkeiten, die Erkenntnisse in die Praxis umzusetzen, waren allerdings wegen des Personal- und Geldmangels nur gering. Vielfach mußte daher mit Behelfsmitteln gearbeitet werden. Der Kreuzer »Hamburg«, der im Jahre 1924 eine Weltreise antrat, konnte zwar schon mit einem Kurzwellensender und -empfänger ausgerüstet werden, aber diese waren noch »selbstgebastelt«. Erst zwei Jahre später wurde ein von der Firma Telefunken gebauter Kurzwellensender in der Funkstelle Kiel in Betrieb genommen. Mehr oder minder aus eigener Initiative der Beteiligten führte man in diesen Jahren ausgiebige Reichweitenversuche mit Kurzwellen durch. Hieran wurden nicht nur die im Ausland befindlichen deutschen Kriegsschiffe, sondern auch Handelsschiffe beteiligt, deren Funkoffiziere viel Interesse zeigten.

Ein wichtiger Schritt war die Einführung einer von der Industrie entwickelten Schlüsselmaschine im Jahre 1928, die das notwendige Verschlüsseln militärischer Funksprüche in kürzester Zeit gestattete. Die Sicherheit dieser Schlüsselmaschine, die in mehrjähriger Arbeit von der Marine erprobt und verbessert wurde, war so groß, daß dem Gegner — soweit mir bekannt — während des ganzen zweiten Weltkrieges kein Einbruch in die deutschen Schlüsselmittel gelungen ist. Wir haben nach der Niederwerfung Frankreichs im französischen Marineministerium im Juni 1940 Akten gefunden, aus denen einwandfrei hervorging, daß es weder den französischen noch den britischen Entzifferungsstellen geglückt war, die deutschen Marinefunksprüche zu lösen.

Neben dem Bestreben, unseren eigenen Funkverkehr gegen Entzifferung zu sichern, gingen die Bemühungen, den ausländischen Funkverkehr zu entziffern und auszuwerten. In den Jahren nach dem ersten Krieg war das nur sehr beschränkt möglich gewesen. Erst 1929 wurde ein Seeoffizier hauptamtlich mit dieser Aufgabe betraut. Wir waren dann im zweiten Weltkrieg in der Lage, einen bemerkenswerten Teil des gegnerischen Funkverkehrs für unsere Operationen nutzbar zu machen.

Der Funkdienst hatte sich durch die Verwendung zahlreicher Wellen, die Handhabung der Schlüsselmittel und die verschiedenen Formen der Verschleierung des eigenen Funkverkehrs allmählich zu einer Kunst entwickelt, die ein sehr hochwertiges Fachpersonal erforderte. Im Flottenbereich fanden regelmäßig kriegsspielartige Übungen für die Funkoffiziere und das Funkpersonal statt. Die durch systematische Ausbildung und Schulung erreichte Disziplin im Nachrichtendienst hat sich im Kriege uneingeschränkt bewährt.

Parallel zu dieser militärischen Ausnutzung der Funktelegraphie ging die technische Entwicklung in enger Zusammenarbeit mit der deutschen Fachindustrie. So wurde für die vielen, Anfang der dreißiger Jahre zur Flotte hinzutretenden kleineren Fahrzeuge wie Schnell-, Minensuch- und Räumboote von der Firma Telefunken ein Standardgerät entwickkelt, das 1935 auch von der Luftwaffe übernommen wurde. Es war das in größter Stückzahl von der Industrie gebaute Funkgerät, das allen Anforderungen des zweiten Krieges voll genügt hat.

Auch auf dem Gebiet der Nachrichtenübermittlung erschien es uns wichtig, mit der Handelsmarine in enger Verbindung zu bleiben. Nach Vereinbarung mit den Reedereien wurden ab 1932 laufend vom Oberkommando der Kriegsmarine Funksprüche an bestimmte Handelsschiffe in See gegeben, die dann von diesen untereinander weitergefunkt werden mußten. Ein Nebenzweck solcher Übungen, die vor allem der Erprobung der Reichweiten dienten, war es, die Funkverbindung mit der

Heimat sicherzustellen, damit die Handelsschiffe bei etwa auftretenden politischen Spannungen schnell mit Anweisungen ihrer Reedereien versehen werden konnten. Für unsere Kriegsschiffe bot der Einsatz in den spanischen Gewässern von 1936 ab eine gute Gelegenheit, im Nachrichtendienst weitere Erfahrungen zu gewinnen und die Ausbildung zu fördern.

Durch die Überlegungen, die in anderen Kriegsmarinen wie auch bei uns angestellt wurden, kam man allgemein zu der Ansicht, — die sich dann im Kriege bestätigte —, daß die Seestreitkräfte künftig in viel stärkerem Maße als im ersten Weltkrieg von zentralen Befehlsstellen an Land — bei uns waren es die Marinegruppenkommandos — durch Weisungen oder Funkbefehle geführt werden müßten. Auf Grund des hohen Entwicklungsstandes der Funktelegraphie war es im zweiten Kriege möglich, unsere Schiffe in allen Teilen der Welt jederzeit zu erreichen. Der Einsatz unserer Überwasserstreitkräfte und U-Boote vollzog sich daher gegenüber dem ersten Weltkrieg in völlig veränderter Form. Dank der sorgfältigen Friedensarbeit sind wir im zweiten Weltkrieg mit der Sicherheit und Schnelligkeit unseres Nachrichtenübermittlungsdienstes auf solcher Höhe gewesen, daß bis zum Schluß keinerlei grundsätzliche Änderungen erforderlich wurden.

In ähnlicher Weise waren wir bei Kriegsbeginn mit unserem neuen Funkmeßgerät dem Gegner zunächst voraus. Anfang der dreißiger Jahre hatte die Nachrichtenmittelversuchsanstalt der Marine begonnen, ein elektro-magnetisches Meß- und Zielgerät zu konstruieren, das über verschiedene Entwicklungsstufen 1939 verwendungsbereit für Bord- und Landeinsatz war und auch von der Luftwaffe übernommen wurde. Diese anfängliche Überlegenheit ist leider im Laufe des Krieges verlorengegangen. Wir arbeiteten auf den bis dahin erzielten günstigen Ergebnissen weiter. Die Engländer dagegen kamen zuerst nicht recht vorwärts, haben aber dann nach intensiven systematischen Forschungen eine sehr viel geeignetere Wellenlänge als unsere verwendet. Ihre neuen, erst im Kriege fertiggestellten »Radar«-Geräte übertrafen die deutschen in ihrer Leistungsfähigkeit; sie konnten vor allem auch im Flugzeug eingebaut werden.

Es ist eine offene Frage, ob wir vorausschauend durch großzügigere Planung, Verbreiterung der wissenschaftlichen Basis und Einsatz von größeren Mitteln unseren zuerst vorhandenen Vorsprung in der Funkmeßtechnik hätten aufrecht erhalten können. Die Verantwortung dafür würde der Führung der Marine und damit mir zufallen. Die Einführung des Radar mit der sehr weiten und genauen Ortung durch die Engländer hat auf den Seekrieg im Atlantik entscheidenden Einfluß gehabt; sie traf zeitlich zusammen mit dem Ausbau eines dichten Überwachungssystems — insbesondere mittels Flugzeugen —, das dem Gegner ermöglichte, seine Überlegenheit auf dem Gebiet der Ortung zum Tragen zu bringen.

Für die Entwicklung und den Ausbau unseres Nachrichtenwesens auf Grund der Erfahrungen von 1914/18 haben uns kaum zwei Jahrzehnte zur Verfügung gestanden, in denen wir lange Zeit durch die Geld- und Personalknappheit gehemmt worden sind. Wenn wir trotzdem bei Kriegsbeginn 1939 einen sehr hohen Stand erreicht hatten, so war das in erster Linie einer Reihe von Offizieren mittleren und jüngeren Dienstalters, den auf diesem Gebiet tätigen technischen Marinebeamten und Wissenschaftlern, zahlreichen Funkmeistern und Funkmaaten und nicht zuletzt der kameradschaftlichen Zusammenarbeit mit der Industrie zu danken. Es liegt sicherlich im Wesen solcher Entwicklungen, daß sie von denjenigen getragen werden, die durch tägliche Beschäftigung mit den damit zusammenhängenden Fragen ständig neu angeregt werden und die neuesten Ergebnisse verwerten können. Darüber hinaus haben alle an dieser Forschungs- und Entwicklungstätigkeit Beteiligten — vielfach ohne Befehle und Direktiven von oben — in mühevoller Kleinarbeit das Nachrichtenwesen bis zum Kriege auf eine beachtliche Höhe gebracht, wobei sie die militärische und die technische Seite gleichermaßen im Auge behielten. Es ist mir bei der großen Zahl derjenigen, die hierzu beigetragen haben, nicht möglich, einzelne von ihnen namentlich hervorzuheben. Aber gerade ihr Zusammenstehen, ihr Handeln aus eigener Erkenntnis und aus Liebe zur Sache, ihre Initiative und Pflichttreue scheinen mir ein schöner Beweis zu sein für die Hingabe, mit der in diesen Jahren überall in der Marine gearbeitet wurde.

Ölversorgung

In den Jahren unmittelbar nach dem ersten Weltkrieg verursachte die Beschaffung der erforderlichen Treibstoffe für die Indiensthaltung der Schiffe und Fahrzeuge der Marine keine Schwierigkeiten. Die industriellen Anlagen, in denen die mitteldeutsche Braunkohle verarbeitet wurde, lieferten, was für die Flotte gebraucht wurde. Zusätzliche Mengen an Dieseltreibstoff sowie der Bedarf für die Reisen der Auslandskreuzer konnten gegen Devisen bei in- und ausländischen Ölfirmen erworben werden.

Etwa von 1934 ab stieß die Betriebsstoffversorgung der Marine auf zunehmende Schwierigkeiten. Die Schiffe und Fahrzeuge hatten sich bereits nach Zahl und Größe beträchtlich erhöht. Vor allem aber ließ das Neubauprogramm erwarten, daß der Bedarf an Heizöl und Dieselöl in absehbarer Zeit um ein Vielfaches anwachsen würde. Diese Bedarfssteigerung fiel zusammen mit der Devisenzwangswirtschaft, die bereits im Jahre 1931 eingeführt worden war. Ab 1934 wurde der Kriegsmarine von den Devisenstellen ausländische Währung zur Beschaffung von Mineralöl nicht mehr zugeteilt.

Nun ist eine Marine mit ihrer Leistungsfähigkeit in einem Kriege davon abhängig, daß ihr der benötigte Brennstoff voll zur Verfügung steht. Brennstoffmangel schränkt die Operationsmöglichkeiten und damit die Freiheit des Entschlusses ein. Auch zur Friedensausbildung gehört ein angemessenes Betriebsstoffkontingent. Eine Flotte, die nicht fahren kann, verkümmert im Frieden und kann im Kriege nichts leisten, denn die Waffen des Seekrieges — Minen, Artillerie, Torpedo — müssen an den Gegner herangetragen werden. Die Sicherung des laufenden Nachschubs an Brennstoffen und die Ansammlung ausreichender Vorräte an Diesel- und Heizöl waren daher beim Aufbau der Marine Fragen erster Ordnung, die mich in diesen Jahren immer wieder beschäftigten. Welcher Konfliktfall auch irgendwie in Betracht gezogen wurde, man mußte damit rechnen, daß während eines Krieges Mineralöl aus dem Ausland nicht mehr oder nur noch unter erheblichen Schwierigkeiten würde eingeführt werden können. Infolgedessen ergab sich für uns die Folgerung, alle Möglichkeiten, im Inlande Brennstoff zu erzeugen, nach Kräften zu unterstützen und uns an deren Produktion den benötigten Anteil zu sichern; hier stellte vor allem die »Deutsche Erdöl A.G.« wertvolle Mitarbeit zur Verfügung. Weiterhin mußte versucht werden, auch im Ausland Öl zu beschaffen, sowie wenn möglich sicherzustellen, daß im Kriegsfalle noch Wege offen blieben, um unsere Streitkräfte über neutrale Häfen mit Öl zu versorgen. Auf jeden Fall war es erforderlich, eine genügende Menge Brennstoff in Reserve einzulagern.

Die Angelegenheiten der Ölbeschaffung liefen im Oberkommando der Kriegsmarine bei einem Ministerialbeamten zusammen, der selbst fast alle Ölvorkommen der Welt auf seinen Reisen kennengelernt hatte und über hervorragende Verbindungen im In- und Ausland verfügte. Ministerialrat Dr. Fetzer war daher ein wichtiger Mitarbeiter, mit dem ich in den Jahren des Aufbaues persönlich viel zu tun hatte. Er hat an seiner Stelle für die Marine ausgezeichnet gearbeitet. Ich war nur einmal mit ihm nicht einig, als er die Absicht äußerte, an einer Himalaya-Expedition teilzunehmen — er war ein bekannter Bergsteiger. Damit konnte ich mich im Interesse der Marine leider nicht einverstanden erklären, denn er war einfach unentbehrlich.

Ein Teil unseres Betriebsstoffbedarfs wurde durch Braunkohlenheizöl gedeckt. Wir unterstützten die Braunkohlengruben in Mitteldeutschland dadurch, daß wir mit ihnen langfristige Abnahmeverträge schlossen, die es den Werken gestatteten, ihre Anlagen für die Heizölgewinnung auszubauen. Es war jedoch nicht möglich, auch geeigneten Dieseltreibstoff aus Braunkohle für die Marine herzustellen. Wir beschafften ihn auf andere Weise. Das Heizöl, welches im Ruhrgebiet aus Steinkohle gewonnen wurde, war zunächst für Marinezwecke nicht zu gebrauchen. Wir erwarben es trotzdem und verkauften es weiter an Abnehmer in den Vereinigten Staaten als Imprägnieröl; die erzielten Erlöse wurden uns bei ausländischen Banken in Dollars gutgeschrieben. Über diese ausschließlich der deutschen Kriegsmarine zur Verfügung stehenden Guthaben wurde Gasöl im Ausland eingekauft, wobei wir im Durchschnitt etwa vier Tonnen Dieseltreibstoff für eine Tonne deutsches Steinkohlenteeröl eintauschen konnten. Die Devisenguthaben, welche wir hierbei in neutralen Ländern erhielten, haben uns noch während des Krieges wichtige Dienste geleistet.

Kurz vor Kriegsausbruch gelang es, das aus der Steinkohle gewonnene Öl mit Hilfe eines neuen Verfahrens für die Marine verwendbar zu machen. Durch Verträge mit den Lieferfirmen, insbesondere mit der »Verkaufsvereinigung für Teererzeugnisse« in Essen und den Kohleveredelungsbetrieben der »Schaffgottschen Werke« in Gleiwitz sicherten wir uns ständige Zulieferungen von Steinkohlenheizöl.

Mit der deutschen Aufrüstung traten auch Heer und Luftwaffe als Großverbraucher in der deutschen Treibstoffwirtschaft auf; gleichzeitig ging außerdem der nichtmilitärische Bedarf durch die eintretende Wirtschaftsbelebung in die Höhe.

Die zunehmende Verschlechterung der deutschen Devisenbilanz und militärische Überlegungen gaben Anlaß zu den Maßnahmen, die unter der Bezeichnung »Vierjahresplan« alle in Deutschland für Betriebsstoffgewinnung in Frage kommenden Rohstoffquellen ausbauen sollten. Es zeigte sich jedoch bald, daß auf absehbare Zeit die in Deutschland vorhandenen Kapazitäten nicht ausreichend sein würden, um allen Anforderungen für zivile und militärische Zwecke gerecht zu werden. Neue Anlagen zur Herstellung von Kraftstoffen wurden vorzugsweise für die Belieferung von Heer und Luftwaffe bestimmt, während die Marine auf ihre bereits abgeschlossenen Lieferverträge beschränkt blieb. Infolgedessen standen wir vor der Notwendigkeit, den wachsenden Bedarf der Flotte hauptsächlich im Ausland zu decken. Es war vor allem beabsichtigt, große Mengen Rohöl aus ausländischen Ölquellen nach Deutschland zu bringen und in unterirdischen Tankanlagen für spätere Verarbeitung und Verbrauch zu lagern.

Als erste Maßnahme dieser Art schloß die deutsche Kriegsmarine im Jahre 1935 durch Vermittlung des Bankhauses Mendelsohn in Berlin und unter technischer Mitarbeit von Professor Dr. Drawe einen mehrjährigen Vertrag mit der Estnischen Steinöl A.G. in Kiviöli; er stellte die ständige Belieferung der Marine mit beachtlichen Mengen an Schieferteeröl sicher, das im übrigen bei guter Qualität erheblich billiger war als die deutschen Erzeugnisse. Das estnische Heizöl wurde in einer Hafenanlage des Werkes im Finnischen Meerbusen in Ölschiffe der Marine verladen und von dort nach den marineeigenen Tankanlagen verschifft.

Im Jahre 1936 bot sich der Marine die Möglichkeit, eine maßgebliche Beteiligung an der British Oil Development Co. zu erwerben. Diese Gesellschaft hatte das ausschließliche Recht, auf dem Hoheitsgebiet des Irak westlich des Tigris Rohöl zu suchen und zu fördern. Auf Anregung der Marineleitung erwarb die Dresdner Bank in Berlin Anteile an der

Gesellschaft. Es wurde vereinbart, daß deutsche Firmen — in erster Linie die »Gute-Hoffnung-Hütte« — Lieferungen nach dem Irak ausführten; die Marine sollte dafür die entsprechende Menge Rohöl erhalten und den Gegenwert in Inlandwährung an die beteiligten deutschen Firmen abführen. Voraussetzung dazu war, daß das Reichsfinanzministerium den Lieferfirmen gegenüber eine Ausfallbürgschaft übernahm. Das Reichsfinanzministerium lehnte diese ab mit dem Hinweis, daß deutsche Beteiligungen an Ölvorkommen im Ausland überflüssig seien, nachdem der Bedarf Deutschlands an Mineralölerzeugnissen künftig über den »Vierjahresplan« im Inlande gedeckt werden würde.

Die gleiche Schwierigkeit trat uns entgegen, als wir seitens der Kriegsmarine den Erwerb einer deutschen Konzession über die Poza-Rica-Ölfelder in Mexiko planten. Nachdem ein maßgebender deutscher Geologe, Professor Dr. Bentz, die Bedeutung dieser Ölfelder festgestellt hatte, war unter Mitwirkung der Dresdner Bank in Berlin mit der mexikanischen Regierung bereits ein Konzessionsvertrag abgestimmt. Dieser sah gegen Lieferung deutscher Erzeugnisse — insbesondere für den Ausbau von Kraftwerken in Mexiko durch die Siemens-Schuckert-Werke — die Zufuhr von Rohöl aus Mexiko bei Bezahlung in Reichsmark vor. Leider zeigten sich auch in diesem Falle das Reichsfinanzministerium und die entscheidenden Stellen des Vierjahresplanes ohne Verständnis für derartige lebenswichtige Forderungen der Marine. Sicher mußten wir in unserer Lage alle Möglichkeiten, die heimische Produktion zu fördern, ausnützen und erweitern; dazu war eine Organisation in der Art des Vierjahresplanes notwendig. Aber diese war nicht Selbstzweck, sondern eine Notmaßnahme. Wenn sich also irgendwie ein Weg eröffnete, einen so schwachen Punkt in unserer Verteidigung wie die Knappheit an Brennstoffen zu beseitigen oder mindestens zu mildern, so mußte er selbstverständlich beschritten werden. Die Dringlichkeit der Ölbeschaffung war jedem Angehörigen der Marine klar; aber auch Außenstehende hätte die Erklärung des britischen Ministers Lord Curzon auf einem Siegesbankett der Alliierten am 23. November 1918: »Wir sind auf einer Woge von Öl zum Siege geschwommen!« nachdenklich stimmen und zu vorausschauender Bevorratung von Brennstoff veranlassen müssen. Unsere dringlichen Vorstellungen wurden nicht beachtet.

Nachdem der Erwerb deutscher Ölkonzessionen im Ausland verhindert worden war und die Maßnahmen des Vierjahresplanes den Bedürfnissen der Marine nicht gerecht werden konnten, waren wir darauf angewiesen, mit solchen ausländischen Ölgruppen Verträge auf Lieferung von Dieseltreibstoff und Heizöl an die Marine abzuschließen, die bereit waren, Zahlungen in Reichsmark oder deutsche Erzeugnisse entgegenzunehmen. So konnten wir Dieseltreibstoff und Heizöl aus den USA, der Sowjetunion, Rumänien und in größeren Mengen vor allem aus Mexiko beziehen. Verträge dieser Art ermöglichten ferner die Versorgung unserer Kreuzer mit Betriebsstoffen auf ihren Auslandsreisen in überseeischen Häfen ohne Beanspruchung von Devisen.

Die Zufuhr der im Auslande erworbenen Ölmengen nach Deutschland erfolgte in weitem Umfange durch die Reederei Essberger in Hamburg. Der Begründer dieser Tankreederei, J. T. Essberger, hatte sehr früh die wirtschaftliche Bedeutung einer unter deutscher Flagge fahrenden unabhängigen Tankerflotte erkannt.

Durch die vorsorglichen Ölkäufe verfügte die Marine Ende 1939 in meist unterirdischen Tanklagern über einen Bestand von etwa 650 000 Tonnen Dieseltreibstoff und 350 000 Tonnen Heizöl. Die eingelagerten Mineralölmengen hätten ausgereicht, um zusammen mit den Zulieferungen aus der laufenden inländischen Heizölerzeugung aus Braun- und Steinkohle die Anforderungen des Seekrieges für mehrere Jahre ohne Einschränkungen zu erfüllen. Die Einlagerung von

Dieseltreibstoff wurde gegenüber jener von Heizöl bevorzugt, weil bei einer Blockade Deutschlands der Marine wohl Heizöl aus Verarbeitung inländischer Kohle in beschränkter Menge zur Verfügung stehen würde, aus technischen Gründen aber kein geeigneter Dieseltreibstoff. Wie sehr dieser schon bei Kriegsausbruch in der gesamten deutschen Wirtschaft knapp war, ergab sich daraus, daß der Marine im Jahre 1940 vor Beginn der Westoffensive trotz meines heftigen Widerspruches 300 000 Tonnen Dieselöl zu Gunsten des Heeres und 30 000 Tonnen für die Frühjahrsbestellung der Landwirtschaft entzogen wurden. Nach Eintritt Italiens in den Krieg mußte ab 1941 auch die verbündete italienische Kriegsmarine von uns mit Brennstoff beliefert werden.

In gewissem Umfange war die Ölversorgung der Marine noch zu Anfang des Krieges aus dem Auslande möglich. Einzelne der im Kreuzerkrieg eingesetzten Schiffe konnten, solange die Vereinigten Staaten nicht im Kriege waren, unter Ausnutzung der im neutralen Ausland für uns verfügbaren Devisenbestände mit dem erforderlichen Betriebsstoff versehen werden. Hierbei spielten die Kanarischen Inseln und Mexiko eine wichtige Rolle. Aber schließlich verhinderten das System der Navy-Certs und die feindliche Blockade die Einfuhr von Mineralöl aus Übersee sowie die Versorgung deutscher Schiffe über neutrale Häfen. Dagegen konnte den ganzen Krieg über die Zufuhr von estnischem Schieferöl aufrecht erhalten werden. Heizöl aus den österreichischen und rumänischen Rohölvorkommen erhielt die Marine nur sehr beschränkt, während die erwarteten Rohöllieferungen aus Rußland trotz des Feldzuges gegen die Sowjetunion für die Marine niemals Wirklichkeit wurden.

Neben der Bereitstellung des Lagerraumes an Land für die beschafften Brennstoffmengen hatten wir vor dem Kriege eine Reihe von marineeigenen Öltankern für den Seetransport gebaut. Ein besonders gut gelungener Typ waren die

»Troßschiffe«, denen die Entwürfe unseres Konstruktions-
amtes zu Grunde lagen und die im Kriege eine große Bedeutung erlangen sollten. Die ersten dieser Schiffe traten in den
Jahren 1937/38 in die Front. Bei einer Ladefähigkeit von
12 000 Tonnen — vor allem von Brennstoff, aber auch sonstigen Nachschubgütern — verfügten sie über eine Geschwindigkeit von 21 Knoten und eine beachtliche Fahrstrecke.

Auf dem umfangreichen und schwierigen Gebiet der Zuführung des Brennstoffes zur Flotte haben Beamte und Soldaten — bei diesen in erster Linie die Ingenieuroffiziere und
ihr Maschinenpersonal — gut und sachlich zusammengearbeitet. Die Aufstockung von Brennstoffreserven ebenso wie die
spätere einwandfrei laufende Versorgung der Seestreitkräfte
auf allen Kriegsschauplätzen waren der sichtbare Erfolg ihrer
Tätigkeit.

Bau der IV. Einfahrt in Wilhelmshaven

Nachdem wir uns über die in Zukunft zu bauenden
Schiffstypen klar geworden waren, standen wir vor der Entscheidung, welches die Hauptstützpunkte der deutschen Flotte
sein sollten und in welcher Form sie ausgebaut werden müßten, um auf lange Sicht hinaus den Anforderungen zu genügen. Bereits die beiden in Bau befindlichen Schlachtschiffe
»Gneisenau« und »Scharnhorst« übertrafen mit ihrer Wasserverdrängung die größten Schiffe der alten kaiserlichen Marine. »Bismarck« und »Tirpitz« brachten dann noch eine erhebliche Steigerung des Deplacements. Ferner war bei der
Entwicklung in anderen Marinen, von der wir uns nicht aus-
schließen konnten, die Möglichkeit einer weiteren Vergrößerung der Schlachtschiffe und vor allem der Flugzeugträger in
Betracht zu ziehen.

Bei den Überlegungen über die Hauptliegeplätze für die
künftigen Schlachtschiffe ergab sich, daß die Ostsee — und

damit auch Kiel — als Ort für ihre Stationierung ausscheiden mußte. Der Grund hierfür lag in den unzureichenden Abmessungen des Kaiser-Wilhelm-Kanals. Eine Erweiterung des Kanals hätte aber ungewöhnlich hohe Kosten verursacht; zudem hätte er für viele Jahre hinaus nicht oder zumindest nicht voll befahren werden können. Der andere, für derartige Schiffe eben noch benutzbare Ausgang aus der Ostsee, der Große Belt, bietet aber viele navigatorische Schwierigkeiten und liegt in fremdem Hoheitsgebiet. Somit blieben nur die Flußmündungen in der Nordsee übrig. Von diesen kam aber allein die Jade in Frage.

Die Jade ist schon von Natur aus, was Tiefe, Breite und Tidenhub anbelangt, günstiger als Elbe, Weser und Ems. Außerdem war die Marine seit Jahrzehnten bemüht gewesen, durch eine planvolle Korrektion die Fahrwasserverhältnisse der Jade weiter zu verbessern. Diese Arbeit war 1908 von dem damaligen Marinehafenbaumeister und späteren Hafenbaudirektor Krüger begonnen worden. Im Weltkrieg hatte man die angestrebten Wassertiefen in der Außenjade jedoch noch nicht erreicht, so daß die großen Schiffe zu den Niedrigwasserzeiten nicht von Wilhelmshaven Reede nach See auslaufen konnten, was vor allem am 28. August 1914, wie im ersten Band berichtet, erhebliche militärische Folgen gehabt hatte. Die Arbeiten waren aber nach dem Kriege trotz aller Erschwerungen, wie sie sich durch die Auswirkung des Versailler Vertrages ergaben, unter Strombaudirektor Eckhardt weitergeführt und sogar noch durch neue Maßnahmen verstärkt worden. Seit dem Jahre 1929 besaß die Jade eine durchgehende breite Fahrrinne von 10 Meter Tiefe bei Niedrigwasser.

Die Schleusen in Wilhelmshaven entsprachen in ihren Abmessungen aber nicht diesen Wassertiefen und reichten für ein sicheres Durchschleusen der Schlachtschiffe nicht aus. Durch die III. Einfahrt — die größte — konnten »Scharnhorst« und

»Gneisenau« zwar noch einlaufen, wenn auch mit Schwierigkeiten. Aber schon bei »Tirpitz« und »Bismarck« war dies nur unter Gefährdung des Schiffes oder der Schleusen möglich. Es blieb also keine andere Lösung als der Bau einer völlig neuen Schleusenanlage, die in ihren Ausmaßen auch einer etwaigen fortschreitenden Steigerung der Schiffsgrößen weitvorausschauend Rechnung tragen mußte. Die Erfahrungen, die die Marine mit den früheren Einfahrten in Wilhelmshaven gemacht hatte, führten weiter zu der Überlegung, daß man die Schleusen möglichst in der Stromrichtung anlegen und mit einem großen Vorhafen beziehungsweise einem Tidebecken versehen mußte, um auch größeren Kriegsschiffsverbänden ein schnelles Ein- und Auslaufen zu ermöglichen.

Die Planung und Durchführung dieses gewaltigen Projektes lag in der Hand von Ministerialdirektor Eckhardt, dem früheren Strombaudirektor, der nun als Leiter der gesamten See- und Hafenbauten an der Spitze der Hafenbauabteilung im Oberkommando der Kriegsmarine stand. Er war ein Fachmann von internationalem Ruf und besaß einen bemerkenswerten Weitblick; er gehörte zu den Mitarbeitern, mit denen mich besonders gute dienstliche und persönliche Beziehungen verbanden. Sein Vorschlag ergab sehr bald, daß das Problem nur in einer ganz großzügigen Form vernünftig gelöst werden konnte. Dies führte zu einem Bauwerk, das zu den größten der Welt gehörte, wobei gleichzeitig alle Schwierigkeiten seemännischer und technischer Art, die bei Benutzung der alten Hafeneinfahrten bestanden, in genialer Weise ausgeschaltet wurden. Der Plan für den Schleusenbau wurde Hitler von Ministerialdirektor Eckhardt in meiner Gegenwart vorgetragen. Es war typisch für die Denkweise Hitlers, der dem Vortrag auch in seinen technischen Einzelheiten aufmerksam gefolgt war, daß er als erstes die Frage an uns richtete: »Werden die Schleusen nun wirklich auch groß genug?« Wir konnten ihn in diesem Punkt beruhigen.

Die ersten Entwürfe wurden Ende 1935 aufgestellt; der Bau selbst mit dem Errichten eines neuen Seedeiches zur Absperrung der Baugrube begann im Frühjahr 1936, und bereits im folgenden Jahr setzten die umfangreichen Betonarbeiten ein. Schon die Größe der sechs stählernen Schiebetore zeigt das Ausmaß des Bauvorhabens; jedes von ihnen hatte ein Gewicht von 2200 Tonnen und wurde in seiner Kammer durch eine viereinhalb Meter starke Betondecke geschützt. Beim Bau der IV. Einfahrt waren erhebliche Schwierigkeiten zu meistern; so mußte das Grundwasser im Bereich der Baustelle auf mehr als 23 Meter abgesenkt werden, was sich weit im Umkreis auf die angrenzenden Stadtteile von Wilhelmshaven ausgewirkt hat. Durch eine zweckentsprechende Organisation für diesen speziellen Neubau und durch eine äußerst bewegliche und unbürokratische Handhabung des ganzen Planungs- und Baubetriebes gelang es, alle Hindernisse zu überwinden und den Bau der Einfahrt in der kurzen Zeit von sechseinhalb Jahren durchzuführen — eine außergewöhnliche technische Leistung. Dabei sind über eine halbe Million Kubikmeter Beton und Stahlbeton verbaut worden; die Gesamtkosten betrugen 250 Millionen Mark. Während bis dahin die Seeschleuse von Ymuiden die größte gewesen war, wurde sie nun von den beiden Schleusenkammern der IV. Einfahrt mit den Abmessungen von je 60 Meter Breite, 350 Meter nutzbarer Länge zwischen den Toren und 16,75 Meter Tiefe weit übertroffen. Sämtliche auf absehbare Zeit in Frage kommenden Kriegsschiffe konnten bei jedem Wasserstand und bei allen Stromverhältnissen ohne schwierige seemännische Manöver ein- und auslaufen. Das Durchschleusen eines Schiffes dauerte durchschnittlich 15 Minuten.

Es war für mich eine große Freude und Genugtuung, daß ich am 7. November 1942 persönlich die Einweihung der IV. Einfahrt vornehmen konnte. An diesem Tage lief der Kreuzer »Emden« als erstes Schiff in die Schleuse ein. Ich habe in meiner Ansprache den beteiligten Ingenieuren, Technikern, Arbeitern und Baufirmen den wohlverdienten Dank der Marine ausgesprochen. Die Arbeitsgemeinschaft, die sich zum Entwurf zusammengefunden hatte, ist von Professor Dr. ing. E. h., Dr. ing. Agatz, damals Inhaber des Lehrstuhles für Wasserbau an der Technischen Hochschule in Berlin-Charlottenburg, und Oberbaurat Franz Bock geleitet worden. Aus der Zahl der Marinebaubeamten, die sich besonders verdient gemacht haben, möchte ich Oberbaudirektor Tiburtius und Hafenbaudirektor Beck nennen. Aber auch alle anderen, die an diesem gewaltigen Werk mitgeschafft haben, dürfen mit Recht stolz auf ihre Leistung sein. Es war das größte Bauwerk, das die Marine jemals durchgeführt hat.

Marinesanitätswesen

Die Marine hat es sich von jeher angelegen sein lassen, in ihrem Sanitätswesen so gut und modern wie möglich zu sein. Denn die richtige und erfolgreiche gesundheitliche Betreuung des Soldaten hebt seine militärische Leistungsfähigkeit, seine Dienstfreude und damit die Disziplin. Sie gibt ihm das beruhigende Gefühl, daß für ihn bei einer Krankheit, einem Unfall oder einer Verwundung in der bestmöglichen Weise gesorgt wird. Darauf hat er einen moralischen Anspruch.

Auch bei der Erweiterung des Sanitätswesens konnten wir auf dem aufbauen, was an Organisation und Ausbildung in den Zeiten der Kaiserlichen und späteren Reichsmarine geleistet worden war. Ich legte besonderen Wert darauf, daß — im Gegensatz zu den anderen Wehrmachtteilen — die gesamte fachliche Leitung des Sanitätswesens nur mir verantwortlich in der Hand des Generalstabsarztes der Marine, ab 1934 Sanitätschefs der Kriegsmarine, lag, der zugleich Chef des Marinemedizinalamtes beim Oberkommando der Kriegsmarine war. Ich habe das Glück gehabt, bei meinem Dienstantritt in Berlin 1928 in Marinegeneralstabsarzt Dr. Moosauer einen Sanitätsoffizier von großem Ansehen an der Spitze des Sanitätswesens vorzufinden, mit dem ich elf Jahre lang in voller Harmonie zusammenwirken konnte, ebenso wie mit seinem Nachfolger, Admiraloberstabsarzt Professor Dr. Fikentscher. Beide haben — die Linie ihrer verdienstvollen Vorgänger, der Marinegeneraloberstabsärzte Dr. Uthemann und Dr. Brachmann, fortsetzend — vor allem eine hohe persönliche und berufliche Qualität der Marineärzte angestrebt mit dem Ziel, den besonderen Berufstyp des »Arzt-Soldaten« zu schaffen. Ich glaube sagen zu können, daß dies gelungen ist.

Bei der Auswahl der Marinesanitätsoffizier-Anwärter wurde von vornherein ein sehr scharfer Maßstab angelegt, was vor 1935 dadurch ohne weiteres möglich war, daß in jedem Jahr nur wenige, zeitweise nur etwa jeder zwölfte Bewerber, eingestellt werden konnten. Die ursprüngliche Zahl von durchschnittlich zehn Anwärtern jährlich stieg bis 1938 auf dreißig Anwärter bei 130 bis 150 Bewerbungen. Sie erhielten zunächst eine gemeinsame militärische Ausbildung mit den Anwärtern der anderen Offizierlaufbahnen. Durch die geschickte Verbindung des anschließenden Hochschulstudiums mit praktischer Fronttätigkeit an Land und an Bord während der Universitätsferien besaßen sie nach abgeschlossenem Studium und abgelegtem Staatsexamen die Voraussetzungen, um als Sanitätsoffiziere endgültig übernommen werden zu können. Von 1934 ab wurde das medizinische Studium auf der wiedereröffneten »Militärärztlichen Akademie« in Berlin und von 1940 ab auf der neugegründeten »Marineärztlichen Akademie« durchgeführt.

Der Dienst der Sanitätsoffiziere war außerordentlich vielseitig, da sie an Bord wie in den Landlazaretten, als Soldatenfamilienärzte, als Sportärzte, auf Fischereischutzbooten, bei der Kriegsmarinewerft, als Referenten für Bord- und Landhygiene und für noch mancherlei sonstige Aufgaben verwandt

70

wurden. Die meisten von ihnen wurden nach einigen Dienstjahren für eine Fachausbildung zu Universitätskliniken, namhaften Krankenanstalten oder zum Tropenhygienischen Institut in Hamburg kommandiert, mit welchem die Marine von jeher besonders enge persönliche und fachliche Verbindung pflegte. Wohl fast bei allen deutschen ärztlichen Kapazitäten haben unsere Sanitätsoffiziere gearbeitet. Auch für Ausbildung im Ausland wurde gesorgt; so befand sich bei Ausbruch des zweiten Krieges ein Marinestabsarzt zur Spezialausbildung in der Tropenhygiene bei der holländischen Kolonialverwaltung in Niederländisch-Indien.

Dem vorzüglichen Ausbildungsstand der Sanitätsoffiziere entsprach die Ausrüstung der Land- und Schiffslazarette. Die vorhandenen Lazarettgebäude wurden erweitert und, soweit nötig, modernisiert; eine Anzahl großzügiger Neubauten wurde errichtet, die mit sämtlichen Fachabteilungen allen Anforderungen genügt haben. Auf den großen Schiffen waren neuzeitliche Operationsräume mit besten Röntgen-Einrichtungen sowie eigene zahnärztliche Stationen mit allem dazu erforderlichen Gerät vorhanden. Auch auf den kleineren Fahrzeugen war eine gute ärztliche Betreuung sichergestellt. Der Gesundheitszustand in der Marine befand sich stets auf einer beachtlichen Höhe. Auf eine vorsorgliche Gesundheitspflege und auf die allgemeine und spezielle Bord-Hygiene wurde entscheidender Wert gelegt. Terminmäßige ärztliche Belehrungen und Vorträge über alle einschlägigen Fragen trugen wesentlich zur Erreichung dieses Zieles bei.

Mit Beginn des Krieges standen der Marine neben den aktiven Sanitätsoffizieren in genügender Zahl sehr hochwertige Reserve-Sanitätsoffiziere zur Verfügung. Sie bewährten sich fast ausnahmslos aufs Beste an Land und an Bord, besonders auch auf den zahlreichen Lazarettschiffen; durch sie wurde es ferner ermöglicht, daß im Kriege sämtliche für die Kriegsmarine arbeitenden Werften betriebsärztlich von Marineärzten nach einer einheitlichen Steuerung durch eine Sonderabteilung im Marinemedizinalamt betreut werden konnten.

Die Marineärzte genossen überall Ansehen und Vertrauen; zu dem hohen Ruf des deutschen Arztes in aller Welt haben sie ihren Teil beigetragen. Sie haben sich in zwei Weltkriegen in fachlicher, soldatischer und menschlicher Beziehung als Ärzte wie als Offiziere die größte Achtung erworben. Das ausgezeichnet geschulte Sanitätspersonal und die Krankenschwestern waren ihre zuverlässigen und treuen Helfer.

Die Marinegerichtsbarkeit

Der Marinegerichtsbarkeit habe ich stets große Aufmerksamkeit zugewandt, weil ihre Aufgaben besonders wichtig waren. Keine staatliche Gemeinschaft kann bestehen ohne die ordnende Kraft des Rechts und das unablässige Bemühen, Gerechtigkeit zu üben. Das gilt noch mehr für die soldatische Gemeinschaft, denn ihre Angehörigen sind auf Leben und Tod aufeinander angewiesen. Manneszucht und Kameradschaft als unentbehrliche Grundlagen jeder soldatischen Leistung verkümmern, sobald anständige Soldaten zu zweifeln beginnen, ob rechtschaffenes Handeln noch lohnt, wenn Unrecht in ihren Reihen scheinbar keine gerechte Sühne findet. Daher müssen die zum Dienst am Recht in der Wehrmacht Berufenen — selbstverständlich neben einem gediegenen Fachwissen — die Dienst- und Lebensverhältnisse der Soldaten und deren Denkweise aus eigenem Miterleben kennen und ihren Beruf aus Verständnis und Liebe zum Soldatentum ausüben. Verspürt der Soldat eine derartige Kenntnis und Bereitschaft eines Richters, dann vertraut er auch darauf, daß dieser sein Verhalten richtig und gerecht beurteilen wird.

Aus solchen einfachen und überzeugenden Gedanken hatte sich seit mehr als dreihundert Jahren die eigene soldatische

Kameradengerichtsbarkeit entwickelt und bewährt. Der Anteil des fachkundigen Richters nahm dabei allmählich zu. Der »Rat der Volksbeauftragten« hatte sich nach dem Zusammenbruch Ende 1918 darauf beschränkt, die »niedere Gerichtsbarkeit« aufzuheben, in der minder bedeutende Fälle ohne rechtskundige Mitglieder abgeurteilt wurden. Erst im August 1920 wurde die ganze Militärgerichtsbarkeit aus innerpolitischen Gründen beseitigt. Sie blieb allein für die eingeschifften Besatzungen der Reichsmarine bestehen. Auch die der Wehrmacht nicht freundlich gesonnenen Parteien im Reichstag erkannten damals an, daß ein ziviles Schöffengericht — vor allem, wenn etwa eine Frau mitwirkte — nicht in der Lage sein würde, militärische Bordverhältnisse von Land aus zutreffend zu beurteilen.

Dank dieses Verständnisses verfügte die Kriegsmarine — im Gegensatz zum Heer und später zur Luftwaffe — über einen kleinen Stamm erfahrener Richter, als die Militärgerichtsbarkeit 1934 in vollem Umfange wiedereingeführt wurde. Hierbei wurden rechtsstaatliche Entwicklung und frühere politische Bedenken in der neuen Militärgerichtsordnung so weitgehend berücksichtigt, daß nunmehr ein dem bürgerlichen Schöffengericht völlig entsprechendes militärisches Gericht mit einem fachkundigen Vorsitzer und soldatischen Beisitzern gebildet wurde. Diese Organisation wurde im Herbst 1936 durch das neugeschaffene Reichskriegsgericht als oberstes Gericht für alle Wehrmachtteile gekrönt. Die Kriegsmarine war darin infolge ihrer von 1920 bis 1933 fortbestehenden Gerichtsbarkeit durch mehrere hochverdiente Richter — an ihrer Spitze Senatspräsident Sellmer — vertreten.

Ich selbst übte als Oberbefehlshaber der Kriegsmarine im Frieden nur die Dienstaufsicht über die Gerichte der Kriegsmarine aus und war in kleinerem Umfange für Gnadenentscheidungen zuständig. Auf die Tätigkeit der erkennenden Gerichte hatte und nahm ich keinen Einfluß. Über bestimmte

Arten von Straftaten, die den Geist und den Leistungsstand der Truppe zu beeinflussen geeignet waren, ließ ich mich durch die Gerichtsherren — die höheren Befehlshaber, denen ältere erfahrene Marinerichter zur Seite standen — laufend unterrichten. Dazu gehörte auch die Frage von Mißhandlungen Untergebener. Im Rahmen meines gesetzlichen Weisungsrechts wirkte ich in jedem Falle darauf hin, daß die Gerichtsherren ohne Ansehen der Person gegen solche Mißstände vorgingen, und lehnte meinerseits jeden Gnadenerweis bei dieser entwürdigenden Straftat ab.

In allen fachlichen Angelegenheiten wurde ich durch die Marinerechtsabteilung zuverlässig unterstützt. Ihre Leitung hatte Marineoberkriegsgerichtsrat — später Admiralstabsrichter — Dr. Rudolphi, ein hervorragender Jurist. Er besaß einen ausgeprägten Gerechtigkeitssinn und hat sich um die von außen unbeeinflußte Durchführung der Marinejustiz große Verdienste erworben. Als sehr glücklich erwies sich die im Herbst 1937 durchgeführte Zusammenfassung aller mit gerichtlichen und disziplinaren Angelegenheiten befaßten Abteilungen in einem neugebildeten Marinewehramt. Den beiden Amtschefs und späteren Generaladmiralen Schniewind und Warzecha gelang es durch ihr Einfühlungsvermögen, eine vertrauensvolle Zusammenarbeit zwischen den militärischen Stellen und der Rechtsabteilung zu entwickeln, die auch während der schwierigsten Kriegsverhältnisse nie getrübt wurde.

Nach 1933 konnten die Gerichte der Kriegsmarine ihren Dienst am Recht unangefochten von parteipolitischen Einflußversuchen fortsetzen. Erst nach der Blomberg-Fritsch-Krise zu Beginn des Jahres 1938 sowie nach der Bildung des Oberkommandos der Wehrmacht kam es zu Einmischungsversuchen. Zahlreiche Parteidienststellen und -organisationen hielten sich zunehmend für befugt, angeblich zu strenge Maßstäbe gegenüber alten Mitkämpfern zu beanstanden oder ein zu mildes Vorgehen gegen jene Marineangehörigen zu bemängeln, die zur NSDAP gleichgültig oder ablehnend eingestellt waren. Nach Abschluß der Verfahren habe ich mir die Unterlagen jedesmal vorlegen lassen. In keinem einzigen Falle konnte ich eine solche Beanstandung als berechtigt anerkennen. Auf Grund dieser Erfahrungen vereinbarte der Chef des Oberkommandos der Wehrmacht nach meinem Vorschlag mit dem »Stellvertreter des Führers«, daß etwaige Beschwerden von Parteidienststellen nur über diesen allein den Oberbefehlshabern der Wehrmachtteile übermittelt würden, um alle direkten und unzulässigen Einflußversuche untergeordneter Parteistellen auf die Gerichte auszuschalten. So wurde eine einheitliche Behandlung dieser Fragen sichergestellt, wenngleich der Amtschef des Marinewehramtes und die Angehörigen der Rechtsabteilung dadurch stark beansprucht wurden.

Auch die Personalpolitik für die Richter und höheren Beamten der Wehrmacht suchte der »Stellvertreter des Führers« nach 1938 zu beeinflussen. In einer Vereinbarung mit dem Oberkommando der Wehrmacht setzte er es zwar durch, daß er vor der Einstellung von Angehörigen dieser Gruppen gehört wurde. Dagegen gelang es, die beabsichtigte Einflußnahme der Partei auf alle Beförderungsangelegenheiten bis zum Kriegsende völlig auszuschalten — ein für die Unabhängigkeit der Gerichte besonders erfreuliches Ergebnis. Nach 1938 waren die Spitzenorganisationen der NSDAP und ihrer angeschlossenen Verbände bestrebt, auch ihre Zuständigkeit im gerichtlichen Bereich auf Kosten der Wehrmachtteile zu begründen. Die Verhandlungen über Fragen dieser Art waren mühselig und zeitraubend. Sie endeten ausnahmslos mit der Abwehr solcher unberechtigten Ansprüche.

Viel schwerwiegender waren einzelne Eingriffsversuche hochgestellter Parteiführer in gerichtliche Entscheidungen. Das geschah freilich erst während des Krieges. Im Sommer 1942 sprach ein Marinekriegsgericht in Norwegen mehrere einheimische Staatsangehörige frei, die nach einem vergeblichen

Fluchtversuch mit einem Schlepper in ihren Heimathafen zurückgekehrt waren. Bevor noch das schriftliche Urteil vorlag, mischte sich der Reichskommissar für die besetzten norwegischen Gebiete, Terboven, in diese von ihm als »politisch« bezeichnete Angelegenheit ein. Er erreichte in einem unmittelbaren Ferngespräch mit Hitler, daß dieser das Urteil sofort aufhob und das Oberkommando der Kriegsmarine aufforderte, ihm die Namen der drei beteiligten Richter zur Bestrafung zu melden. Da die Richter nur ihre Pflicht getan hatten, unterblieb die Meldung mit meiner Zustimmung. Hitler kam niemals mehr auf die Sache zurück. Ein anderes Beispiel: Im Herbst 1942 wurde ein Marinepfarrer freigesprochen, nachdem sich herausgestellt hatte, daß der einzige Belastungszeuge — ebenfalls Marinepfarrer — zugleich ein Vertrauensmann der Geheimen Staatspolizei war. Für mich war es selbstverständlich, daß dieser Zeuge sofort aus der Marine entlassen wurde. Der Leiter der Parteikanzlei, Bormann, war entgegengesetzter Ansicht. Er forderte in einem ungewöhnlich groben Schreiben nicht nur die Entlassung des freigesprochenen Pfarrers und die Wiedereinstellung des Gestapo-Mannes, sondern sogar die Entlassung des vorsitzenden Richters. Keine von diesen unerhörten Forderungen wurde bis Kriegsende erfüllt.

Mit dem Beginn des zweiten Weltkrieges wuchs meine Verantwortung auf gerichtlichem Gebiet erheblich. Zu Gunsten eines stark vereinfachten Kriegsstrafverfahrens stellten die Berufungsgerichte und das Revisionsgericht ihre Tätigkeit ein. An ihre Stelle trat die Bestätigung oder Aufhebung der Urteile durch die Befehlshaber, soweit sie Gerichtsherren oder Höhere Gerichtsherren waren. Auswahl, Vorbildung und langjährige Erfahrungen der Befehlshaber als Disziplinarvorgesetzte sowie ihre Beratung durch höhere Marinejuristen boten die Gewähr, daß sie diese neue Aufgabe gewissenhaft und maßvoll lösten.

Die Entscheidungen in allen wesentlichen Offizier- und Beamtenstrafverfahren sowie in den schwersten Straffällen, soweit hierfür nicht der Oberste Befehlshaber der Wehrmacht zuständig war, hatte ich mir vorbehalten. Nur so konnte die aus Gerechtigkeitsgründen notwendige einheitliche Beurteilung erreicht und den nachgeordneten Gerichtsherren Anhaltspunkte für ihre eigenen freien Entscheidungen in den übrigen Fällen gegeben werden. Obwohl ich gesetzlich nicht dazu verpflichtet war, ließ ich jeden Entscheidungsentwurf wie eine sonstige Vorlage nach der »Geschäftsordnung für die obersten Reichsbehörden« bei allen sachlich oder persönlich beteiligten Ämtern des Oberkommandos der Kriegsmarine umlaufen, um sicherzustellen, daß jeder für die Beurteilung des Falles denkbare Gesichtspunkt erwogen wurde, bevor ich eine schwerwiegende Entscheidung treffen mußte. Dieses Verfahren hat sich voll bewährt.

Zum Ausgleich für manche notwendige schwere Entscheidung hatte ich während des Krieges umfassende Gnadenbefugnisse. Für mich bedeutete es eine besondere Freude, wenn ich im Einzelfalle Gnade vor Recht ergehen lassen konnte, ohne das Gefüge des Ganzen zu gefährden. Aus den mir vorgelegten zahlreichen Akten habe ich immer wieder ersehen können, daß die im Kriege weit zerstreuten und ganz auf sich gestellten Gerichte der Kriegsmarine — oft unter widrigen Umständen — selbstlos und gewissenhaft ihre schwierigen Aufgaben erfüllt haben.

Die deutsche Kriegsmarine bei den internationalen Aktionen während des spanischen Bürgerkrieges

An die Kriegsmarine trat im Sommer 1936 unerwartet eine Aufgabe heran, die sie für die nächsten zwei Jahre stark in Anspruch nehmen sollte. In Spanien hatten sich sehr unerfreuliche innere Zustände entwickelt. Ein zunehmender bolschewistischer Einfluß war nicht zu verkennen. Dieser zeigte sich unter anderem in einer antikirchlichen Gesetzgebung, die die Kirchenschulen abschaffte und den kirchlichen Grundbesitz enteignete. Die Regierungen verschiedener Richtungen wechselten mehrfach; an vielen Orten gab es blutige Unruhen und Aufstände. In Asturien wurde eine kommunistische Regierung ausgerufen, in Katalonien bestand neben einer kommunistischen noch eine separatistische katalanische Strömung. Schließlich kam es zum offenen Bürgerkrieg, als am 18. Juli 1936 in Spanisch-Marokko ein Militäraufstand ausbrach, der sich gegen die sogenannte »Volksfrontregierung« richtete und schnell auf das spanische Mutterland übergriff. Als Führer der Aufstandsbewegung setzte sich sehr bald General Franco durch. Die Auswirkungen des nun in voller Schärfe entbrennenden Bürgerkrieges gingen weit über den Rahmen einer innerspanischen Angelegenheit hinaus und wurden für mehrere Jahre ein Angelpunkt der europäischen Politik. Sowjetrußland, das die Bolschewisierung in diesem Lande schon vorher bewußt betrieben hatte, erblickte in den Kämpfen eine Kraftprobe und eine entscheidende Auseinandersetzung um eine wichtige europäische Bastion auf seinem Wege zur Weltrevolution; es stützte daher die Volksfrontregierung. Deutschland und Italien dagegen standen aus ihrer antikommunistischen Einstellung heraus auf der Seite von General Franco, während England und Frankreich eine Politik der »Nichteinmischung« betrieben. Dabei waren die Sympathien dieser beiden Länder eindeutig auf Seiten Rotspaniens.

Die Verhältnisse in Spanien waren durch Ausschreitungen, Aufstände und Terror für die dort lebenden Ausländer unerträglich geworden; ihre Sicherheit an Leib und Gut war bedroht. Die »Volksfrontregierung« diente nur noch als Aushängeschild, in den meisten Körperschaften hatten Kommunisten, Syndikalisten und Anarchisten die Macht an sich gerissen. Unvorstellbare Greueltaten wurden dabei verübt, wie später unsere Seebefehlshaber berichteten, die in die Hafenstädte Einblick erhielten. Die an ihren Staatsangehörigen interessierten europäischen Mächte sahen sich gezwungen, Maßnahmen zu deren Schutz zu ergreifen. Bei der Unsicherheit der Verhältnisse und Unzuverlässigkeit der verschiedenen roten Regierungen in den einzelnen Provinzen und Städten Spaniens konnte dies nur mit eigenen Machtmitteln geschehen. Infolge der geographischen Lage Spaniens kamen dafür zunächst Seestreitkräfte in Frage. Als von den in Spanien lebenden Deutschen und den Konsulaten zahlreiche Hilferufe kamen, entschloß sich die deutsche Regierung — ebenso wie England, Frankreich, Italien, die USA und einige kleinere Seemächte —, Einheiten der Kriegsmarine in die spanischen Gewässer zu entsenden. Gleichzeitig übernahmen wir den Schutz der Angehörigen mehrerer Länder, die — wie Österreich und die Schweiz — darum gebeten hatten. Ich war hinsichtlich der Beurteilung der Lage und der von der Marine durchzu-

führenden Maßnahmen in Übereinstimmung mit Reichs-
außenminister Freiherr von Neurath; der Einsatz von Flot-
tenteilen zum Schutz der Spaniendeutschen war eine Selbstverständlichkeit. Merkwürdigerweise war das Einverständnis
Hitlers nicht leicht zu erreichen gewesen. Er befand sich gerade in Bayreuth zur Teilnahme an den Festspielen, und ich
ließ ihm durch seinen Marineadjutanten, Korvettenkapitän
von Puttkamer, Vortrag halten. Vor allem war er in Sorge,
daß sich ein Zwischenfall ereignen könnte. Ebenso hat ihn
später der Gedanke, daß deutsche Kriegsschiffe bei ihrer Tätigkeit auch rotspanische Häfen anliefen, immer wieder beun-
ruhigt.

Zur Durchführung der Aufgabe, deren Art und Umfang
im einzelnen noch nicht zu übersehen war, gab ich dem Befehlshaber der Panzerschiffe, Vizeadmiral Carls, am 23. Juli
1936 nachmittags den Befehl, mit den Panzerschiffen »Deutschland« und »Admiral Scheer« beschleunigt auszulaufen. Die
Schiffe brachen ihre Übungen in der Nordsee ab, rüsteten über
Nacht in Wilhelmshaven aus und gingen am nächsten Morgen
in See. Ihnen folgten wenige Tage später Kreuzer »Köln«
und vier Torpedoboote. Unsere Schiffe wurden sowohl in den
weißspanischen wie in den rotspanischen Häfen korrekt aufgenommen und waren in der Lage, dort für die Sicherheit der
deutschen Staatsangehörigen und auch anderer Ausländer zu
sorgen. Allein in den ersten Monaten wurden etwa fünfzehn-
tausend Deutsche und sonstige Flüchtlinge der verschiedensten
Nationen aus Rotspanien unter dem Schutz deutscher Kriegsschiffe in Sicherheit gebracht. Vielen verfolgten Spaniern
wurde Asyl geboten und so ihr Leben gerettet. Einer von diesen war der betagte Erzbischof von Cartagena, Miguel de Los
Santos.

Als die Auseinandersetzungen das ganze unglückliche
Land ergriffen hatten, wurden fast sämtliche Deutsche aus
Spanien evakuiert und mit ihnen meist auch der spanische

Teil ihrer Familien. Dabei haben die deutschen Handelsschiffe den Kriegsschiffen in vorbildlicher Weise geholfen. Sie wurden durch Funkanforderung des Seebefehlshabers in die weißen oder roten Häfen beordert, in denen deutsche Kriegsschiffe die Organisation, die Einschiffung und die notwendigen Verhandlungen mit den spanischen Behörden übernommen hatten. Die Handelsschiffe unterbrachen dazu für viele Tage ihre Levante- oder Ostasienfahrt, nahmen die aus dem ganzen Land zusammenströmenden Deutschen mit ihren Familien in Notunterkünften an Bord und setzten sie in weißspanischen, italienischen oder französischen Häfen wieder an Land. Die Verantwortungsfreudigkeit der deutschen Schiffskapitäne muß dabei hoch anerkannt werden, da sie oft keine Verbindung mit ihren Reedereien hatten und aus eigener Initiative handeln mußten. Der Umfang dieser Aufgabe geht zum Beispiel daraus hervor, daß aus dem rotspanischen Mittelmeerhafen Almeria in wenigen Tagen etwa zweitausend Flüchtlinge abtransportiert wurden. Infolge des rechtzeitigen Eingreifens unserer Kriegs- und Handelsschiffe waren unter den Spaniendeutschen nur sehr wenige Todesopfer des Bürgerkrieges zu beklagen. Das bestimmte und ruhige Auftreten der deutschen Seebefehlshaber und Kommandanten ermöglichte selbst in den kommunistisch regierten Häfen die Rettung der deutschen Familien und die Sicherung ihres Eigentums. Die Zusammenarbeit mit den deutschen Handelsschiffen ging reibungslos und verständnisvoll vor sich; durch die Anwesenheit oder das Dazwischentreten unserer Seestreitkräfte konnten die deutschen Handelsschiffe — bis auf einen Ausnahmefall — vor Eingriffen rotspanischer Seestreitkräfte bewahrt werden.

Diese machten sich namentlich in der ersten Zeit stark bemerkbar, da der größere Teil der spanischen Flotte auf der rotspanischen Seite verblieben war. Durch planmäßige Radikalisierung der Besatzungen und Ermordung der meisten Offiziere war eine Parteinahme für Franco unmöglich gemacht worden. Die überlegenen rotspanischen Seestreitkräfte verhinderten den Seetransport der in Marokko stehenden Franco-Truppen nach der spanischen Halbinsel, wodurch für diese die zeitraubende Überführung auf dem damals wenig leistungsfähigen Luftwege erforderlich wurde. Erst allmählich gelang es Franco, durch Neuindienststellung von Schiffen die eigenen Streitkräfte zu stärken und die Seeverbindungen nach den weißspanischen Häfen wieder zu öffnen. Die roten Flottenteile konnten ihre Überlegenheit auf die Dauer nicht aufrechterhalten, weil ihnen nach Beseitigung der Offiziere die ausgebildeten und erfahrenen Führer fehlten.

Ich habe am 22. August 1936, nachdem mir eine nähere Unterrichtung durch die nach Spanien entsandten Seebefehlshaber vorlag, in einer Denkschrift Hitler und dem Auswärtigen Amt meine Ansicht vorgelegt. Darin habe ich vor allem darauf hingewiesen, daß man sich über die Form einer Unterstützung Francos genau im klaren sein müsse; wenn man sich zu einem solchen Vorgehen entschließen würde, müßte man die Hilfe natürlich auch wirkungsvoll gestalten. Diese könne zu Komplikationen führen, die die Gefahr eines kriegerischen Konfliktes mit sich brächten. Die Verhältnisse müßten also nicht gefühlsmäßig, sondern sehr nüchtern betrachtet werden und dann die entsprechenden politischen Richtlinien erlassen werden.

Am 30. September 1936 war General Franco zum »Chef der Nationalspanischen Regierung und des spanischen Staates« erklärt worden. Seine Truppen hatten den Angriff auf Madrid begonnen, und die rotspanische Regierung war nach Valencia übergesiedelt. Bald darauf, im November 1936, erkannten Deutschland und Italien die Regierung Franco an und dokumentierten damit ihre Absicht, der Ausbreitung des Kommunismus nach Südwesteuropa entgegenzutreten. England und Frankreich sprachen ihre Anerkennung erst im Februar 1939 aus — kurz vor dem endgültigen Sieg Francos. Die USA folgten am 1. April 1939, wenige Tage nach Beendigung des Bürgerkrieges.

Entsprechend seiner politischen Haltung unterstützte Sowjetrußland die rotspanische Regierung in jeder Form. Der starke Zustrom kommunistischer Freiwilliger aus verschiedenen europäischen Ländern sowie die umfangreiche Lieferung von Kriegsmaterial und Lebensmitteln trugen dazu bei, daß der anfängliche Siegeszug Francos vor den Toren Madrids zum Stehen kam. Die Versorgung der Rotspanier erfolgte vor allem durch russische und französische Dampfer aus den Häfen des Schwarzen Meeres. Als sich dann die deutsche Regierung entschloß, ihrerseits Franco zu unterstützen, wurden die militärischen Güter, die ihm zugedacht waren, und die deutschen Freiwilligen für die »Legion Condor« auf dem Seewege transportiert. Aus den Beständen der Kriegsmarine waren an die nationalspanische Regierung in erster Linie einige Küstenbatterien, ferner Flakartillerie sowie Minensuchgerät und Sperrwaffen verkauft worden, deren Lieferung glatt und ohne Zwischenfälle vonstatten ging.

Die auch von mir für notwendig erachtete unmittelbare Hilfe für Franco durch Entsenden der »Legion Condor« und Gestellung von Kriegsmaterial ergab sich aus dem Bestreben der deutschen Außenpolitik, das Entstehen eines kommunistischen Staatswesens in Spanien zu verhindern. Wenn auch die Spanienhilfe getarnt war und alles, was an Land und in der Luft vor sich ging, durch die spanische Flagge offiziell gedeckt wurde, war der tatsächliche Sachverhalt natürlich bekannt. Die Mithilfe der deutschen Kriegsschiffe konnte ebenfalls nicht verborgen bleiben. Die vielen Transporte für beide in Spanien kriegführende Parteien, die Blockadeerklärungen von nationalspanischer und von roter Seite, das Auftreten von Kriegsschiffen verschiedener Nationen wie überhaupt die Interessenahme auswärtiger Mächte boten zahlreiche Möglichkeiten für Reibungen und Konflikte internationaler Art; Zwischenfälle waren daher jetzt eher wahrscheinlich als bei Beginn des Spanieneinsatzes und traten auch in drei Fällen ein durch Beschießung, Untersuchung und vorübergehende Beschlagnahme deutscher Dampfer durch rotspanische Kriegsschiffe.

Die Tätigkeit der deutschen Seestreitkräfte konnte naturgemäß von Berlin aus nicht in allen Einzelheiten gesteuert werden. Zwar bewährten sich schon die Funknachrichtenverbindungen, die wir unter Ausnutzung der Erfahrungen des ersten Weltkrieges systematisch und sorgfältig ausgebaut hatten. Zum entscheidenden Teil jedoch hing Erfolg oder Mißerfolg des Einsatzes von der Selbständigkeit der Seebefehlshaber, ihrem Verständnis für die politische Lage, sowie von ihrer Entschlußfreudigkeit und Anpassungsfähigkeit ab. Es waren besonders die Admirale Carls, Boehm, von Fischel und Marschall, die sich ebenso wie ihre Flottillenchefs und Kommandanten mit ihren Verbänden und Schiffen den ständig wechselnden Situationen und unerwarteten Ereignissen in jeder Weise gewachsen zeigten. Ich unterrichtete sie im allgemeinen darüber, wie die politische Führung und das Oberkommando der Kriegsmarine die Lage beurteilten, und erließ die notwendigen Anordnungen für Ablösung und Nachschub; aber ich brauchte in die von ihnen getroffenen Maßnahmen nicht einzugreifen. Nicht nur die älteren Befehlshaber und Kommandanten mit ihrer größeren Erfahrung, sondern auch jüngere Torpedoboots- und U-Bootskommandanten haben in vielen Einzelfällen verständnisvolle Initiative und kluges Verhalten gezeigt. Zur ununterbrochenen Aufrechterhaltung der Fahrbereitschaft der Schiffe wurden an die Offiziere und das Personal des Maschinendienstes hohe Anforderungen gestellt und von ihnen erfüllt. Trotz der Beanspruchung durch die Schutzaufgaben wurde die Einzelausbildung der Besatzungen nicht vernachlässigt. Verbandsübungen abzuhalten war allerdings nicht möglich. Aber mit Hilfe der italienischen Marine, die zuvorkommend ihre Mittel zur Verfügung stellte, konnten unsere Kriegsschiffe einen Teil der vorgesehenen Artillerie-, Flak- und Torpedoschießübungen im Mittelmeer erledigen und auch routinemäßige Überholungsarbeiten in der italienischen Staatswerft in Neapel durchführen. Ebenso hielt die weißspanische Marine die Werftanlagen in Cadiz und El Ferrol für unsere Schiffe bereit.

Unbeschadet der verschiedenartigen Politik, die die einzelnen Mächte in der spanischen Frage betrieben, war das Einvernehmen sämtlicher in den spanischen Gewässern versammelten ausländischen Seestreitkräfte auffallend gut: Engländer, Amerikaner, Franzosen, Italiener und Deutsche waren aufrichtig für die Sicherheit und das Eigentum ihrer Landsleute besorgt und unterstützten sich gegenseitig bei dieser Aufgabe. Die Übereinstimmung ging sehr weit. In Barcelona zum Beispiel, wo die Anarchisten die Macht in den Händen hatten, taten sich die Kriegsschiffe dieser fünf Nationen unter dem Kommando des dienstältesten anwesenden Admirals — es war der französische Vizeadmiral Gensoul — zusammen und stellten einen gemeinsamen vorsorglichen Operationsplan auf für den Fall, daß es an Land zu einem Blutbad kommen sollte. Unsere Offiziere konnten feststellen, daß viele der britischen Marineoffiziere aus ihren Sympathien für Franco kein Hehl machten, obgleich selbstverständlich der britische Befehlshaber, Vizeadmiral Cunningham, die offizielle Richtung seiner Regierung vertrat. Es war ferner erfreulich, bei dem oftmaligen Zusammentreffen mit französischen Seestreitkräften zu beobachten, wie das französische Marineoffizierkorps auf eine gute, ja sogar kameradschaftliche Verbindung mit unseren Offizieren Wert legte. Bei dem Marsch unserer 3. Torpedobootsflottille im November 1936 nach Spanien war in einem schweren Sturm das Ruder des Torpedobootes »Wolf« gebrochen, so daß die Flottille gezwungen war, den französischen Kriegshafen Brest anzulaufen. Sie wurde dort weit über das sonst übliche Maß hinaus mit großer Höflichkeit und Entgegenkommen empfangen, ohne daß etwa politische Gegensätze in Erscheinung traten. Die französische Marinewerft unter dem Oberwerftdirektor Konteradmiral Petit tat alles, um die umfangreiche Reparatur schnell zu beenden, und an die deutschen Offiziere und Besatzungen ergingen von den französischen Kriegsschiffen und Landdienststellen zahlreiche offizielle und private Einladungen. Überall wurde eine sehr deutschfreundliche Haltung zum Ausdruck gebracht.

Die den beiden Parteien des spanischen Bürgerkrieges von außen zukommende Unterstützung führte schließlich zur Einrichtung des »Nichteinmischungsausschusses«, in dem sich die Staaten Europas zusammenfanden. Es wurde eine Seeüberwachung beschlossen, die am 12. März 1937 in Kraft trat und von den Seestreitkräften Englands, Frankreichs, Italiens und Deutschlands ausgeübt wurde. Aber die Überwachung war nicht sehr wirkungsvoll, da sie die Parteinahme für die eine oder andere Seite nicht verhindern konnte. Die Überwachungstätigkeit der deutschen und italienischen Streitkräfte in den ihnen durch den Nichteinmischungsausschuß zugewiesenen Bereichen vor der spanischen Ostküste nahm die rotspanische Partei zum Anlaß, um durch planmäßige Angriffshandlungen Zwischenfälle herbeizuführen.

Am 29. Mai 1937 erfolgte ein überraschender Bombenangriff eines rotspanischen Flugzeuges auf das in einer geschützten Bucht der Balearen-Insel Ibiza zu Anker liegende Panzerschiff »Deutschland«. Aus der Richtung der tiefstehenden Nachmittagssonne kommend, war das Flugzeug nicht frühzeitig zu erkennen gewesen und auch zunächst auf Grund seiner Abzeichen als nationalspanisch angesprochen worden, so daß es seine Bomben zu werfen vermochte, ehe die Abwehr von Bord aus in Tätigkeit treten konnte. Zwei Bomben trafen. Die materiellen Auswirkungen waren gering. Um so schwerer waren die personellen Verluste: 31 Besatzungsangehörige wurden getötet und 78 verwundet. Auf diesen unerhörten Angriff mußte ein sofortiger Gegenschlag erfolgen. Hitler, der gerade Berlin im Flugzeug verlassen hatte, kehrte auf die Meldung von dem Angriff sofort zurück. Es wurde beschlossen, als Vergeltungsmaßnahme den rotspanischen Hafen von Almeria zu beschießen. Am 31. Mai 1937 belegte das Panzerschiff »Admiral Scheer« den befestigten rotspanischen Hafen von Almeria mit einer Anzahl 28-cm-Granaten. Rotspanische Batterien erwiderten erfolglos das Feuer. Bevor aber die Meldung des deutschen Befehlshabers über die Durchführung der Beschießung in Berlin eingetroffen war, lagen bereits unfreundliche ausländische Pressemeldungen vor, in denen von einer Beschießung der »offenen« Stadt Almeria die Rede war, Generalfeldmarschall von Blomberg und ich wurden in die Reichskanzlei geholt, wo sich Hitler wegen dieser Nachrichten in sehr erregter Stimmung befand. Gerade an diesem Tage war die sonst gute Funkverbindung mit den Spanienstreitkräften durch ungewöhnliche atmosphärische Störungen beeinträchtigt, so daß der Funkbericht des deutschen Befehlshabers längere Zeit zur Übermittlung brauchte. Hitler beruhigte sich erst wieder, als schließlich die mit Ungeduld erwartete Meldung eintraf. Aus ihr ging hervor, daß die Batterien von Almeria das Feuer erwidert hatten und somit die Pressemeldungen von der Beschießung einer »offenen« Stadt irreführend gewesen waren.

Wie der Überfall auf das Panzerschiff »Deutschland« in Spanien und von den Truppen in Spanisch-Marokko aufgenommen wurde, beleuchtete ein Ausspruch des Kalifen von Tetuan, Mulay Hassan, bei einem offiziellen Besuch des Panzerschiffes im Sommer 1938 in Ceuta: »Ich stehe hier auf heiligem Boden, der vom Blute so vieler Gefallener und Verwundeter getränkt ist, und bin stolz darauf, Spanien in seinem

Kampf gegen die, die an keinen Gott glauben, unterstützen zu können. Der Sieg wird uns sicher sein.«

Auch die Engländer zeigten bei diesem Anlaß — obwohl ihre Spanienpolitik im Gegensatz zu der deutschen stand — eine achtungsvolle Teilnahme. Sie kam zum Ausdruck bei der besonders feierlichen Bestattung der Toten des Panzerschiffes in Gibraltar wie auch bei der freundlichen Aufnahme der Verwundeten in dem dortigen britischen Lazarett und ihrer vorzüglichen Betreuung durch Krankenschwestern, die eigens für diese Aufgabe auf dem Luftwege aus England herbeigeholt wurden. Einige Tage später ordnete Hitler mit Rücksicht auf die Angehörigen der Gefallenen an, daß die Toten endgültig in der Heimat bestattet und mit dem Panzerschiff »Deutschland« nach Wilhelmshaven überführt werden sollten. Der britische Stationschef, Admiral Evans, entsprach sofort entgegenkommend dem deutschen Wunsche und veranlaßte die Exhumierung.

Inzwischen war durch zwei wirkungslose U-Boots-Torpedoangriffe auf Kreuzer »Leipzig« ein neuer Zwischenfall entstanden. Als die deutsche Regierung im Nichteinmischungsausschuß die Forderung stellte, weitere Gewaltmaßnahmen gegen die im Dienste der internationalen Überwachung stehenden Seestreitkräfte durch gemeinsame Gegenmaßnahmen aller beteiligten Seemächte zu erwidern, wurde dieser Vorschlag abgelehnt. Wir traten daher zusammen mit Italien von der Seeüberwachung zurück. Von da ab beschränkten sich die Seestreitkräfte der auswärtigen Mächte wieder auf eine Beobachtungs- und Anwesenheitstätigkeit sowie den Schutz ihrer eigenen Interessen.

In der Zwischenzeit hatte die nationalspanische Seite die militärische Überlegenheit gewonnen. Nach der Eroberung von Barcelona und Katalonien durch Franco und dem dadurch erzwungenen Übertritt rotspanischer Streitkräfte auf südfranzösisches Gebiet fand der spanische Bürgerkrieg sein Ende:

am 28. März 1939 zogen die nationalspanischen Truppen in die Hauptstadt Madrid ein. Die deutschen Seestreitkräfte in den spanischen Gewässern waren schon vorher verringert und Ende des Jahres 1938 endgültig zurückgerufen worden.

Während der zwei Jahre des Spanieneinsatzes waren immer einzelne der zum Flottenkommando gehörenden Streitkräfte im Seebereich um Spaniens Küsten tätig gewesen. Durch die laufende Ablösung der Verbände und Schiffe hatte ein großer Teil der Marine Gelegenheit gehabt, an diesem besonderen Einsatz teilzunehmen. Das sonst übliche Ausbildungsprogramm der Flotte hatte allerdings dabei nicht voll durchgeführt werden können. Ich habe dies — ebenso wie der Flottenchef — nicht bedauert. Was wir hierbei an Zielen in der taktischen und Verbandsausbildung zurückstecken mußten, wurde bei weitem ausgeglichen durch das, was die Flotte an allgemeinem Überblick, an politischem Verständnis und an Selbstvertrauen gewonnen hatte. Die außergewöhnliche Verwendung der Schiffe hatte die Initiative der Kommandanten und Befehlshaber sowie ihrer Offiziere auch hinsichtlich der Ausbildung der Besatzungen stark belebt. Es kam ihnen dabei zustatten, daß jedem Besatzungsangehörigen durch eigenes Erleben verständlich wurde, wie vielseitige Aufgaben bereits in Friedenszeiten an eine Marine herantreten können. Aus der Enge der Nord- und Ostsee heraus waren deutsche Seestreitkräfte in einem weiten außenpolitischen Rahmen für eine Tätigkeit eingesetzt worden, die jeder als notwendig und wichtig erkennen konnte. Der Verkehr mit anderen Marinen und das Auftreten in fremden Häfen war etwas Gewohntes geworden, und die Beschäftigung mit vielen neuartigen Fragen hatte reiche Erkenntnisse und Erfahrungen gebracht. Auf langen Seetörns und losgelöst von den heimischen Stützpunkten hatten die Besatzungen ihre Schiffe auf der Höhe der Fahr- und Gefechtsbereitschaft halten müssen. Die gemeinsame Aufgabe und das Angewiesensein des Einen auf den

Anderen hatten die Disziplin und den kameradschaftlichen Zusammenhalt gefördert. Die Marine war sich ihrer Bedeutung und ihrer Möglichkeiten klar bewußt geworden, ihr eigenes Gesicht hatte sich schärfer ausgeprägt.

Unsere Seeleute brachten einen nicht hoch genug zu schätzenden Gewinn mit in die Heimat: die Sympathie und Dankbarkeit von weiten Kreisen des spanischen Volkes. Die deutsche Marine hat zur spanischen Nation von jeher gute Beziehungen gehabt. Bei den häufigen Besuchen unserer Kriegsschiffe in den spanischen Häfen nach dem Weltkrieg war die gastliche Aufnahme dort immer wohltuend von uns empfunden worden. Nun war die Marine froh, daß sie in den zwei Jahren ihrer Tätigkeit in den spanischen Gewässern Gelegenheit gehabt hatte, ihren Dank auch mit der Tat abzustatten.

Der Kampf um eine Marineluftwaffe

Bereits im ersten Weltkrieg hatte es eine eigene Marineluftwaffe gegeben. Ihr Schwerpunkt lag zunächst auf den Luftschiffen, die in der Aufklärung über See sowie bei Luftangriffen eine wichtige Rolle gespielt haben. Gleichzeitig waren Marineflugzeuge entwickelt und verwendet worden. Etwa 2500 Marineflugzeuge sind im Laufe des Krieges gebaut worden; es waren Aufklärungs-, Kampf- und Torpedoflugzeuge. Besonderer Wert wurde auf die Entwicklung der Aufklärungsflugzeuge gelegt. Bei Kriegsschluß war bereits ein viermotoriges Fernaufklärungsflugzeug in der Erprobung. Die deutschen Flugzeugmuster waren den gegnerischen gleichwertig.

Durch den Versailler Vertrag wurde für Deutschland jede Art von Luftstreitkräften verboten. Das vorhandene Gerät mußte abgeliefert werden. Auch der Bau von Flugzeugen für zivile Zwecke wurde nur in ganz engen Grenzen und mit erheblichen Beschränkungen zugelassen. Damit war es unmöglich gemacht, in Deutschland Flugzeuge zu bauen, die dem Stand der Technik entsprachen und im Ausland konkurrenzfähig waren. Maßgebliche Firmen und Konstrukteure wanderten nach dem Ausland aus, um dort unbehindert den Flugzeugbau zu betreiben. Unter ihnen waren vor allem solche

Flugzeugfirmen und Konstrukteure, die im Weltkrieg für den Seeflugzeugbau spezialisiert waren.

Die Firma Dornier errichtete im Jahre 1921 einen Flugzeugbetrieb in Pisa und entwickelte den Do-Wal. Dieser sehr gut gelungene Typ wurde 1925 von Amundsen für seinen Polarflug, von Balbo für seinen 1926 durchgeführten Flug nach Südamerika und auch von dem deutschen Seeflieger, Kapitänleutnant a. D. von Gronau, für seine Atlantikflüge benutzt. Über den viermotorigen Super-Wal erfolgte die Fortentwicklung zu dem Do-X, einem Flugboot, das mit 12 Motoren ausgestattet war und die Größe von 50 Tonnen hatte. Ähnliche Wege war Dr. Rohrbach durch Errichtung einer Firma in Kopenhagen gegangen. Ernst Heinckel gründete 1923 eine eigene Firma in Warnemünde. Er erhielt als erste größere Bestellung von der Firma Hugo Stinnes einen Auftrag auf »Zehn Seeflugzeuge für Südamerika«; in Wirklichkeit war das der erste getarnte Auftrag der Reichsmarine. Die Flugzeuge wurden in Einzelteilen in Warnemünde gefertigt und bei einer schwedischen Firma aufgebaut, eingeflogen und dann in Kisten verpackt.

Das Jahr 1926 brachte eine teilweise Aufhebung der einschränkenden Bestimmungen für die zivile Luftfahrt. Jedoch blieb die Klausel des Versailler Vertrages bestehen, nach der Deutschland weder zu Wasser noch zu Lande Luftstreitkräfte unterhalten durfte. Die Marineleitung war an der Entwicklung des Seeflugzeuges stark interessiert. Kapitän zur See Lohmann, Chef der Seetransportabteilung bei der Marineleitung, und Kapitän zur See Lahs waren von 1924 an die Persönlichkeiten, die sich dienstlich mit dem Seeflugwesen beschäftigten. Lohmann unterstützte aus den seiner Dienststelle zur Verfügung stehenden Geldmitteln auf verschiedenen Wegen die am Seeflugzeugbau beteiligten Firmen in der Heimat, während Lahs in getarnter Form als Auftraggeber und Käufer für Seeflugzeuge auftrat. Weiter wurde damals in der Marineleitung eine Gruppe für die Fragen einer Marineluftwaffe geschaffen, zu der fachkundige Seeoffiziere und Marinebeamte kommandiert wurden. Sie wurde von Kapitän zur See Lahs, ab 1930 von Kapitän zur See — später General der Flieger — Zander klug und energisch geleitet.

Es erwies sich als günstig, daß der Marine durch den Versailler Vertrag Flakgeschütze zugestanden waren; bei den Schießübungen wurden zur Zieldarstellung und zum Scheibenschleppen Flugzeuge gebraucht. Für diese Aufgaben wurde eine besondere Gesellschaft, die »Severa«, gebildet und mit Zivilflugzeugen ausgerüstet. 1928 wurde ferner eine »Seeflugzeugerprobungsstelle des Reichsverbandes der deutschen Luftfahrtindustrie« in Travemünde unter Leitung des Kapitänleutnants a. D. Moll — später Generalleutnant der Luftwaffe — gegründet. Die ersten Seeflugzeuge, die hier in den Jahren 1927 bis 1930 erprobt wurden, setzten sich aus Konstruktionen der deutschen Firmen und aus ausländischen Flugzeugen zusammen, die im Auftrage der Marineleitung über das Reichsverkehrsministerium und andere Stellen gekauft wurden.

Bei der Liquidierung der Lohmann-Unternehmungen im Jahre 1928 bestand die Gefahr, daß die von der Marine geförderten Arbeiten und die getarnt eingerichteten Organisationen ihr Ende fanden. Zum Glück gelang es mir — es war kurz nach meinem Dienstantritt als Chef der Marineleitung — bei den entscheidenden Persönlichkeiten, vor allem bei Reichswehrminister Groener, Reichskanzler Müller und dem Kabinett, Verständnis für die Notwendigkeit der eingeleiteten Maßnahmen zu finden und für ihre Weiterführung die offizielle Genehmigung zu erhalten. Von da ab wurde die Betätigung der Marine auf dem Gebiet der Marinefliegerei durch die Reichsregierung gedeckt.

Durch die Entwicklung, Auswahl und Erprobung der für Marinezwecke erforderlichen Flugzeugmuster waren Anfang der dreißiger Jahre die technischen Grundlagen geschaffen, um eine Marineluftwaffe aufzubauen, sobald die politischen Voraussetzungen gegeben sein würden. Gleichzeitig war bei der Nachrichtenmittelversuchsanstalt ein Funkgerät für Flugzeuge entwickelt und erprobt worden. Die Konstruktion war so gut gelungen, daß sie bis 1945 als Universalgerät der Marine verwendet wurde.

Bis 1932 hatten wir ein Seeaufklärungsflugzeug, ein Mehrzweckeflugzeug (Torpedo-, Minen-, Bombenabwurf) und einen Jäger in Modellen bereit. Im Gegensatz zu anderen Stellen hielt die Marine die Entwicklung eines Sturzbombers für aussichtsreich und hatte zu dieser Zeit ein für spätere Flugzeugträger bestimmtes Muster in Erprobung. Ein für Bordzwecke geeignetes Katapult war von den Deutschen Werken in Kiel gebaut worden. Weiter befanden sich eine 2-cm-Bordkanone bei der Schweizer Firma Oerlikon und ein Flugzeugtorpedo bei der Torpedoversuchsanstalt Eckernförde im Versuchsstadium. Der Aufbau des Marineflugwesens war hauptsächlich von den früheren Marinefliegern getragen worden, die sich inmitten der schwierigen Verhältnisse unverzagt ihren Aufgaben gewidmet hatten. Sie waren von der deutschen Luftfahrtindustrie verständnisvoll unterstützt worden.

Wir haben uns aber nicht auf das Technische und Fliegerische beschränkt, sondern die Marineleitung und das Flottenkommando waren bestrebt, die aktiven Offiziere der Reichsmarine mit den neuen Problemen vertraut zu machen, die sich eines Tages aus der Zusammenarbeit mit einer Marineluftwaffe ergeben mußten. Kriegsspiele und Manöver berücksichtigten in Anlage und Durchführung den Einsatz von Flugzeugen; in einzelnen Fällen wurden Flugzeuge der »Severa« in die Flottenübungen einbezogen. So war in einer für die Beteiligten oft recht mühseligen Arbeit trotz erschwerter Umstände eine Stufe des Marineflugwesens erreicht worden, von der aus beim Freiwerden vom Versailler Vertrag ein erfolgversprechender Ausbau zu einer schlagkräftigen Marineluft-

waffe hätte erfolgen können. Wir waren technisch und personell darauf vorbereitet.

Mit dem Augenblick, als Deutschland nach 1933 daran
ging, sich eine eigene Luftwaffe als dritten Wehrmachtteil zu
schaffen, wurde die Frage akut, ob man daneben auch Heer
und Marine eine eigene Luftwaffe geben sollte oder ob die mit
der Verbindung von Land- und Seestreitkräften zusammenhängenden fliegerischen Aufgaben ebenfalls von dem dritten
Wehrmachtteil übernommen werden konnten. Mit dieser Frage hatte sich die Marine seit Jahren beschäftigt; die Erfahrungen der großen Seemächte und die von ihnen getroffene Regelung waren dabei sorgfältig studiert worden. Sowohl in Japan
wie in den Vereinigten Staaten von Amerika war eine rein-
liche Scheidung in eine Marine- und eine Heeresluftwaffe erfolgt, die sich allen Nachrichten zufolge gut bewährt hatte.
Auch in Frankreich war man zu einer ähnlichen Lösung gelangt, die, wie mir der französische Oberbefehlshaber, Admiral Darlan, später versicherte, voll befriedigt hatte. Nur in
Großbritannien hatte die Marine trotz ihrer traditionellen
Stellung als erster Wehrmachtteil zunächst langjährige Kämpfe
ausfechten müssen, ehe es zu einer den Interessen der Seekriegführung gerecht werdenden Regelung kam. Sie hatte
aber ihr Ziel schließlich durch die Bildung der Flottenluft-
waffe — Fleet Air Arm — im großen und ganzen erreicht, wobei neben den Bordflugzeugverbänden die Zahl der Flugzeugträger und die dafür erforderlichen Fliegerverbände ausschlaggebend waren.

In allen größeren Marinen hatte sich ferner der Gedanke
durchgesetzt, daß die Seekriegführung, ob sie mit Überwas-
ser-, Unterwasser- oder Luftstreitkräften erfolgt, einheitlich
von einer Befehlsstelle aus geleitet werden muß, und daß gerade aus diesem Grunde bestimmte Teile der Luftwaffe aufs
Engste mit der Marine verbunden sein müssen. Der von den
Kreisen um Göring öfter ausgesprochene Satz: »Alles, was

fliegt, gehört zu uns« hatte nur insoweit eine Berechtigung, als eine Zusammenfassung bei der Luftwaffe für die allgemeine fliegerische Ausbildung, Entwicklung von Motoren, Ausbau der Luftfahrtindustrie und ähnlichem sicher gewisse Vorteile bieten würde. Es war aber den Verfechtern solcher Ansichten nicht klar geworden, daß der Einsatz von Flugzeugen und Fliegerverbänden im Landkrieg ein durchaus anderer als im Seekrieg ist und auch bleiben wird. Der Gegner an Land, der von Flugzeugen bekämpft werden soll, wird gleichzeitig mit den Kriegsmitteln des Erdkampfes angegriffen. Der hierbei mitwirkende Flieger muß also die Taktik und die Besonderheiten des Heeres beherrschen. Die Seekriegführung stellt die entsprechende Forderung an die in ihrem Bereich operierenden Flugzeuge. Nur ist dieses Verlangen wesentlich schwerer zu erfüllen, weil im Seekrieg die Gegner an das von der Erde völlig verschiedene Element des Wassers gebunden sind. Seestreitkräfte und Schiffe unterscheiden sich daher schon ihrer Natur nach von Landstreitkräften, und die Taktik und Methoden der Seekriegführung sind mit denen an Land nicht zu vergleichen. Nur dann, wenn die Flieger in der gleichen Betrachtungsweise der Vorgänge auf See erzogen sind, dieselben Vorstellungen von der Art des Seekrieges haben wie die Schiffsbesatzungen und wenn sie in der gleichen Sprache – der Marineausdrucksweise — ihre Befehle erhalten und Meldungen erstatten können, ist ihre Tätigkeit wirklich nutzbringend für die Führung des Seekrieges.

Das charakteristische Merkmal von Seestreitkräften ist das Operieren im großen Raum und ihre schnelle Beweglichkeit, durch die sich die Lage oft in kürzester Zeit grundlegend ändern kann. Die Aufklärung über weite Seegebiete ist daher von entscheidender Bedeutung; eine einzige Meldung kann den in See befindlichen Führer vor wichtigste Entscheidungen stellen. Zur Abgabe einer richtigen Aufklärungsmeldung gehört aber eine umfassende Ausbildung und vielseitige

Erfahrung. Es darf für deren Zuverlässigkeit keine Rolle spielen, ob sie von einem U-Boot, einem Zerstörer, Kreuzer oder Flugzeug erstattet wird; jeder dieser Aufklärer muß die Lage in gleicher Weise beurteilen und melden können. Die Meldung des Flugzeuges wird dabei sogar oft von höherem Wert sein, weil es auch in größerer Entfernung vom eigenen Seebefehlshaber auftreten und in kurzer Zeit weite Räume einsehen kann. Die vom Flugzeug gemeldete Lage, die außerdem meist noch im Luftbild festgehalten werden kann, wird also häufig umfassender und daher wichtiger sein als die Meldung durch ein Seefahrzeug. Eine so überragende Bedeutung der Luftaufklärung verlangt die unbedingte Vertrautheit des Flugzeugbeobachters mit den Verhältnissen auf See und mit der Seekriegführung im besonderen. Sie ist die Voraussetzung für den richtigen Einsatz der Marineflieger. Solchen Erkenntnissen entsprechend hatten wir unsere Flieger bis 1933 erzogen, und wir hatten vor allem vermieden, daß sie irgendwie einseitig ausgebildet und verwendet wurden; mittendrin im Marineleben mußten sie stehen und wirken.

Die Ansichten innerhalb der Kriegsmarine zu diesen Fragen waren einhellig. Alle Befehlshaber und ebenso mein Stab teilten voll meine Anschauung, daß das Flugzeug neben den Überwasserstreitkräften und U-Booten ein Element der Seekriegführung wäre und daß seine Bedeutung in Zukunft noch wachsen würde. Die älteren Offiziere hatten bereits im ersten Weltkrieg die Wichtigkeit der Luftaufklärung, die damals noch hauptsächlich von Luftschiffen durchgeführt wurde, bei vielen Gelegenheiten kennengelernt. Seekriegsoperationen waren schon im ersten Krieg stark von der Teilnahme von Luftstreitkräften abhängig gewesen. Nach der außerordentlich schnellen Entwicklung der Fliegerei seit dieser Zeit war aber künftig ein erfolgversprechender Ansatz von Seestreitkräften ohne mittelbare oder unmittelbare Mitwirkung von Flugzeugen nicht mehr denkbar.

Die Auswertung des ersten Seekrieges, das Studium der militärischen Literatur des Auslandes, die Ergebnisse von Kriegsspielen und Manövern und die, wenn auch begrenzten, eigenen Erfahrungen seit 1925 haben uns übereinstimmend zu der gleichen Auffassung wie die ausländischen größeren Kriegsmarinen gebracht, daß die Leistungsfähigkeit der im Dienst der Seekriegführung stehenden Luftstreitkräfte maßgebend und oft entscheidend für den Einsatz und die Führung von Flottenverbänden ist. Unmöglich kann ein Fliegerverband allen Anforderungen gerecht werden, wenn er an einem Tage weit im feindlichen Hinterland operative Ziele angreift, am nächsten Tag in taktischer Verbindung mit einer Landtruppe kämpfen muß und am dritten Tag bei einem Seegefecht eigene und fremde Seestreitkräfte unterscheiden soll. Für die Aufgaben der Marine ist eine Fliegertruppe nur dann geeignet, wenn sie durch Ausbildung und Gewöhnung mit der Eigenart von Seeoperationen und Seetaktik vertraut ist und durch tägliche Anwendung die Kommandosprache, die Befehlstechnik und das Signalwesen der Kriegsmarine beherrscht. Viele Jahre eines Berufslebens an Bord und eine umfangreiche See-Erfahrung sind unerläßlich, um einen Fliegerverband im Seekrieg mit Erfolg einsetzen zu können.

Die Weiterentwicklung des Flugzeuges hat es mit sich gebracht, daß es in zunehmendem Maße auch im Seekrieg Tätigkeiten ausüben kann, die früher allein den schwimmenden Einheiten vorbehalten waren. Bei der Aufklärung über See wird das Flugzeug einen wesentlichen, ja den hauptsächlichen Anteil übernehmen können und müssen. Für die Sicherung von Schiffen und Verbänden gegen U-Boots- und Luftangriffe sowie gegen Minen sind Flugzeuge und Geleitfahrzeuge gleichzeitig erforderlich. An einer Minenoffensive vor der feindlichen Küste werden U-Boote, Flugzeuge und Überwasserschiffe beteiligt sein. Die Bekämpfung der Seestreitkräfte des Gegners muß sowohl aus der Luft wie auf und unter dem Wasser erfolgen. Hierbei wird der Anteil der einzelnen Kampfmittel je nach Lage verschieden sein; in allen Fällen aber wird eine enge taktische Verbindung, zum mindesten ein operativer Zusammenhang bestehen. Daher muß auch der Einsatz der Luftstreitkräfte ebenso wie der aller anderen Mittel des Seekrieges in einer Hand vereinigt sein und kann nur von der für die Seekriegführung verantwortlichen Stelle bestimmt werden. Aus diesen Gründen gehören Aufklärungs-, Kampf- und Jagdverbände der Küste sowie Bordflieger und Trägerverbände der Flotte untrennbar zur Marine. Sie müssen dauernd unter ihrem Befehl bleiben, damit sie dann, wenn sie gebraucht werden, ihren Aufgaben gewachsen und auch für die Seekriegführung verfügbar sind.

Alle Überlegungen führen eindeutig zu der Forderung, der Marine eine eigene Luftwaffe zu geben oder wenigstens, wenn dies nicht in vollem Umfange möglich ist, sicherzustellen, daß sie über Ausbildung und Einsatz von ihr zugeteilten Luftstreitkräften die alleinige Entscheidung und Verantwortung hat. Die Erfahrungen, die von uns wie auch von unseren Gegnern im zweiten Weltkrieg gemacht worden sind, sind später der Beweis für die Richtigkeit solcher Ansichten gewesen.

Gegenüber dieser für den Seemann selbstverständlichen Auffassung machte sich der Gedanke der selbständigen Luftwaffe, verbunden mit einem sich auf Heeres- und Marinefliegerei erstreckenden Totalitätsanspruch geltend, wie er von Göring und dem Kreise um ihn, der ausschließlich aus früheren Landfliegern und ehemaligen Heeresoffizieren bestand, vertreten wurde. Sie meinten, daß die Tätigkeit in der Luft das Entscheidende für Ausbildung und Verwendung wäre und daß die Sonderausbildung für Heeres- und Marinezwecke oder für operative Bombenangriffe erst an zweiter Stelle zu stehen habe. Auf solche Weise war jedoch ein Verwachsen der Marineflieger mit der Marine und sicherlich ebenso der Heeresflieger mit dem Heer nicht zu erreichen. Es konnte auch keine wesentliche Besserung dieses Zustandes bedeuten, wenn die Seeflieger erst eine kurze Marineausbildung erhielten, die sich doch nur auf formale Dinge erstrecken konnte, und dann später von Zeit zu Zeit zur Marine kommandiert wurden. Sie konnten so weder bei der Marine noch bei der Luftwaffe heimisch werden.

Nun lassen sich immer Wege finden, um entgegengesetzte Meinungen zu klären und durch einen Kompromiß eine Lösung zu erzielen, die nach Möglichkeit beiden Seiten gerecht wird. Leider aber war bei der Luftwaffenführung in der für die Marine so lebenswichtigen Frage kaum nennenswertes Verständnis für das Wesen und die Notwendigkeiten der Seekriegführung vorhanden, so daß es schon schwer war, eine gemeinsame Gesprächsbasis zu finden. Besonders störend und sachlichen Ergebnissen abträglich war es, daß oft Prestigegesichtspunkte den Ausschlag gaben, wie sie vom Oberbefehlshaber der Luftwaffe häufig in den Vordergrund gestellt und selbst bei belanglosen Äußerlichkeiten zur Geltung gebracht wurden.

So wie die Dinge lagen, mußte die Marine die Aufstellung von Marinefliegerverbänden beim Oberbefehlshaber der Luftwaffe anfordern. Unser erster Plan von 1935 umfaßte nur insgesamt 25 Staffeln mit etwa 300 Flugzeugen. Er erwies sich bald als unzureichend. Wir erweiterten ihn im folgenden Jahr auf 62 Staffeln und stellten die entsprechende Forderung an den Oberbefehlshaber der Luftwaffe. Göring erklärte sich bereit, daß die gesamte Marinefliegerei in dem Luftwaffenkommando VI (See) zusammengefaßt werden sollte; der Führer der Frontverbände sollte dem Oberbefehlshaber der Kriegsmarine und dem Flottenchef bei Friedensübungen sowie im Kriege taktisch unterstellt werden. Diese lediglich auf das taktische Gebiet begrenzte Unterstellung war ungenügend, da die Seeluftverbände in jeder anderen Beziehung Teile der Luftwaffe blieben. Der notwendige Einfluß der Kriegsmarine auf Auswahl, Kommandierung, Ausbildung und Schulung des Personals sowie die Berücksichtigung der Forderungen der Marine an die Flugzeugtypen waren nicht gewährleistet.

Aber selbst eine mangelhafte Organisation kann noch erträglich sein, wenn bei allen Beteiligten der Wille vorhanden ist, die Schwierigkeiten in gemeinsamer Arbeit zu beseitigen. Aus der Marine gaben wir diejenigen Offiziere zur Luftwaffe ab, die früher als Marineflieger tätig gewesen waren. Ich hoffte, durch sie ein besseres Verständnis für die fliegerischen Belange der Marine zu erreichen. An jeden der zur Luftwaffe übergehenden älteren Seeflieger schrieb ich einen persönlichen Brief, um ihn von der Notwendigkeit seiner Abkommandierung gerade im Interesse der Marine zu überzeugen und ihn zu bitten, in diesem Sinne weiter seine Pflicht zu tun. Leider wurden sie zum Teil gar nicht für Zwecke der Seefliegerei verwendet, sondern erhielten Verbände zur Führung oder wurden zu Dienststellen kommandiert, die nichts damit zu tun hatten.

Einzelne Stellen der Luftwaffe haben sich unverkennbar bemüht, das Interesse für Marinefragen zu fördern. So wurde das Unterrichtsfach »Seekriegslehre« in die Lehrpläne der Schulen und Luftkriegsakademie aufgenommen; Admiral Gladisch hielt hier ausgezeichnete Vorträge. Zu dem Nachrichtenchef der Luftwaffe wurde ein Seeoffizier als Verbindungsoffizier kommandiert, durch den eine enge Zusammenarbeit auf dem Nachrichtengebiet erzielt wurde, wo sich die beiden Wehrmachtteile stark berührten.

Im Laufe der Zeit waren also einige Zugeständnisse gemacht worden, eine grundlegende Änderung war jedoch nicht eingetreten. Trotz aller meiner Bemühungen erhielt die Marine keine eigene Seeluftwaffe, wie sie in den Marinen anderer Länder bestand und wie sie für die Gesamtverteidigung die beste Lösung gebildet hätte. Auch eine großzügige Berücksichtigung der Notwendigkeiten eines Seekrieges im Rahmen einer einheitlichen großen Luftwaffe war nicht zustande gekommen. Es blieb nichts weiter übrig, als in Sitzungen, Schreiben und Gesprächen mit den einzelnen Luftwaffenstellen immer wieder die Interessen der Marine zu vertreten. Die Auseinandersetzungen mit der Luftwaffe zogen sich durch eine Reihe von Jahren hin und brachten erhebliche Arbeit sowie viele Reibungen und entsprechenden Leerlauf mit sich. Sie haben die Kräfte der Seekriegsleitung und meine eigenen stark beansprucht. Es ging um eine für die Marine entscheidende Frage.

Die Verhandlungen über das erwähnte Marineprogramm von 62 Staffeln dauerten bis in das Jahr 1938 hinein. Der Oberbefehlshaber der Luftwaffe sagte schließlich zu, dieses Programm für die Marine in zwei Bauabschnitten bis 1942 erfüllen zu wollen. Aber noch im gleichen Jahre teilte er in einer Besprechung mit, daß sich die Luftwaffe für die Luftkriegführung über See und die Seekriegführung aus der Luft voll verantwortlich fühle und daß sie ihr Rüstungsprogramm demgemäß festgelegt habe. Damit könne die Forderung der Kriegsmarine auf marineeigene Seeluftverbände für Kampf- und Stützpunktaufklärung nicht mehr erfüllt werden. Die Marine könne aber gewiß sein, daß ihre Belange durch die Aufstellung von 13 Seekampfgeschwadern der Luftwaffe besser gewahrt werden würden als durch die wenigen Kampf- und Fernaufklärungsstaffeln der Marineverbände.

Mit diesen Absichten konnte sich die Marine nicht einverstanden erklären, und die Auseinandersetzungen erreichten einen neuen Höhepunkt. Ich habe ebenso wie meine Beauftragten einen zähen Kampf geführt, um die unsachliche und den Erfordernissen der Marine nicht entsprechende Einstellung beim Oberbefehlshaber der Luftwaffe zu ändern. Das ist nur in wenigen Punkten gelungen. Leider fand ich hierbei nicht die volle Unterstützung des Heeres, dessen Interessen nicht in gleich starkem Maße berührt waren. Ich habe auch

mehrmals bei Hitler Vortrag gehalten, um durch ihn weiter-
zukommen und eine für die Marine günstigere Entscheidung
zu erreichen. Anscheinend aber hatte Göring es verstanden, bei
Hitler ein verlockendes Bild von der Größe und Schlagkraft
der von ihm aufzubauenden Luftwaffe zu entwerfen und sein
Vertrauen in diese durch Schilderungen zu gewinnen, die er
meist bei Gesprächen unter vier Augen vorbrachte. Während
Hitler sonst für Probleme der Marinerüstung aufgeschlossen
war und fast immer meinen Vorschlägen folgte, ja sogar oft
eigene Ideen hatte, so war er in der Frage der Marinefliegerei
offensichtlich nicht auf meiner Seite; zumindest war bei ihm
keine Entscheidung zu erreichen, die gegen Göring ausfiel.
Für mich kam hinzu, daß Hitler dazu neigte, zwei streitende
Parteien gegeneinander auszuspielen in der Meinung, daß
durch ihren Kampf ein höheres Endziel erreicht würde, als es
bei reibungsloser Zusammenarbeit der Fall wäre. Dies trat
hier wie auch bei dem Ringen der drei Wehrmachtteile um
Arbeitskräfte und Rohstoffe in Erscheinung, ohne daß das
Ergebnis ihm jemals Recht gegeben hätte.

Die Situation war für mich außerordentlich ungünstig; ich
stand praktisch allein. Da die Marine der fordernde Teil war,
konnte die Luftwaffe von sich aus entscheiden, ob sie den
Forderungen nachgab oder sie mit irgendwelchen Begründungen ablehnte. Um wenigstens etwas zu erreichen und Schlimmeres zu verhüten, habe ich mich schließlich — wenn auch sehr
ungern — zu einem »Protokoll« der beiden Oberbefehlshaber
vom 27. Januar 1939 bereitgefunden. Die Stärke der Marinefliegerverbände wurde auf 41 Staffeln festgelegt und eine Abgrenzung der Zuständigkeiten und Einsatzräume vereinbart.
Das Entscheidende, was den Interessen der Marine völlig
zuwiderlief, war, daß die Luftwaffe sich die See als Kampf-
gebiet gesichert hatte. Luftminenkriegführung, Kampf gegen
Schiffe im freien Seeraum, gegen Flottenstützpunkte und
Häfen wurden jetzt Aufgabe der Luftwaffe. Die der Marine

103

zugeteilten wenigen Seeluftstreitkräfte waren lediglich für Aufklärung und Kampftätigkeit im Rahmen taktischer Berührung von Flottenverbänden bestimmt. Der bisherige Organismus der Marinefliegerverbände wurde zerschlagen.

Gewiß wurde mir ein »General der Luftwaffe beim Oberbefehlshaber der Kriegsmarine« zugeteilt. Auch begann die Luftwaffe tatsächlich mit der Ausbildung für die ihr nun über See zufallenden Aufgaben. Ein befähigter früherer Seeoffizier und Seeflieger, Generalmajor Geißler, wurde in eine entsprechende Stellung berufen. Insgesamt aber war das »Protokoll« für die Marine unbefriedigend; jedem von uns war klar, daß es auch für eine Gesamtkriegführung eine denkbar schlechte Regelung darstellte. Es blieb nur zu hoffen, daß in der weiteren Entwicklung sich die Gelegenheit zu einer grundsätzlichen Änderung ergeben würde. Vor allem konnte man erwarten, daß — ähnlich wie es in der britischen Marine der Fall gewesen war — mit der Fertigstellung des in Bau befindlichen Flugzeugträgers und der Aufstellung von Trägerstaffeln für dieses Schiff ein neuer Anlaß gegeben sein würde, um die Frage der Marineluftwaffe noch einmal aufzurollen und dabei den Notwendigkeiten der Marine in stärkerem Maße Geltung zu verschaffen.

Ich habe mich mit der getroffenen Vereinbarung innerlich niemals abgefunden. Es war für mich außerordentlich bitter, daß ich zu diesem Zeitpunkt keine weitere Handhabe oder Möglichkeit hatte, eine andere Lösung herbeizuführen, die den Gesamtinteressen und damit gleichzeitig der Marine dienlich war. Ich habe mir ernstlich überlegt, ob ich aus diesem Anlaß die Kabinettsfrage stellen und versuchen sollte, dadurch eine Entscheidung zu erzwingen, die mehr in meinem Sinn lag und richtiger war. Aber wenn Hitler, der schon verschiedentlich einer klaren Festlegung seines Standpunktes ausgewichen war, sich gegen mich entschied, konnte mein Nachfolger, wer es auch immer sein mochte, gegen Hitlers Auffassung und bei der

Stellung Görings sicher nichts Grundsätzliches bessern. Im Gegenteil hätte sich der Einfluß Görings durch einen solchen Sieg wesentlich verstärkt. Die Folgen hätte die Marine zu tragen gehabt. Gelang es mir aber doch — was unwahrscheinlich war —, eine für die Marine günstigere Entscheidung bei Hitler durchzusetzen, so konnte ich sicher sein, daß Göring nichts unterlassen würde, um eine Regelung, die nicht seinem Wunsch und seinem Ehrgeiz entsprach, allmählich auszuhöhlen und schließlich unwirksam zu machen.

Mein Verhältnis zu Hitler und zur Partei
bis zum Kriege

Mit Hitler hatte ich vor 1933 keinerlei persönliche Verbindung gehabt. Ich lernte ihn, wie im ersten Band erwähnt, am 2. Februar 1933 im Hause des Chefs der Heeresleitung, General Freiherr von Hammerstein, kennen. Hitler war dort in Begleitung des Außenministers Freiherr von Neurath erschienen, sonst waren nur die ältesten militärischen Führer zugegen. Nach dem Essen legte Hitler in einer ausführlichen Ansprache seine Gedanken und Ziele dar, wobei er erklärte, daß er danach streben würde, die Fesseln von Versailles zu lösen, eine wahre Volksgemeinschaft des ganzen deutschen Volkes herzustellen und die Arbeitslosigkeit zu beseitigen. Er brachte zum Ausdruck, daß er sowohl die innere als auch die äußere Politik persönlich führen werde und daß die Wehrmacht nichts damit zu tun haben würde; auch würde die Wehrmacht im Inneren nicht eingesetzt werden, dafür habe er andere Kräfte. Vielmehr wolle er ihr eine ruhige Entwicklung sichern, damit sie ihre ganze Arbeit in den kommenden Jahren auf die Vorbereitung ihrer Hauptaufgabe, die Ausbildung für die Verteidigung des Vaterlandes im Notfalle nach außen hin, verwenden könne. Die Wehrmacht würde der einzige Waffenträger sein, und an ihrer Struktur solle nichts geändert werden. Die Ansprache wurde mit großer Befriedigung aufgenommen. Hitler erwähnte dabei den Reichspräsidenten von Hindenburg mit besonderer Ehrerbietung. Seine Worte, daß die Wehrmacht nicht für innenpolitische Zwecke eingesetzt werden würde, sondern sich allein ihrer militärischen Aufgabe widmen könnte, fanden vor allem meine Zustimmung, weil die damit umrissene künftige Stellung der Wehrmacht im Staate meiner grundsätzlichen und durch die Erfahrung gefestigten Auffassung entsprach.

Hitler trat der Marine mit erkennbarem Wohlwollen entgegen. Das war ursprünglich nicht ohne weiteres zu erwarten gewesen, weil er in seinem Buche »Mein Kampf« Ausführungen über die Kaiserliche Marine und den Tirpitzschen Flottenbau gemacht hatte, die falsch und der Marine abträglich waren. Später wurde bekannt, daß Hitler für das Kapitel über die Marine eine Unterlage genommen hatte, die von einem zwar militärischen, aber marineunkundigen Mitarbeiter stammte. Wahrscheinlich hat aber der mir aus der gemeinsamen Zeit im B.d.A.-Verband gut bekannte Konteradmiral a. D. von Levetzow, einer der klügsten und angesehensten Offiziere der Kaiserlichen Marine, der frühzeitig in die NSDAP eingetreten war, bei Hitler für ein besseres Verständnis für die Marine gesorgt. Er hatte auch Hitler offensichtlich dahin unterrichtet, daß die Marine durch eine feste Erziehung und durch Heraushalten aus aller Parteipolitik von einem guten soldatischen Geist erfüllt wäre und Entsprechendes leistete. Jedenfalls hatte Hitler noch vor 1933 zu erkennen gegeben, daß er einen Wiederaufbau der Flotte nach Kräften unterstützen wollte. Er hatte sich — wie sich herausstellte, als er Reichskanzler geworden war — durch eigenes Studium sehr eingehende Kenntnisse über fast alle Gebiete der Marine und des Schiffbaues verschafft.

Ich erinnere mich, daß in dieser Zeit das Buch des britischen Admirals Harper »The Riddle of Jutland« über die Skagerrakschlacht vielfach in Marinekreisen besprochen wurde. Hess hatte es wegen seines außerordentlich interessanten Inhaltes für Hitler, der kein Englisch sprach, übersetzen lassen. Hitler hat das Buch dann unter Zurückstellung aller anderen Arbeit vom Nachmittag eines Tages bis zum nächsten Morgen durchgelesen. Er hatte, wie ich selber bei einem Gespräch mit ihm an Bord des Avisos »Grille« im Sommer 1937 feststellen konnte, das deutsche »Taschenbuch der Kriegsflotten« und das englische »Jane's Fighting Ships« jederzeit griffbereit liegen. Da er überhaupt viel las und das Gelesene dank seines vorzüglichen Gedächtnisses behielt, in Einzelheiten sogar den Fachmann manchmal übertraf, verfügte er über gute Grundlagen, um sich ein selbständiges Urteil zu bilden. Ich fand ihn daher für die Fragen aufgeschlossen, die ich an ihn heranbrachte, zumal er es vor allem in den ersten Jahren verstand, zuzuhören und das Vorgetragene in sich aufzunehmen und zu verarbeiten. Oftmals konnte ich mit ihm leichter zu einer Verständigung kommen als mit dem Reichskriegsminister von Blomberg, der in der Behandlung allgemein-militärischer Probleme gelegentlich recht einseitig war.

Bei dem ersten Vortrag, den ich im Februar 1933 zusammen mit Generaloberst von Blomberg bei Hitler über Marinefragen hielt, zeigte Hitler sich gut orientiert, auch über die Flottengegensätze zwischen England und Deutschland aus der Zeit vor dem ersten Weltkrieg. Die von ihm entwickelte grundsätzliche Auffassung über die Notwendigkeit des Zusammengehens mit England und die Ausschaltung einer Flottenrivalität konnte nur meine volle Zustimmung finden. Sie ließ mich erwarten, daß Hitler eine konsequente, aber gemäßigte und daher friedliche Außenpolitik führen würde. Jedenfalls hatte ich die Überzeugung, daß er sich im gleichen Maße mit der politischen Geschichte der letzten Jahrzehnte auseinandergesetzt und daraus seine Lehren gezogen hatte, wie wir es in der Marine von vornherein auf unserem Gebiet versucht haben.

Auf der Grundlage, wie sie von Hitler in diesem und einem weiteren Gespräch festgelegt war, hat sich in den nächsten Jahren die Marinepolitik England gegenüber auch tatsächlich abgespielt. Gerade in der Marinerüstung war Hitler vor Abschluß des Flottenabkommens außerordentlich vorsichtig und sehr darum besorgt, durch sie keine außenpolitischen Rückschläge zu erleiden, so daß ich verschiedentlich mit meinen Vorschlägen und Wünschen zurückstehen mußte. Dies trat besonders in Erscheinung bei den Besprechungen über die Schiffstypen, die wir nach den Panzerschiffen bauen wollten. Nur allmählich hat sich Hitler dazu bereit erklärt, mit der Größe des nächsten Typs—es waren die Schlachtschiffe »Scharnhorst« und »Gneisenau« — in die Höhe zu gehen und schließlich einen dritten schweren Geschützturm einzubauen. Jedoch lehnte er eine Erhöhung des Kalibers auf 38 Zentimeter damals grundsätzlich ab. Es ist für mich als den für den Aufbau der Marine Verantwortlichen natürlich ein schwerer Entschluß und ein großer Verzicht gewesen, eine Begrenzung unserer Marinerüstung auf etwa ein Drittel der britischen Stärke anzunehmen. Aber ich stimmte der Auffassung Hitlers durchaus zu, daß ein Wettrüsten mit England niemals wieder in Frage kommen dürfte und daß es daher zweckmäßig wäre, hierüber durch ein Abkommen völlige Klarheit zu schaffen. Der gemäßigte Kurs, den Hitler England gegenüber durch die maritime Selbstbeschränkung steuern wollte und eine Reihe von Jahren durchgehalten hat, stärkte mein Vertrauen, daß er seine Außenpolitik mit Vorsicht und nüchterner Betrachtung der gegebenen Verhältnisse durchführen würde.

Hitler hatte also in der ersten Zeit, ohne von mir darauf angesprochen zu sein, sondern von sich aus seine Auffassungen über zwei grundlegende Probleme mir gegenüber festgelegt: über die Aufgaben der Wehrmacht innerhalb des Staates, wie er sie am 2. Februar 1933 geäußert hatte, und über seine außenpolitischen Absichten einer Kontinentalpolitik unter

Ausschaltung eines Gegensatzes zu England. Die Übereinstimmung, die ich mit Hitler in diesen beiden für die Zukunft der Marine entscheidenden Fragen hatte, bestimmten von vornherein mein Verhältnis zu ihm als Reichskanzler und dann später als Staatsoberhaupt. Der persönliche Eindruck Hitlers auf mich, wie wohl fast ausnahmslos auf diejenigen, die mit ihm in dieser Zeit zusammenkamen, war der eines außergewöhnlichen und zur Führung berufenen Mannes. Seine Fähigkeit, den Kernpunkt eines Problems sofort zu erkennen und dabei komplizierte Dinge auf einen einfachen Nenner zu bringen, war überraschend. Er konnte das, was er sagen wollte, in klarer und verständlicher Form, die dem jeweiligen Zuhörer angepaßt war, zum Ausdruck bringen. Sein Wissen war vielseitig; er hatte es sich im wesentlichen durch eifriges Selbststudium erworben. Aber er hielt es nicht nur in seinem Gedächtnis bereit, sondern hatte sich daraus Ansichten und Urteile gebildet, die oft bemerkenswert waren. Wenn das deutsche Volk nicht nur die Hoffnung, sondern die feste Zuversicht hatte, daß Hitler den Weg aus der Not, in die uns das Versailler Diktat gebracht hatte, freimachen würde, und wenn es bereit war, dafür eine autoritäre Führung in Kauf zu nehmen, so konnte ich dieser Einstellung nur zustimmen — nicht zuletzt aus der Kenntnis der Persönlichkeit Hitlers, wie sie mir anfangs erschien. Das Vertrauen, das das deutsche Volk ihm in überwältigender Mehrheit schenkte, wurde von mir damals voll geteilt.

Hitler hat mich jederzeit mit der Höflichkeit behandelt, die mir in meiner Stellung und als Lebensälterem zukam. Er respektierte die von mir vorgetragenen Ansichten, auch wenn sie nicht mit seinen eigenen übereinstimmten. Ich selbst bin ihm von Anfang an mit jener Offenheit entgegengetreten, wie ich sie gegenüber jedermann gewohnt war. Meine Auffassungen habe ich bei ihm stets eindeutig geäußert und habe vor allem nichts verschleiert. Das Gleiche galt für die Marineoffi-

ziere, die zu Hitler zum Vortrag kamen. Als der Kommandant des Kreuzers »Karlsruhe«, Fregattenkapitän Freiherr
von Harsdorf, sich nach einjähriger erfolgreicher Auslands-
reise bei Hitler in meiner Gegenwart zurückmeldete, brachte
er neben einer Schilderung der begeisterten Aufnahme im
Ausland freimütig seine Klagen über das vielfach schädliche
Auftreten der Auslandsorganisationen der NSDAP vor. Hitler sagte Abhilfe zu. Eine derartige Offenheit habe ich auch
dann beibehalten, wenn es zu Streitfragen kam. Ich habe mich
für das, was ich für richtig hielt und wofür ich die Verantwortung trug, mit meiner Person eingesetzt. Wenn ich dabei
auch nicht immer Erfolg hatte, so habe ich doch niemals einen
anderen Weg beschritten, als den der Aussprache von Mann
zu Mann. Ich habe für die Notwendigkeiten und Interessen
der Marine selbstverständlich gekämpft, aber stets mit offe-
nem Visier. Ein anderes Vorgehen hätte meiner Art widersprochen.

Nach meinem Eindruck war dieses Verhalten wirkungs-
voller als ein allzu vorsichtiges Lavieren. Hitler, der selbst
sehr mißtrauisch war, fühlte sofort, wenn jemand an ihn
irgendwelche Angelegenheiten mit starkem inneren Vorbehalt
heranbrachte. Andererseits war er über eine rückhaltlose Unterrichtung und Beratung zwar nicht immer erfreut, aber doch
dafür zugänglich. Ich glaube, daß es mir gelang, sein Vertrauen in die Führung der Marine durch mich zu erwerben
und lange Zeit hindurch zu erhalten. Dies war die Vorbedingung, um bei ihm die Forderungen der Marine durchzusetzen
und zugleich bei unvermeidlichen Meinungsverschiedenheiten
mit anderen Stellen eine Rückendeckung zu haben; es ist meiner Aufgabe und damit der Marine zugute gekommen.

Meine ersten Zweifel an der Aufrichtigkeit Hitlers sind
nach meiner Erinnerung im Jahre 1938 entstanden, das in
mehrfacher Beziehung kritisch werden sollte. Zunächst aber
hatte ich das Gefühl, sein Vertrauen zu besitzen und von ihm

in meinen wiederholten Auseinandersetzungen mit Parteistellen gestützt zu werden. Selbst bei dem Kampf, den ich
lange Jahre mit Göring wegen der Marineluftwaffe führte,
habe ich manchmal die Empfindung gehabt, daß Hitler innerlich mehr mir als Göring zustimmte.

Ich habe mich namentlich in der ersten Zeit bemüht, regelmäßig an Hitler heranzukommen, um ihm das Verständnis
für die vielseitigen Probleme der Marine zu erleichtern und
ihm notwendige Forderungen nahezubringen. Verschiedentlich habe ich mich bei ihm zum Essen angesagt, schon deshalb,
weil ich ihn bei solchen Gelegenheiten vorher unter vier Augen
sprechen konnte. Dadurch erreichte ich, daß besondere Wünsche der Marine nicht lediglich über den Reichskriegsminister
an ihn herangetragen wurden, der unmöglich immer die richtigen Argumente zur Hand haben konnte. Allmählich aber
wurde mir klar, daß ein häufiges Zusammensein mit Hitler
auch seine Gefahren hatte. Hitler besaß eine ausgeprägte
Gabe, Menschen zu beeinflussen und für sich einzunehmen.
Ich habe oft gesehen, wie er auch skeptische Naturen für sich
zu gewinnen verstand. Das galt nicht nur für Deutsche aller
Schichten und Berufe, sondern ebenso für zahlreiche Ausländer. Sogar fremde Diplomaten entgingen dieser Wirkung
nicht in allen Fällen. Er hatte ein sehr feines Gefühl dafür,
wie weit er gehen konnte und wie er seine Gesprächspartner
zu behandeln hatte. In den späteren Jahren, als es öfter Differenzen zwischen ihm und mir gab, kam ich einmal nach einer
größeren Meinungsverschiedenheit zum nächsten Vortrag,
entschlossen, ihm in der schärfsten Form entgegenzutreten;
aber er empfing mich mit einer derartigen Liebenswürdigkeit
und Bereitschaft zu sachlicher Besprechung, daß dem vorher
vorhandenen Gegensatz einfach die Grundlage entzogen war.
Das merkwürdige Fluidum, das von ihm ausging, hat nach
meiner Ansicht die Persönlichkeiten seiner Umgebung stark
beeinflußt.

Diesem Einfluß habe ich mich zunächst unwillkürlich, aber im Laufe der Jahre doch bewußter zu entziehen versucht. Mir lag sehr viel an meiner inneren Selbständigkeit, ohne die ich meine Aufgabe nicht erfüllen konnte. Daher beschränkte ich meine Besuche und Vorträge bei Hitler, besonders im Kriege, auf die Gelegenheiten, die mein persönliches Erscheinen erforderten. Dann aber kam ich mit einem festen Programm, an das ich mich auch hielt und zu dem ich Hitler zur Stellungnahme und Entscheidung veranlaßte. In den ersten Jahren nahm Hitler meinen Rat fast immer an und war dankbar für jede Unterrichtung. Jedoch war er selbst meist recht zurückhaltend und orientierte mich häufig nicht über Dinge, deren Kenntnis für mich wichtig gewesen wäre. Zwar wurden der Oberbefehlshaber des Heeres und ich in den Rang von Ministern erhoben; wir haben aber beide niemals an einer Kabinettsitzung teilgenommen, sofern solche überhaupt stattgefunden haben sollten. Ich bin weder in die Außen- noch in die Innenpolitik eingeschaltet worden mit Ausnahme der Gebiete, von denen die Marine berührt wurde. Aber auch das ist, vor allem im Jahre 1939, als sich die Lage gegenüber England zuspitzte, nicht mehr voll durchgeführt worden. Dieser oftmals bemerkbaren Zurückhaltung von seiner Seite stand manchmal eine geradezu verblüffende Offenheit, ja übertriebene Vertrauensseligkeit gegenüber, wenn er zum Beispiel inmitten eines größeren Kreises seiner Mittags- oder Abendgäste Kritiken und Ansichten über führende Persönlichkeiten des In- und Auslandes äußerte. Im Kriege war dies natürlich für mich ein Grund mehr, im Vortragen von Absichten, die noch nicht spruchreif waren, vorsichtig zu sein, damit ihre Geheimhaltung nicht vorher gefährdet wurde. In späteren Jahren begann er öfters aufzubrausen, wenn sich Meinungsverschiedenheiten einstellten oder er mit einer getroffenen Maßnahme nicht zufrieden war. Im allgemeinen aber war es möglich, sachlich mit ihm zu verhandeln und sich mit der eigenen

Ansicht bei genügender Begründung auch bei ihm durchzusetzen.

Hitler hielt sich bei Vorträgen und Besuchen gewöhnlich an die zur Diskussion stehenden Themen, zu denen ihm Berichte oder Vorschläge gemacht wurden. Er selbst konnte sich dabei über zahlreiche Einzelheiten verbreiten, er brachte neue Gesichtspunkte heran und war auch lebhaft interessiert. Aber er nahm doch so gut wie nie Veranlassung, über andere Themen zu sprechen, die nicht zu dem Ressort des Vortragenden gehörten. Erst allmählich und in den späteren Jahren ist mir bewußt geworden, daß dies nicht eine besondere Eigenschaft von ihm war, sondern ein System. Er grenzte seine verantwortlichen Mitarbeiter stark voneinander ab, so daß er dadurch niemals einer vereinten Front gegenüberstand und die einzelnen Ressorts getrennt seine Entscheidung einholen mußten. Auf diese Weise war es fast unmöglich gemacht, an ihn andere Fragen heranzubringen, für die man in seinem Arbeitsbereich nicht zuständig war. Tat man dies trotzdem, wie es von meiner Seite in verschiedenen Fällen geschah, so hatte er durch seine besseren Informationen viele und wirkungsvolle Argumente bei der Hand, die natürlich nicht leicht zu widerlegen waren.

Wenn Nachrichten oder Gerüchte über radikale Maßnahmen der Partei oder der Geheimen Staatspolizei auftauchten, konnte man aus der Haltung und den Worten Hitlers stets zu dem Schluß kommen, daß solche Vorfälle nicht von ihm selbst, sondern von irgendeiner Parteistelle unbefugt angeordnet seien — handelte es sich nun um das Vorgehen gegen die Kirche, um Äußerungen von Reichsleitern oder um Gerüchte über Mißgriffe von Organen der Gestapo. Über die Tätigkeit dieser Geheimpolizei sowie das Leben in den Konzentrationslagern wurden die militärischen Stellen von Hitler und den sonstigen verantwortlichen Personen völlig im Dunkeln gelassen. Diese Art der Geheimhaltung war sehr wirksam. Es konnte zunächst so scheinen, als entspräche sie der von Hitler zu Beginn seiner Kanzlerschaft geäußerten Absicht, die Wehrmacht nicht mit innenpolitischen Dingen zu befassen. Mir selbst ist erst klar geworden, daß es sich um ein bis zur Perfektion entwickeltes Verschleierungssystem handelte, als ich vor und während des Nürnberger Prozesses von den Greueltaten in den Konzentrationslagern hörte, die mir und — nach meiner festen Überzeugung — auch allen Angehörigen der Marine bis dahin gänzlich unbekannt waren.

Durch diese Abgrenzung, die später im Kriege in dem Befehl über die Geheimhaltung — da allerdings zum Teil mit Recht — ihre letzte Ausprägung fand, war es sehr schwierig und oft unmöglich, sich über die Absichten und Pläne Hitlers, die über den eigenen Bereich hinausgingen, ein zuverlässiges Bild zu machen und einen wirklich vollständigen Eindruck von seiner Persönlichkeit und seinen Ideen zu erhalten. Hitler war ein Meister der Dialektik wie auch des Bluffs. In seinen Reden konnte man häufig starke Widersprüche feststellen, so daß man eigentlich nie so ganz wußte, welches seine wahren Ziele und Absichten waren. Obgleich seine Geschicklichkeit des Ausdrucks und der Darstellung an Wirkung verlor, wenn man öfter mit ihm zusammen war, so war — wie ich zunehmend erkennen mußte — eine letzte Klarheit nie zu bekommen. Allmählich bin ich dann im Laufe der Jahre zu der Auffassung gelangt, daß Hitler selbst immer der radikalen Lösung zuneigte, ohne dies aber nach außen hin erkennen zu lassen.

Hitler ließ mir in der Führung der Marine völlig freie Hand. So sehr er sich für Schiffstypen, Bewaffnung und zahlreiche technische Fragen sogar in Einzelheiten interessierte, so wenig griff er irgendwie in das Gefüge der Marine ein. Dies galt für Ausbildungsfragen genauso wie für die Erziehung oder Ausrichtung der Offiziere und Besatzungen. Die Marinegerichtsbarkeit blieb unberührt. In keinem Fall hat er auch nur versucht, einen Einfluß auf die Personalwirtschaft zu gewinnen oder Wünsche für Kommandierungen zu äußern. Hier wäre ich auch unerbittlich gewesen. Der Oberbefehlshaber eines Wehrmachtteils kann die Verantwortung dafür mit niemandem teilen. Ich verwendete und kommandierte die Offiziere der Marine lediglich nach dienstlichen Gesichtspunkten und nahm dabei keinerlei Rücksicht auf ihr Verhältnis zur Partei oder ihre Einstellung zum Nationalsozialismus, soweit das überhaupt bekannt war. Den Kapitän zur See Patzig, der als Vorgänger von Admiral Canaris Chef der Abwehrabteilung im Oberkommando der Wehrmacht gewesen war, habe ich zum Kommandanten des neuesten Panzerschiffes ernannt, obgleich er in seiner vorhergehenden Stellung heftige Auseinandersetzungen mit SS, Gestapo und Parteistellen gehabt hatte. Nach seiner Kommandantenzeit wählte ich ihn zu meinem Personalchef, eine Stellung, die er bis in den Krieg hinein innegehabt hat. Einen zeitweiligen Marineadjutanten Hitlers habe ich — gegen den Wunsch Hitlers — aus der Marine verabschiedet, weil er bei einer persönlichen Angelegenheit sich über Auffassungen hinweggesetzt hatte, die ich im Offizierkorps aufrechterhielt.

Ich habe, soweit es notwendig war, dafür gesorgt, daß die Marine in allen ihren Teilen eine korrekte Haltung zur Partei einnahm. Es kamen natürlich Reibungen vor, die aber durch vernünftiges und sicheres Auftreten der Beauftragten der Marine im allgemeinen beigelegt werden konnten. Hierbei muß allerdings berücksichtigt werden, daß die Marine in einer wesentlich günstigeren und einfacheren Lage als das Heer war, weil sie in einigen wenigen großen Garnisonen zusammenlag, in denen sie auch zahlenmäßig das Übergewicht hatte; dagegen hatte das über weite Räume verteilte Heer sehr viel mehr Möglichkeiten zu lokalen Zwistigkeiten und Gegensätzen mit der Partei. Zu den Seestreitkräften konnte man seitens der Partei keine Konkurrenz aufziehen, während die

Stellung des Heeres zunächst durch die SA und später durch die SS sehr erschwert wurde. Wenn mir Streitigkeiten unterer Dienststellen mit Vertretern der Partei gemeldet wurden, so wurden sie vom Oberkommando der Kriegsmarine durch unmittelbare Verhandlungen mit den oberen Parteiinstanzen erledigt, was bei nachdrücklicher Vertretung meines Standpunktes meist gelang. Vor allem war dies wohl auf das Ansehen zurückzuführen, das die Marine infolge ihrer Haltung und Leistung allgemein genoß; man getraute sich an die Marine nicht recht heran, und es gehörte gewissermaßen zum guten Ton in der Partei, sich nicht mit der Marine anzulegen.

Schwierigkeiten erwuchsen mir von zwei Persönlichkeiten: dem Leiter des SS-Sicherheitsdienstes, Heydrich, und dem Oberbefehlshaber der Luftwaffe, Göring. Beiden begegnete ich mit besonderer Zurückhaltung, um keinesfalls Gelegenheit zum Aufkommen von Mißverständnissen zu geben. Heydrich war 1922 in die Marine eingetreten und im Jahre 1931 als Oberleutnant zur See auf Grund eines ehrengerichtlichen Verfahrens wegen eines nicht zu billigenden Benehmens gegenüber einem jungen Mädchen aus der Marine entlassen worden. Das hat er mir nie vergessen, und er wird mit dieser Einstellung wohl auch seinen Vorgesetzten, Himmler, beeinflußt haben. Wiederholt berichtete Heydrich an die Parteileitung und selbst an Hitler über mich und mein Verhalten bei den verschiedensten Anlässen, so zum Beispiel in der Angelegenheit des Pfarrers Niemöller. Da die von ihm erhobenen Vorwürfe unbegründet und falsch waren, konnte ich sie stets widerlegen; ich wies sie in scharfen Schreiben an Himmler energisch zurück und konnte dabei Heydrich entsprechend bloßstellen. Sehr unbequem war es dem SS-Sicherheitsdienst, daß ich wiederholt für den Verbleib besonders tüchtiger nichtarischer Offiziere in der Marine sowie für mir bekannte jüdische Familien eintrat und die Besserung ihrer Lage erreichte. Die Beziehungen Heydrichs zu seinen alten Kameraden waren erkaltet oder abgebrochen. Er hat im Kriege seine Frontzeit nicht bei der Marine, sondern bei der Luftwaffe abgeleistet.

Von den Männern aus der Umgebung Hitlers ist Göring derjenige gewesen, mit dem ich die heftigsten Kämpfe gehabt habe und zu dem ich in einem starken sachlichen und persönlichen Gegensatz stand. Seine völlige Verständnislosigkeit für die Forderungen der Marine nach einer Marineluftwaffe haben sich im Kriege verhängnisvoll ausgewirkt. Göring besaß eine unvorstellbare Eitelkeit, über die schon immer gespottet wurde. Es war aber nicht lediglich eine äußere Eitelkeit, die man einem Manne nachzusehen geneigt ist, wenn er sonst Bedeutendes leistet. Vielmehr war sie verbunden mit einem ungehemmten Ehrgeiz, der sich bei jeder Gelegenheit zeigte. Mochte er im ersten Kriege sich als tapferer und erfolgreicher Flieger bewährt haben — für die Führung eines Wehrmachtteils fehlten ihm alle erforderlichen Eigenschaften. Seine Freude an äußerer Repräsentation und der übertriebene Luxus, mit dem er sich umgab, waren ein schlechtes Beispiel für die Luftwaffe, die vor der unendlich schweren Aufgabe stand, in wenigen Jahren den dritten Wehrmachtteil aufzubauen, und sich voll darauf konzentrieren mußte. Das ungünstige Bild von Göring hat sich mir natürlich erst im Laufe der Jahre, vor allem der Kriegszeit, in voller Deutlichkeit dargestellt. Zunächst gab er sich äußerlich der Marine gegenüber kameradschaftlich und freundschaftlich. Bald zeigten sich jedoch eine starke Eifersucht und das Bestreben, von der Marine das Beste zu kopieren oder sich für die Luftwaffe anzueignen, gleichzeitig aber hinter meinem Rücken die Marine schlechtzumachen und herabzusetzen. Göring ließ auch in Gegenwart Hitlers des öfteren ungünstige Bemerkungen über die Marine und über mich fallen, wenn niemand dabei war, der sie sofort widerlegen konnte. Hitler hat ihn nach meiner Überzeugung frühzeitig durchschaut. Aber er nutzte ihn aus, wo es ihm zweckmäßig erschien, und ich hatte den Eindruck, daß er

Göring mit immer neuen Aufgaben außerhalb der Luftwaffe belastete, um ihn nicht zur Gefahr für seine eigene Person werden zu lassen. Daß Göring dann selbst beim besten Willen und Fleiß nicht in der Lage war, auch nur eine seiner Stellungen richtig auszufüllen, war die natürliche Folge. Göring legte größten Wert darauf, nach außen hin zu zeigen, daß er Hitler restlos ergeben sei. Trotzdem ließ er sich häufig erhebliche Taktlosigkeiten ihm gegenüber zuschulden kommen, die aber von Hitler geflissentlich übersehen wurden. Ob etwa eine Bindung zwischen ihnen infolge gemeinsamer früherer Erlebnisse vorlag, weiß ich nicht. Jedenfalls war es trotz dauernder Bitten und Anträge nicht möglich, bei Hitler etwas gegen Göring durchzusetzen.

Göring hat zweifellos durch seine rücksichtslose Energie und durch seinen Einfluß auf Hitler eine Reihe von Vorbedingungen für den Aufbau der Luftwaffe geschaffen, die dieser auch zugute gekommen sind. Da er aber mit seinen Forderungen vielfach das sachlich gebotene Maß überschritt, war es notwendig, ihm mit Festigkeit entgegenzutreten und unberechtigte Ansprüche energisch abzuwehren. Mein Verhältnis zu Göring wird vielleicht dadurch am besten gekennzeichnet, daß ich bei Niederlegung meines Oberkommandos zu Hitler als letztes sagte: »Bitte schützen Sie die Marine und meinen Nachfolger vor Göring!«

Das Jahr 1938 brachte schon bei seinem Beginn Erlebnisse persönlicher Art, die zwar die Marine nicht direkt betrafen, wohl aber dazu geeignet waren, mein Vertrauen nicht nur zu Göring, sondern auch zur Aufrichtigkeit Hitlers ins Wanken zu bringen. Die unglückliche Heiratsangelegenheit des Generalfeldmarschalls von Blomberg machte ihn als Oberbefehlshaber der Wehrmacht unmöglich. Mir ist unerfindlich, wie Blomberg selbst glauben konnte und auch aussprach, daß eine solche Heirat im derzeitigen System möglich wäre. Denn schließlich mußte er als höchstgestellter Offizier der Wehrmacht einen anderen Maßstab anlegen. Warum er, statt seinen Abschied zu nehmen und dann als Privatmann sein Leben zu gestalten, sogar noch Hitler als seinen Trauzeugen heranholte, ist mir ein Rätsel. Als Hitler mich kurz darauf fragte, wen ich als den geeignetsten Nachfolger für Blomberg ansehe, nannte ich entschieden den Generaloberst Freiherr von Fritsch, damals Oberbefehlshaber des Heeres. Zu meiner völligen Überraschung erklärte Hitler, daß dieser nicht in Frage käme, da eine Beschuldigung gegen ihn auf sittlichem Gebiet vorläge. Mir war bekannt, daß Hitler der Generaloberst von Fritsch nicht besonders lag wegen seines etwas verschlossenen und zunächst kalt erscheinenden Wesens. Ich kannte aber Fritsch als einen tiefempfindenden, vortrefflichen und untadeligen Mann von größter persönlicher Bescheidenheit und Sauberkeit. Darüber hinaus war er nach meiner Ansicht, die von vielen maßgebenden Leuten geteilt wurde, ein hervorragender militärischer Führer.

Als General Freiherr von Fritsch am 1. Februar 1934 Nachfolger des Generalobersten von Hammerstein in der Stellung des Chefs der Heeresleitung wurde, habe ich dies außerordentlich begrüßt. Mir war Freiherr von Fritsch schon seit längerer Zeit bekannt, und ich hatte mich etwa im Januar 1934 bei einer Unterhaltung mit Generalmajor von Hindenburg, dem Sohn des Generalfeldmarschalls, für ihn eingesetzt. Bei dieser Gelegenheit hatte ich geäußert, daß nach meinen Eindrücken das Heer wieder eine straffe Führung und einen starken Oberbefehlshaber bekommen müsse, und hatte dabei General von Rundstedt und General von Fritsch genannt. Ich weiß nicht, ob dieses Gespräch irgendwie von Einfluß auf die Ernennung von Freiherr von Fritsch durch Reichspräsident von Hindenburg gewesen ist; aber es lag mir viel daran, daß an der Spitze des Heeres wieder ein Oberbefehlshaber stand, mit dem ich gut und eng zusammenarbeiten konnte, wie es vorher mit Generaloberst Heye der Fall gewesen war. Mit

Generaloberst von Fritsch habe ich mich dann auch ausgezeichnet verstanden. Wir berührten uns besonders in zwei Punkten: in der grundsätzlichen kirchlichen Einstellung, für die wir bei vielen Gelegenheiten eingetreten sind, und in dem Bestreben, unsere Wehrmachtteile völlig aus der Politik herauszuhalten. Genau wie ich hatte auch er von Göring keine hohe Meinung. Soweit ich mir ein Urteil erlauben kann, lag bei Generaloberst von Fritsch die Führung des Heeres in den besten Händen. Er war klar und sachlich in seinem Denken und Handeln und verstand es, sich auf die wichtigen Dinge zu konzentrieren. Mir war es eine große Freude gewesen, den Generaloberst zu bitten, die Taufrede beim Stapellauf des Schlachtschiffes »Gneisenau« am 8. Dezember 1936 zu halten. Es mag diesen ernsten, selbstlosen Offizier charakterisieren, daß er die Taufrede mit zwei Zeilen aus einer Ode Gneisenaus begann: »Begeistere du das menschliche Geschlecht für seine Pflicht zuerst, dann für sein Recht.« Er wäre der gegebene Oberbefehlshaber für die gesamte Wehrmacht gewesen.

Am 4. Februar 1938 versammelte Hitler die älteren Generale und Admirale in der Reichskanzlei. In einer Ansprache ging er auf die Angelegenheit des Feldmarschalls von Blomberg ein, der eine unwürdige Frau geheiratet hätte. Hierzu hätte er Hitler und Göring als Trauzeugen gebeten. Nachdem eine solche Eheschließung durch den höchsten Soldaten des Staates erfolgt sei, hätte Hitler alles für möglich halten müssen. Nun sei zu diesem Zeitpunkt erneut eine Anschuldigung gegen Generaloberst von Fritsch an ihn herangebracht worden wegen sittlicher Verfehlungen. Er, Hitler, habe diese Anschuldigungen seit Jahren gekannt, aber immer von sich gewiesen; nach dem Erlebnis mit Blomberg und dem nochmaligen Auftauchen einer Beschuldigung müsse er nun eine Untersuchung gegen Generaloberst von Fritsch einleiten. Er bat die versammelten Offiziere, Verständnis dafür zu haben, daß er nicht anders handeln könne. Er sei einfach gezwungen, Klarheit in

121

diesem Falle zu schaffen. General von Brauchitsch sei als Nachfolger von Generaloberst von Fritsch ernannt.

Es wurde nun ein Verfahren gegen Fritsch durchgeführt, in dem Göring den Vorsitz führte, Generaloberst von Brauchitsch, der neue Oberbefehlshaber des Heeres, und ich als Richter fungierten. Später habe ich dann gehört, daß der Justizminister Dr. Gürtner stark auf die Durchführung einer derartigen Untersuchung gedrängt hätte, um die Hintergründe zu klären. Sehr bald ergab sich, daß der ganzen Anschuldigung nichts anderes als die Denunziation eines üblen Mannes zugrunde lag; das Zusammenwirken der Gestapo mit diesem Subjekt kam dabei klar zutage. Schließlich sollte es sich um eine Verwechslung mit einem früheren Offizier ähnlichen Namens handeln. Alle Zeugen, die aus Armee und Hitlerjugend herangeholt waren, sprachen zu Gunsten von Generaloberst von Fritsch. Ich muß auch anerkennen, daß Göring, gegen den ich an sich bei dieser ganzen Angelegenheit Mißtrauen hatte, bei der Prozeßführung selbst sachlich und korrekt gewesen ist. Er verstand jedenfalls mit dem unerfreulichen Belastungszeugen besser fertig zu werden, als es General von Brauchitsch oder ich gekonnt hätten. Das Ergebnis war völlig eindeutig: Generaloberst von Fritsch wurde wegen erwiesener Unschuld freigesprochen.

Sofort nach Beendigung der Verhandlung ging ich auf Fritsch zu, reichte ihm die Hand und sprach ihm meine Genugtuung darüber aus, daß das Ergebnis der Untersuchung ihn in jeder Beziehung rehabilitiert hätte. Danach stünde jetzt seinem Verbleiben im Dienst nichts mehr im Wege, und es erschiene mir für die Wehrmacht und für ihn selbst geboten, daß er auf seinem Posten bliebe. Am gleichen Tage oder einen Tag später habe ich ihn in seinem Dienstzimmer aufgesucht und habe ihn noch einmal eindringlich gebeten, doch in seiner Stellung zu bleiben, da nach Ansicht der Generale und Admirale seine Autorität nicht soweit geschädigt wäre, daß sein

Abgang dadurch zu begründen sei. Er wollte dies aber nicht anerkennen und beharrte auf seinem Abschiedsgesuch, das dann bewilligt wurde. Weiter habe ich ihm bei diesem Gespräch gesagt, daß ich bereit sei, jede Maßnahme zu ergreifen, die er im Interesse seines Ansehens für angebracht hielte. Daraufhin hat er mich — ebenfalls sehr bestimmt — gebeten, von irgendwelchen Schritten in seiner persönlichen Angelegenheit abzusehen.

Derselbe Kreis der Generale und Admirale, der bei der Ansprache Hitlers am 4. Februar zugegen gewesen war, wurde am 13. Juni 1938 wieder zusammengerufen. Sichtlich bewegt sagte Hitler in einer kurzen Erklärung, daß das Gerichtsverfahren gegen Generaloberst von Fritsch dessen völlige Unschuld erwiesen habe. Es bleibe danach nicht der geringste Makel an ihm haften. Hitler bedaure diesen tragischen Vorgang aufs Tiefste, er habe jedoch in seiner Lage nicht anders handeln können. Der falsche Zeuge sei durch Erschießen bestraft worden. Er sei bereit, dem Generaloberst jede mögliche Genugtuung zu geben. Aber er könne ihm nicht zumuten, in seine frühere Stellung zurückzukehren, da er nicht annehme, daß Fritsch noch mit ihm vertrauensvoll arbeiten könne.

Diese Erklärung Hitlers war eindeutig und überzeugend. Ich selbst stand mit meiner Sympathie und nach dem sachlichen Ergebnis uneingeschränkt auf der Seite von Generaloberst von Fritsch. Aber nach meinem Eindruck und nach meiner Ansicht konnte er in diesem Kreis keine stärkere Genugtuung erhalten. Eine allgemeine Unterrichtung des Offizierkorps erfolgte nicht, da die erhobenen Anschuldigungen nur der erwähnten kleinen Gruppe von Generalen und Admiralen bekanntgegeben waren. Kurze Zeit später nahm Generaloberst von Fritsch die Ehrung an, die ihm durch die Ernennung zum »Chef eines Regimentes« zugedacht war. Ich hielt es für notwendig, daß auch die Marine ihre Stellung zu Generaloberst von Fritsch deutlich zum Ausdruck brachte und lud

ihn zur Teilnahme an Flottenübungen an Bord des Flotten-
flaggschiffes »Gneisenau« ein, das er selbst getauft hatte. Den
Flottenchef, Admiral Boehm, bat ich, in meiner Vertretung als
Gastgeber den Generaloberst in aller Form zu empfangen.
Freiherr von Fritsch war vom 2. bis 12. Juni 1939 auf diesem
neuesten Schlachtschiff der Flotte zusammen mit seinem Adjutanten eingeschifft. Admiral Boehm ließ es sich angelegen sein,
seinem Gast, der in Uniform kam, jede militärische Ehrung
zu erweisen, auch wenn Fritsch nicht mehr dem aktiven Dienst
angehörte. Bei seinem Anbordkommen und beim Verlassen
des Flaggschiffes stand die Besatzung angetreten, deren Front
der Generaloberst abschritt. Im Anschluß an die Übungen
fand ein Frühstück in Anwesenheit der ältesten Offiziere der
Flotte statt, bei dem Admiral Boehm die Verdienste des Generalobersten in einer Ansprache würdigte. Als Freiherr von
Fritsch von Bord ging, ließ der Flottenchef über das normale
Zeremoniell hinaus für ihn einen Salut von siebzehn Schuß
feuern, um die Ehrung des Generalobersten vor der ganzen
Flotte zu dokumentieren.

Nachträglich bin ich zu der Ansicht gekommen, daß
Göring, der mit aller Kraft die Stellung des Oberbefehlshabers der Wehrmacht anzustreben schien, die Heiratsangelegenheit Blombergs als nicht unerwünscht angesehen hat, weil
dieser sich dadurch unmöglich machte. Auch drängte sich mir
der Verdacht auf, daß Göring in der einen oder anderen Weise
bei der Angelegenheit des als Blombergs Nachfolger in Frage
kommenden Generalobersten von Fritsch seine Hand im Spiel
gehabt hat. Wenn diese Vermutung zutrifft, so hat Göring
dennoch sein Ziel nicht erreicht, da Hitler ihn offensichtlich
zu gut kannte, als daß er diesen ehrgeizigen Mann zwischen
sich und die Wehrmacht gestellt und ihm die Gewalt über die
ganze Wehrmacht gegeben hätte. Er schaffte vielmehr den
Posten eines besonderen Oberbefehlshabers der Wehrmacht
ab und übernahm ihn persönlich. Dies entsprach auch dem

Vorschlag, den ihm Generalfeldmarschall von Blomberg noch zuletzt gemacht hatte.

Im Zusammenhang damit ist mir erst hinterher klar geworden, wie richtig meine Entscheidung gewesen war, daß ich Hitler auf seine Frage ein für allemal ablehnte, selbst Oberbefehlshaber der Wehrmacht zu werden, da ich die in erster Linie in Betracht kommenden Armeeverhältnisse nicht übersehen könnte; außerdem trug ich mich schon damals mit dem Gedanken meines Abganges. Ich habe mir kein eindeutiges Bild machen können, welche Rolle Hitler in dieser ganzen Affäre gespielt hat. Zuerst hatte ich den Eindruck und auch die Ansicht, daß Hitler nicht die Triebfeder gewesen ist und die von Parteistellen aufgezogene Angelegenheit nicht durchschaut hat. Ich bin überzeugt, daß ihm die Eheschließung des Feldmarschalls von Blomberg mit ihren Folgen höchst unwillkommen war; er schien mir davon zu sehr erschüttert und hätte sich sicher nicht hierbei in die peinliche Situation eines Trauzeugen drängen lassen. Auch kann ich mir nicht denken, daß er Fritsch in der geschilderten Form von sich aus erledigen wollte. Ein Halsleiden Fritschs, das ihn zu einem längeren Urlaub im Winter 1937/38 nach Ägypten veranlaßt hatte, hätte unschwer eine Lösung ermöglicht, wenn sie zu diesem Zeitpunkt von Hitler beabsichtigt gewesen wäre. Trotzdem haben die Vorkommnisse, die mich innerlich sehr stark berührt haben, allmählich in mir einen gewissen Zweifel an der Aufrichtigkeit Hitlers entstehen lassen, da ich mir nicht recht vorstellen konnte, daß er nicht nach einiger Zeit die gegen Fritsch inszenierten Maßnahmen erkannte; aber ich hatte natürlich keinerlei Beweise, um solche Zweifel zur Sprache zu bringen und überzeugend zu begründen. Generaloberst Freiherr von Fritsch ging mit dem Regiment, zu dessen Chef er ernannt worden war, im Polenkrieg ins Feld; er suchte und fand dort den Soldatentod in vorderster Linie.

Meine Stellung brachte es mit sich, daß ich an Hitler Vorschläge und Wünsche herantrug, mit denen er nicht ohne weiteres einverstanden war, während ich andererseits seinen Forderungen oft genug nicht zustimmen konnte. Hieraus ergab sich manche Diskussion, die hin und wieder auch sehr lebhaft wurde. Im allgemeinen ließ sich eine vernünftige Einigung erzielen. Aber es kam dabei auch zwischen Hitler und mir zu verschiedenen heftigen Zusammenstößen. Ende November 1938 hielt ich bei Hitler in Gegenwart von Generaloberst Keitel einen Vortrag über unsere beabsichtigten Schiffstypen und legte die Unterlagen vor, wie die Schiffe im einzelnen gebaut werden sollten. Bei dieser Gelegenheit wurde Hitler sehr ausfallend, indem er — wie es häufiger geschah, wenn er mißgestimmt war — alles, was wir bisher gebaut hatten und planten, auf eine ganz unerklärliche Weise angriff und als falsch erklärte. Besonders kritisierte er hierbei auch die Pläne für die beiden in Bau befindlichen Schlachtschiffe »Bismarck« und »Tirpitz«, deren Artillerie zu schwach und deren Geschwindigkeit zu gering wären. Gerade »Bismarck« aber bewährte sich im Kriege mit Armierung, Geschwindigkeit und vor allem mit ihrer Sinksicherheit so sehr, daß die Engländer und Amerikaner besondere Geheimnisse beim Bau dieses Schiffes vermuteten. Ich habe später festgestellt, daß solche Angriffe Hitlers meist dadurch entstanden, daß irgendwelche nicht sachverständige Personen aus seiner Umgebung ihm ihre Ansichten gesagt hatten, die ich dann erst einmal richtigstellen mußte. Dieses Mal aber war der Fall so kraß, daß ich aufstand und um Enthebung von meiner Stellung bat, da Hitler offenbar die Ergebnisse meiner Tätigkeit ganz und gar verurteile. Damit verließ ich das Zimmer. Hitler lief mir bis zur Tür nach und bat mich, wieder hereinzukommen. Er suchte seine schroffen Äußerungen sofort zu mildern und bat mich, jetzt nicht meinen Abschied zu nehmen, obwohl ich betonte, daß ich zehn Jahre in meiner Stellung und zweiundsechzig Jahre alt sei und besser durch einen jüngeren Nachfolger ersetzt werden könnte.

Hitler hat daraufhin meinen Chef des Stabes, Fregattenkapitän Schulte Mönting, zu sich bestellt und auf ihn in einem langen Gespräch eingewirkt, daß er seinen ganzen Einfluß aufbieten sollte, um mich zum Bleiben zu bewegen. Schulte Mönting ist zuerst mein Adjutant und später viele Jahre mein Chef des Stabes gewesen und besaß mein unbedingtes Vertrauen, das er jederzeit gerechtfertigt hat. Er vertrat in dieser Aussprache eindeutig meinen Standpunkt und erreichte, daß Hitler mir volle Handlungsfreiheit für den Ausbau der Flotte zusagte. Hitler wolle zwar eine persönliche Niederschrift über unsere Meinungsverschiedenheit zu seiner Rechtfertigung vor der Geschichte anfertigen, aber er bäte mich, von meinen Rücktrittsabsichten Abstand zu nehmen. Wie immer in solchen Fällen bemühte sich Hitler, in den folgenden Wochen besonders freundlich zu mir zu sein. In dieser Zeit entstand wohl auch bei ihm der Plan, mich im Frühjahr 1939 zum Großadmiral zu befördern.

Im Mai 1939 kam es noch zu einem weiteren heftigen Zusammenstoß mit Hitler. Sein vor kurzem ernannter Marineadjutant hatte in der üblichen Weise durch mich die Heiratserlaubnis bekommen. Kurz nach der Heirat stellte sich jedoch durch die Meldung eines Marinebeamten und eine daraufhin erfolgte Nachprüfung heraus, daß die Ehe unter falschen Voraussetzungen geschlossen war; ein Ausweg bestand nur in der Lösung der Ehe oder der Verabschiedung des Offiziers. Hitler entschied, daß er keine Bedenken gegen die Weiterführung der Ehe und die Belassung des Offiziers in seiner Stelle hätte. Dies entsprach aber nicht meiner Auffassung, und ich enthob den Offizier seiner Stellung. Eine mündliche Aussprache darüber mit Hitler führte trotz eines von mir vorgeschlagenen Kompromisses zu einer starken Differenz zwischen ihm und mir. Ich sandte dann Hitler einen persönlichen Brief.

127

Darin schrieb ich, der Offizier könnte unter den eingetretenen Umständen nicht mehr in der Marine bleiben. Wenn Hitler dies verlangte, müßte ich meinen Abschied erbitten. Ich ersuchte Hitler, dem Überbringer des Briefes, einem Offizier meines Stabes, seine Antwort an mich mitzugeben, da ich meine Entscheidung unmittelbar zu treffen wünschte. Hitler schickte mir nach zwei Tagen eine Antwort mit seiner Zusage, daß der erwähnte Offizier nicht in der Marine bleiben könnte; er würde ihn aber in eine Parteiorganisation übernehmen, wo er dann als einer seiner Parteiadjutanten weiterhin Dienst tun sollte. Für mich war die Angelegenheit damit erledigt, da Hitler einer für mich tragbaren Lösung, wenn auch wohl grollend, zugestimmt hatte. Jedoch ließ Hitler bis Kriegsbeginn keinen neuen Marineadjutanten kommandieren.

Aus solchen Erfahrungen und Vorkommnissen ähnlicher Art in den Jahren 1938 und 1939 ergab sich für mich eine wachsende seelische Belastung. Ich überlegte erneut, ob mein baldiger Rücktritt notwendig wäre, da sich sonst mit der Zeit ernstliche Schwierigkeiten für die Zusammenarbeit mit Hitler ergeben könnten. Auch hatten mir die Ärzte schon 1934 nur noch höchstens ein weiteres Lebensjahr zugebilligt auf Grund von Kreislaufstörungen, die sich allerdings inzwischen gebessert hatten; ich glaubte daher nicht, daß ich noch längere Zeit die Bürde des Amtes tragen könnte. Daher machte ich wiederum einen Versuch und schlug Hitler meinen Abgang für Oktober 1939 vor. Hitler lehnte von neuem ab; vielleicht stand ihm schon damals die weitere Entwicklung des Jahres 1939 vor Augen.

Selbstverständlich hatte ich mir über die Frage eines Rücktritts schon immer Gedanken gemacht. Der äußere Glanz meiner Stellung hat mich nie angezogen; im Gegenteil betrachtete ich Ehrungen und offizielle Anlässe in erster Linie als dienstliche Handlungen, die mir aber keine Befriedigung gaben. Das Herausstellen einzelner Persönlichkeiten und der Nimbus, der im nationalsozialistischen Staat um sie erzeugt wurde, war übertrieben und paßte nicht in die Marine. Für meine eigene Person habe ich mich zurückgezogen, soweit ich es konnte. Vielleicht hätte ich, wie mir manche wohlmeinende Ratgeber vorschlugen, bei manchen Anlässen mehr hervortreten sollen. Aber das lag mir nicht.

Bereits 1935 wollte Hitler mich zum Großadmiral befördern. Ich habe dies abgelehnt, schon weil ich keinen höheren Rang als der Oberbefehlshaber des Heeres, Generaloberst von Fritsch, haben wollte. Die Marine hatte keinen dem Generaloberst des Heeres entsprechenden Dienstgrad. Als Hitler erneut an mich herantrat, habe ich vorgeschlagen, den »Generaladmiral« im Range des Generalobersten einzuführen; 1936 erhielt ich diesen Dienstgrad. Eine weitere Rangerhöhung lehnte ich noch 1938 bei Hitler ab, wurde aber schließlich am 1. April 1939 beim Stapellauf des Schlachtschiffes »Tirpitz« in Wilhelmshaven zum Großadmiral befördert.

Dagegen legte ich großen Wert darauf, für meine Stellung, auch Hitler gegenüber, eine gute sachliche Basis zu haben. Solange diese bestand, konnte ich zum Nutzen der Marine tätig sein. Ich muß es anderen überlassen, darüber zu urteilen, wieweit ich damit Erfolg gehabt habe. Persönlich war ich besorgt, der Marine nicht nur die materiellen und personellen Mittel, sondern vor allem die Freiheit für ihren Aufbau zu sichern. Über mein Ressort hinaus habe ich sowohl in der Kirchenfrage wie in Einzelfällen bei der Behandlung von Juden meinen Einfluß in die Waagschale werfen können. Ich war jederzeit bereit, mich mit meiner Person voll einzusetzen, wenn grundsätzliche Eingriffe von außen in die Marine erfolgten, mit denen ich nicht einverstanden war; in solchen Fällen war ich unnachgiebig. Aber ich wußte, daß die letzte Konsequenz, der Rücktritt vom Amt, dann auch einen greifbaren Erfolg haben mußte. Wenn nur ein einfacher Wechsel der Personen erfolgt, kann ein solcher Schritt, wie ihn ein Abschiedsgesuch darstellt, völlig wirkungslos bleiben. Als Generalfeldmarschall von Blomberg sein Amt niederlegte, opferte er zugleich die eben erst geschaffene und entscheidend wichtige Stellung des Oberbefehlshabers der Wehrmacht. Der menschlich so verständliche endgültige Rücktritt von Generaloberst Freiherr von Fritsch hatte leider ebensowenig eine lange Nachwirkung wie der von Generaloberst Beck erbetene Abschied. In beiden Fällen waren Nachfolger da. Auch durfte nicht außer acht bleiben, daß es Parteikreise gab, die nur darauf warteten, einmal das Instrument der Wehrmacht in die Hand zu bekommen. Göring als Oberbefehlshaber der Luftwaffe war ein Beispiel; Himmler hat später die gleichen Absichten bewiesen.

Ich war daher gewillt, die Last und Arbeit meiner Stellung zu tragen und die Marine zu führen, solange ich mich dazu in der Lage fühlte. Dazu rieten mir auch immer die mir nahestehenden älteren Offiziere, von denen ich wußte, daß sie ihre Ansicht ehrlich und offen zum Ausdruck brachten. Trotzdem war mir bewußt, daß jeden Tag ein Ereignis eintreten konnte, das meinen Rücktritt zur Folge haben mußte. Bei diesen Überlegungen mußte ich außerdem in Betracht ziehen, daß es mir seit 1928 gelungen war, mir eine Stellung zu schaffen, die auch im nationalsozialistischen Staat respektiert und von Hitler durchaus geachtet wurde. Ich hatte ihm durch meinen Anteil am Abschluß des Flottenabkommens einen grundlegenden außenpolitischen Erfolg ermöglicht. Solange ich im Amte war und Hitler sich meinem Rate zugänglich zeigte, konnte ich meinen Einfluß auf ihn im Sinne einer Verständigungspolitik mit England ausüben und bot, wie ich hoffte, in meiner Person eine gewisse Sicherheit dafür, daß er von dieser Linie nicht ohne weiteres abweichen würde. Auch glaube ich, daß ich — vor allem seit Freiherr von Neurath nicht mehr Außenminister war — im Ausland durch meine jahrelange pflegliche Behandlung der Beziehungen zu England einiges Vertrauen besaß.

Die geschilderten Auseinandersetzungen mit Hitler haben für mich keine unmittelbaren nachteiligen Folgen gehabt. Im Gegenteil hatte ich das Gefühl, daß sich meine Stellung ihm gegenüber gefestigt hatte. Die Kenntnis von diesen Vorgängen blieb natürlich auf einen ganz kleinen Kreis beschränkt. Die älteren Offiziere und Beamten wußten aus eigenem Erleben, daß ich die Interessen der Marine gegen alle Widerstände vertrat und sie auch weitgehend durchsetzte. Keinesfalls aber hatte ich die Absicht, Gegensätze oder Spannungen, die sich zwischen Hitler und mir ergaben, in der Marine bekannt werden zu lassen. Dazu war mir die Einheitlichkeit in der Marine zu wertvoll. Der Ausbruch des Krieges im Herbst 1939 zwang mich selbstverständlich dazu, meine Abgangspläne zunächst völlig zurückzustellen. Ich durfte und wollte die Kriegsmarine als ihr Oberbefehlshaber nicht in einem Augenblick im Stich lassen, der nun von jedem das Letzte forderte.

Hitler hatte in der Außen- und Innenpolitik in den ersten Jahren seines Wirkens viele Erfolge zu verzeichnen, die auch von mir hoch bewertet und anerkannt wurden. Auf zwei Gebieten aber war ich in schroffem Gegensatz zu den Grundauffassungen und Methoden des nationalsozialistischen Staates: dem Vorgehen gegen die Juden und dem Kampf gegen die christlichen Kirchen. Beide Probleme berührten mich, wie wohl die meisten Deutschen, sehr stark. Ich konnte mich aber nicht damit begnügen, in der einen oder anderen Form nur innerlich Stellung zu nehmen, sondern ich war gewillt, notfalls Konsequenzen zu ziehen. Dabei mußte ich allerdings von einer durchaus verschiedenen Grundlage ausgehen. Der Kampf gegen die Kirchen betraf die Marine und die organisatorisch zu ihr gehörende Marineseelsorge unmittelbar. Durch die »Marine-Kirchenordnung« von 1903 war die Marinekirche gesetzlich festgelegt worden. Die »militärkirchliche Dienstordnung« von 1929, die diese Organisation noch einmal bestätigte, war voll in Kraft; sie ist auch niemals aufgehoben worden. Die Verteidigung der Marineseelsorge gegen Angriffe von außen gehörte daher eindeutig zu den Obliegenheiten meiner dienstlichen Stellung.

Anders war es mit der Judenfrage. Diese ging nicht die Marine allein, sondern das ganze Volk an. Soweit Angehörige der Marine betroffen waren, habe ich mich als ihr Vorgesetzter selbstverständlich für sie eingesetzt und bin hierbei erfolgreich gewesen. Nur zwei Offiziere sind auf Grund der Nürnberger Gesetze verabschiedet worden; von der Marine wurde dafür gesorgt, daß sie gute und angemessene Stellungen im Zivilleben erhielten. Sie sind im Kriege wieder im aktiven Dienst verwendet worden und haben unangefochten und treu ihre dienstlichen Pflichten erfüllt. In einem anderen Fall habe ich bei Hitler und Heß erreicht, daß der betreffende ausgezeichnete Offizier im aktiven Dienst blieb. Es ist ein Zeichen für den guten Geist in der Marine, daß für jeden einzelnen der anderen Offiziere, die wegen ihrer nicht rein arischen Abstammung gefährdet erschienen, ihre Vorgesetzten für sie eingetreten sind. Sie sind in ihrer Verwendung und ihren Kommandierungen genauso behandelt worden wie alle Offiziere. Einige von ihnen sind bis in die höchsten Stellen aufgerückt; es war überhaupt in größerem Kreise nicht bekannt, um welche Offiziere es sich dabei handelte. Alle diese Persönlichkeiten haben ohne Vorbehalte, aber auch ohne im geringsten benachteiligt zu sein, ihren Dienst pflichtgetreu und auch mit hervorragender Tapferkeit versehen.

Insoweit war ich in der Lage, in meiner Stellung als Oberbefehlshaber der Marine einzugreifen. Auf dem Gebiet der allgemeinen Behandlung der Juden hatte ich jedoch keine dienstliche Basis, von der ich ausgehen konnte. Hier konnte ich nur die Autorität meiner Person einsetzen. Selbstverständlich wäre es eine Utopie gewesen, zu glauben, daß durch irgendwelche Maßnahmen meinerseits die Gesetze, die erlassen worden waren, geändert oder gemildert werden würden.

Auch wäre es sinnlos gewesen, bei öffentlichen Reden durch einen Widerspruch oder durch ostentatives Vermeiden der Judenfrage etwas erreichen zu wollen. Das hätte weder einen Erfolg gehabt noch jemand genützt. Es hätte nur bewirkt, daß die Marine in das Kreuzfeuer der offenen und latenten innerpolitischen Gegensätze gekommen wäre, aus denen ich sie gerade heraushalten wollte. Nur einen Weg gab es, auf dem im Vergleich zur Größe des Unglücks gewiß nicht viel zu erreichen, den zu beschreiten aber menschliche Pflicht war: das persönliche Eintreten im Einzelfall. Ich habe dazu von meinem Vortragsrecht bei Hitler Gebrauch gemacht und habe mich bei ihm, ebenso wie bei hohen Parteistellen, für eine Reihe mir bekannter jüdischer Persönlichkeiten und ihre Familien eingesetzt mit dem Erfolg, daß die Betroffenen unangetastet blieben oder aus dem Konzentrationslager entlassen wurden.

Bei einer Gelegenheit hatte ich sogar die Möglichkeit, einen generellen Schritt bei Hitler zu unternehmen. Dies war anläßlich des Demolierens jüdischer Geschäfte und des Verbrennens von Synagogen im November 1938. Die Ausschreitungen hatten in der Marine allgemeine Empörung ausgelöst. Eine ganze Anzahl von Offizieren wurde deswegen bei mir vorstellig, unter anderen war es neben meinem Stabschef, Fregattenkapitän Schulte Mönting, sehr betont der Personalchef, Konteradmiral Patzig. Dann meldete mir der Flottenchef, Admiral Foerster, daß die Kapitäne zur See Lütjens und Dönitz bei ihm aus dem gleichen Anlaß vorgesprochen hätten. Auch verschiedene Offiziere des Kommandoamtes wiesen auf die verheerende Wirkung dieser Aktionen im Ausland hin. Ich habe Hitler mit allem Ernst und Nachdruck die Unmoral der Handlungen und die eingetretene Schädigung des deutschen Ansehens vorgestellt. Hitler versicherte mir in ebenso eindringlicher Form, daß die ganze Aktion, die als eine spontane Reaktion des Volkes gegen die Ermordung eines deutschen

133

Botschaftsmitgliedes in Paris durch einen Juden aufgezogen war, in jeder Beziehung seinen Absichten, seiner Politik und seiner Auffassung widerspräche. Sie wäre ohne seinen Willen und sein Wissen erfolgt; der Gauleiter sei ihm aus dem Ruder gelaufen, und er würde aus den Vorkommnissen seine Konsequenzen ziehen. Über die schädliche Rückwirkung sei er sich durchaus im Klaren.

Von diesen Ausführungen war ich innerlich nicht befriedigt. Aber nach Hitlers ausdrücklicher Mißbilligung der Geschehnisse — die übrigens Göring in diesen Tagen ebenfalls zu mir äußerte — konnte ich keine weiteren Schritte unternehmen. Ich glaube auch nicht, daß für mich nach der Erklärung Hitlers noch irgendwelche Möglichkeiten des Eingreifens bestanden hätten, wenn ich damals schon von den Verhältnissen in den Konzentrationslagern Kenntnis gehabt oder die weitere Entwicklung während des Krieges vorausgeahnt hätte. Die Geheimhaltung dieser Vorkommnisse muß offensichtlich sehr gut gelungen sein, denn sonst wäre es zumindest Pflicht der von Admiral Canaris geleiteten Abwehrabteilung gewesen, mich darüber zu informieren. Erst im Nürnberger Prozeß ist mir der Umfang dieses furchtbaren Kapitels bewußt geworden, und ich habe mich wie jeder anständige Deutsche darüber tief geschämt. Bis dahin hätte ich niemals geglaubt, daß deutsche Männer sich dazu erniedrigen konnten, in der dann bekanntgewordenen bestialischen Form gegen eine wehrlose Minderheit vorzugehen. Dafür gibt es keine Entschuldigung.

Während die Lage auf diesem Gebiet für mich durchaus unbefriedigend blieb — denn ich konnte im Grundsätzlichen keine Änderung herbeiführen, sondern nur in Einzelfällen helfen — hatte ich in meinem langjährigen Kampf um die Erhaltung der Marineseelsorge größeren Erfolg.

Sicherstellung der Seelsorge in der Marine

Aus meinem Elternhaus habe ich eine feste religiöse und kirchliche Einstellung mitgebracht. Meine Eltern besuchten mit ihren Söhnen nicht nur regelmäßig den Gottesdienst; sie haben uns das Christentum besonders auch durch ihr Beispiel und Vorbild gelehrt. Über Glaubensfragen wurde im Familienkreise oft gesprochen. Ich bin meinen Eltern für das christliche Fundament, das sie mir auf meinen Lebensweg mitgegeben haben, bis heute dankbar. Der christliche Glaube hat mir in allen Lagen meines reich bewegten Lebens einen Halt gegeben und mir in den späteren Jahren die Kraft verliehen, die Verantwortung zu tragen, die mir auferlegt war. Ihm verdanke ich die innere Festigkeit und Ruhe, die mich auch in den schweren Tagen des Nürnberger Prozesses und während meiner zehnjährigen Haft in Spandau nicht verlassen hat.

Ich habe die Bedeutung des Glaubens und der christlichen Kirchen schon sehr bald verstehen gelernt und namentlich im Ausland gesehen, wie eng dadurch die Menschen über Grenzen und Gegensätze hinweg miteinander verbunden werden. Was mir im Elternhaus vermittelt worden war, fand ich durch die Erkenntnis meiner frühen Marinezeit bestätigt: die geistige Einstellung und die Kultur, der wir uns zugehörig fühlen, sind undenkbar ohne das Christentum und seine Lehre. Kein geschichtlicher Vorgang, kein Krieg, keine weltliche Herrschaft und keine geistige Strömung hat die Welt so stark bewegt wie das Christentum. Ich war zu der Überzeugung gekommen, daß sich die Wirkungen der christlichen Lehre — dem einzelnen oft unbewußt — bis in die letzten Fasern unseres persönlichen und unseres staatlichen Lebens erstrecken. Die christliche Ethik ist die Grundlage des Zusammenlebens der abendländischen Menschen und damit zugleich der Staaten, die diese Gemeinschaft verkörpern. Infolgedessen muß ein Staat wie der unsere bewußt auf einer christlichen Basis beruhen. Er hat daher neben vielen anderen die Aufgabe, die Kirchen und durch sie die religiöse Auffassung und Erziehung zu stützen und zu fördern. In gleicher Weise gilt dies für die Wehrmacht; wie für den Staat ist auch für sie das christliche Fundament unentbehrlich.

In den Zeiten der Kaiserlichen Marine, die ich erlebt habe, waren diese Dinge — wenigstens äußerlich — in die richtige Ordnung gebracht. Die erforderlichen Anordnungen waren in der »Evangelischen bzw. Katholischen Marine-Kirchenordnung« niedergelegt. Daß die Kirche mit ihren Einrichtungen und mit der Ausübung ihrer Aufgaben innerhalb der Wehrmacht einen wichtigen Zweck erfüllte, stand damals außer Zweifel. Wieweit der einzelne hierbei in seiner inneren Einstellung beeinflußt wurde, ist natürlich nicht zu ermessen. Aber jedem war es durch den dienstlich angeordneten Besuch des Gottesdienstes möglich und leicht gemacht, sich mit religiösen Fragen zu befassen. Schon insofern hat die enge Verbindung des kirchlichen mit dem militärischen Dienst in der damaligen Zeit ihr Gutes gehabt; sie hat darüber hinaus eine gemeinsame christliche Ausrichtung unterstützt und so zur Erhaltung einer der Grundlagen des Staates beigetragen.

In der alten Marine hatten wir evangelische und katholische Seelsorger, von denen ein Teil bei der Vergrößerung der Flotte in zunehmendem Maße an Bord eingeschifft wurde. Die Marinegeistlichen beider Konfessionen haben immer sehr gut miteinander gearbeitet und zusammengestanden. Auf einem Kriegsschiff ist bereits in Friedenszeiten einer auf den anderen angewiesen. Die daraus erwachsende Zusammengehörigkeit schließt von vornherein aus, daß irgendwo konfessionelle Gegensätze auftreten. Für jede der beiden christlichen Konfessionen fanden an Bord regelmäßig Sonntagsgottesdienste statt, die, falls keine Geistlichen verfügbar waren, durch ältere Offiziere des Schiffes durchgeführt wurden. Ich habe persönlich als Kommandant des Kreuzers »Cöln« des öfteren den evangelischen Gottesdienst abgehalten.

Von jeher haben die Marinegeistlichen bei uns eine besondere Rolle gespielt und waren allgemein anerkannt, vor allem dann, wenn sie es verstanden, sich in die Gepflogenheiten des Schiffsdienstes und die Eigenart der seefahrenden Menschen einzugewöhnen. Dementsprechend wurden nicht einfach für bestimmte Zeiten Landgeistliche zur Marine kommandiert, denen das Einleben und das Verständnis für die Schiffsbesatzungen schwer fallen mußte, sondern wir hatten unsere eigenen Marinegeistlichen, die — mit dem Bordleben vertraut geworden — Autorität und Ansehen besaßen.

Die Marinepfarrer haben sich im ersten Weltkrieg ihrer schwierigen Aufgabe voll gewachsen gezeigt. Sie haben, wenn die Kriegsverhältnisse es erforderten, genau so im Feuer gestanden wie die Besatzungen, in deren Gemeinschaft sie hineingestellt waren, und trugen ihre wohlverdienten Kriegsauszeichnungen. Selbst bei den Schiffen, die zum Internierungsgeschwader in Scapa Flow gehörten, war ein Geistlicher kommandiert, der die Zeit der Internierung dort mitgemacht hat. Es war der spätere Marinedekan Ronneberger.

In der Weimarer Republik kam eine andere Auffassung zur Geltung. Man sah hinfort die Religion nur noch als eine

Privatangelegenheit des Einzelnen an. Es war daher in der Wehrmacht nicht mehr wie vorher möglich, Offiziere und Soldaten zum Gottesdienst oder zu Bibelstunden zu kommandieren, sondern es war die Freiwilligkeit vorgeschrieben. Infolgedessen gab es nur einen Weg, um die Angehörigen der Marine an die Kirche und an den christlichen Glauben heranzubringen, nämlich das persönliche Beispiel der Vorgesetzten. Der Friedensvertrag ließ uns die Möglichkeit, vier evangelische und zwei katholische Marinepfarrer einzustellen, deren Zahl jedoch bald vermehrt wurde. Für die Ausübung der Seelsorge galten zunächst noch die alten Bestimmungen; 1929 wurde die »Evangelische bzw. Katholische militärkirchliche Dienstordnung« eingeführt. Mit der Zunahme der Auslandsfahrten der Kriegsschiffe wurden Marinepfarrer auch an Bord kommandiert. In erster Linie wurden Geistliche für die Schulschiffe vorgesehen, wo auf den längeren Fahrten gute Gelegenheit war, den geistig aufgeschlossenen Offizier- und Unteroffizieranwärtern religiöse Fragen nahezubringen. In den Auslandshäfen wurden auf Wunsch der dort lebenden Deutschen durch die Marinegeistlichen kirchliche Amtshandlungen vorgenommen. So manches Kind deutschstämmiger Eltern ist dabei durch Marinepfarrer getauft worden; auch fanden Trauungen und bei längerem Aufenthalt sogar Konfirmationen statt. Die Pfarrer wurden übrigens erst dann in die Marine aufgenommen, wenn sie bereits praktische Erfahrungen als Geistliche in einer zivilen Gemeinde gesammelt hatten. In den kleineren Garnisonen wurde die Truppe entweder auf die zivilen Gemeinden hingewiesen oder zivile Geistliche wurden nebenamtlich beauftragt, Gottesdienste bei den Landtruppenteilen oder auch an Bord abzuhalten, wenn kein Marinepfarrer zur Verfügung stand.

Durch das Weiterbestehen der Einrichtung der Marinegeistlichkeit wurde die Seelsorge als eine eigene Aufgabe der Marine erhalten. Zwar konnte niemand mehr zum Gottesdienst befohlen werden, aber durch dienstliche Anordnungen wurde sichergestellt, daß den Wehrmachtangehörigen genügend freie Zeit gegeben wurde, um ihren religiösen Pflichten nachzukommen. Das gleiche galt für die sogenannten »Kasernenstunden« zur Behandlung von religiösen und ethischen Problemen. Die Marinepfarrer verrichteten in ihren Gemeinden, zu denen die Soldaten und Marinebeamten einschließlich ihrer Familien gehörten, die gleichen Amtshandlungen wie die Zivilpfarrer in den ihrigen. Insgesamt konnte der Kirche und den Geistlichen während der Zeit der Weimarer Republik ein angemessener Einfluß in der Marine erhalten werden.

Ich habe der Marineseelsorge von jeher große Beachtung geschenkt. Eine alte Freundschaft mit dem tapferen, in der Skagerrakschlacht schwer verwundeten Marineoberpfarrer Fenger, der noch lange Jahre in der Reichsmarine tätig gewesen war, hatte viel dazu beigetragen. Es war aber auch meine häufig zum Ausdruck gebrachte Auffassung, daß für jeden militärischen Vorgesetzten die charakterlichen Eigenschaften das Entscheidende sind und daß ein fester und zuverlässiger Charakter ohne ein religiöses Fundament nicht denkbar ist. Aus dieser Überzeugung und meiner kirchlichen Einstellung habe ich niemandem gegenüber ein Hehl gemacht, selbstverständlich auch nicht Hitler gegenüber. Es war bekannt, daß ich mit meiner Frau zu den regelmäßigen Kirchenbesuchern zählte. Solange ich als Chef der Marineleitung im Dienstgebäude des Oberkommandos der Kriegsmarine wohnte, habe ich meist die Garnisonkirche im Zentrum Berlins besucht, in der Oberpfarrer Irmer predigte. Als ich 1933 nach Charlottenburg verzog, wurden wir regelmäßige Besucher der Kirche in der Tannenbergallee Westend, in der uns die Predigten von Pfarrer Gürtler sehr beeindruckten. Ich fühlte mich vor allem angesprochen von solchen Geistlichen, die wie dieser und Ronneberger sowie später in Potsdam Pfarrer Hermenau ein praktisches und allgemein verständliches Christentum verkündeten.

Mit dem Jahre 1933 ergab sich für die Seelsorge in der Marine anfänglich ebensowenig eine grundsätzliche Änderung wie auf den anderen Gebieten der Wehrmacht. Es schien auch, als ob seitens der Partei, die das Bekenntnis zu einem »positiven Christentum« in ihr Programm aufgenommen hatte, in dieser Richtung keine Schwierigkeiten gemacht werden würden. Die Pfarrer konnten wie vorher ungehindert ihrer Tätigkeit nachgehen. Anläßlich des ersten Besuches Hitlers bei der Marine in Kiel im Mai 1933 fragte ich ihn, wie er zu dem Wehrkreispfarrer Müller als Berater gekommen sei. Pfarrer Müller war zuerst in der Marine tätig gewesen und dann Wehrkreispfarrer in Ostpreußen geworden; er besaß aber nicht die Voraussetzungen für eine Führungsaufgabe in der Kirche. Hitler antwortete, er hätte Müller in Königsberg als energischen evangelischen Mann kennengelernt, und ihm wären kaum andere bekannt. Er sagte mir damals weiter, daß er selbst die Absicht habe, die evangelische Kirche, die in der Zeit der Weimarer Republik gegenüber der katholischen Kirche stark ins Hintertreffen geraten sei, mit dieser an Einfluß auszubalancieren. Wieweit solche Gedanken mit dem bevorstehenden Abschluß des Konkordats zusammenhingen, vermag ich nicht zu sagen. Jedenfalls habe ich aus diesem wie auch aus verschiedenen anderen Gesprächen mit ihm den Eindruck erhalten, daß damals seine aufrichtige Absicht wirklich so gewesen ist. Leider gewannen später antikirchliche Kreise Einfluß auf Hitler. Zu diesen gehörte offensichtlich Dr. Goebbels. Er bezeichnete mich als das »Rote Tuch für die Partei« wegen meines Eintretens für die Kirche.

Ich verfolgte die bald beginnenden Auseinandersetzungen von Staat und Partei mit den Kirchen in großer Sorge, die meiner grundsätzlichen christlichen Auffassung entsprang. Anscheinend war die evangelische Kirche wegen ihrer innerkirchlichen Kämpfe und des Fehlens einer stoßkräftigen und allseitig anerkannten Spitze in einer wesentlich schwierigeren Lage als die katholische Kirche, die über eine einheitliche Vertretung nach außen verfügte und an dem inzwischen — am 22. Juli 1933 — abgeschlossenen Konkordat einen Rückhalt hatte. Diese kirchenpolitische Situation strahlte auch auf die Seelsorge in der Wehrmacht zurück, die ich, namentlich in ihrem evangelischen Teil, als gefährdet ansehen mußte. Es war daher klar, daß ich mich mit der Autorität meiner Stellung und meiner Person vor sie stellte, um unerwünschte Einflüsse von ihr fernzuhalten. Ich habe das ungehinderte Fortbestehen der Marinekirche und die freie Ausübung der Seelsorge durchsetzen können, wenn auch nur nach ständigem und hartem Kampfe.

Gelegentliche Fühlung hatte ich mit dem Kirchenminister Kerrl, einer Persönlichkeit, die die Lage der evangelischen Kirche voll erkannt hatte. Bei einer unserer Besprechungen gab er mir vertraulich eine Denkschrift zur Kenntnis, in der er Hitler, wie mir schien, brauchbare Vorschläge für die Regelung der Kirchenfrage machte. Er hat aber vor seinem Tode keine Antwort mehr erhalten, da er an Hitler nur noch selten herankam, wie er mir noch zuletzt klagte. Ich sah, daß sich die anfangs positivere Haltung Hitlers gegenüber der evangelischen Kirche verschlechtert hatte. Ferner hatte ich den Eindruck, daß die persönliche Auseinandersetzung mit Pfarrer Niemöller auf die Einstellung Hitlers eine ungünstige Wirkung gehabt hat. Ich bin von mir aus wiederholt bei Hitler für Niemöller eingetreten, als dieser wegen seines Auftretens angegriffen und verfolgt wurde. Im Anfang meinte ich, auf Erfolg rechnen zu dürfen. Die Lage änderte sich aber völlig, als Pfarrer Niemöller kurz vor einer in der Reichskanzlei angesetzten Besprechung durch ein bei ihm abgehörtes Telefongespräch sich Hitler und der Regierung gegenüber stark kompromittierte; Hitler glaubte danach, die Aufrichtigkeit seiner

Absichten bezweifeln zu müssen. Er brach deshalb bald nach dem Erscheinen Niemöllers die Besprechung ab. Diesen mir vorher unbekannten Sachverhalt hielt mir Hitler entgegen, als ich später an ihn mit der Bitte um Entlassung Niemöllers aus der Haft herantrat. Er erklärte mir, daß Niemöller die Interessen der evangelischen Kirche geschädigt habe und daß er daher keinen Anlaß habe, meiner Bitte stattzugeben. Ich habe daraufhin auch noch einmal mit Justizminister Dr. Gürtner gesprochen, der aber ebenfalls keinen Ausweg sah.

Trotzdem habe ich mich später erneut für Niemöller eingesetzt, für den auch die noch im Marinedienst stehenden Kameraden seines alten Offizierjahrganges sprachen. Er war 1910 in die Marine eingetreten und bis zum Kriegsende 1918 ein tüchtiger junger Seeoffizier gewesen, zuletzt Kommandant eines U-Bootes. Ich meinte daher, einen besonders günstigen Weg zu seiner Entlassung aus der Haft durch Einschalten des mir gut bekannten Admirals von Lans gefunden zu haben. Bei Himmler und Heydrich hatte ich erreicht, daß Admiral von Lans den Pfarrer Niemöller im Konzentrationslager Oranienburg besuchen durfte. Admiral von Lans, der einer der ältesten noch lebenden Offiziere der Kaiserlichen Marine war und sich eines großen persönlichen Ansehens erfreute, wollte Niemöller dazu bewegen, einen Revers zu unterschreiben, daß eine politische Betätigung von der Kanzel künftig unterbleiben würde; dann würde seiner Freilassung nichts mehr entgegenstehen. Aber Niemöller ging auf diesen Vorschlag nicht ein. Ein nochmaliger Besuch durch Admiral von Lans kam trotz meiner weiteren Bemühungen nicht zustande.

Bei den Bestrebungen um die ungestörte Aufrechterhaltung der Seelsorge in der Wehrmacht stand ich nicht allein. In gleicher Richtung war der Oberbefehlshaber des Heeres, Generaloberst Freiherr von Fritsch, tätig, ebenso wie später sein Nachfolger Generalfeldmarschall von Brauchitsch. Eine feste Haltung der beiden Oberbefehlshaber von Heer und Marine war um so notwendiger, als es beim dritten Wehrmachtteil, der Luftwaffe, keine Seelsorge gab und der evangelische Feldbischof Dohrmann offensichtlich den oft unerquicklichen Kämpfen um die Erhaltung der Wehrmachtseelsorge nicht genügend gewachsen war. Dohrmann war Feldpropst des Heeres und wurde 1933 evangelischer Feldbischof der Wehrmacht. Er war ein unantastbarer Charakter und ein guter Kanzelredner, während ihm die unvermeidlichen Auseinandersetzungen, die sich in dieser Zeit und in den folgenden Jahren ergaben, wenig lagen. Der Oberbefehlshaber des Heeres und ich haben versucht, eine mehr kämpferische Persönlichkeit für die Verwendung als evangelischer Feldbischof der Wehrmacht zu finden, aber diese Frage ist schließlich trotz unserer Bemühungen nicht mehr zum Abschluß gekommen. In meinem Befehlsbereich hatte ich je einen Dekan als ältesten Geistlichen der evangelischen und der katholischen Marinekirche ernannt. Es waren Dekan Ronneberger und Dekan Dr. Estevant, zwei Pfarrer, die nach ihrem Ansehen und ihrem Können für die Leitung der Marineseelsorge besonders geeignet waren. Die beiden Dekane unterstanden in Angelegenheiten ihres kirchlichen Amtes dem evangelischen bzw. katholischen Feldbischof. Ich forderte aber, daß ich auch hierbei beteiligt wurde, und hielt mich im übrigen möglichst frei von den Anweisungen des Oberkommandos der Wehrmacht, mit dessen Einstellung und Vorgehen auf kirchlichem Gebiet ich nicht einverstanden war.

In dem Bereich der Marineseelsorge ließ ich mich vornehmlich durch Dekan Ronneberger in Wilhelmshaven beraten, der häufig zu Besprechungen zu mir nach Berlin kam. Meine vertrauensvollen Beziehungen zu ihm stammten schon aus der Zeit, in der er während des ersten Weltkrieges als Pfarrer beim Befehlshaber der Aufklärungsstreitkräfte an Bord S.M.S. »von der Tann« eingeschifft gewesen war. Ihm

lag vor allem die seelsorgerische Tätigkeit in seiner Marinege-
meinde; ebenso waren Organisationsfragen bei ihm gut aufgehoben. Er war ein Mann von aufrechter Gesinnung und Haltung. Mit Dekan Dr. Estevant und dem ebenfalls in Wilhelmshaven tätigen katholischen Stationspfarrer Breuer bestand gute Verbindung in den Angelegenheiten, die die beiden
Konfessionen gleichermaßen berührten und ein einheitliches
Vorgehen innerhalb der Marine erforderten.

Es war selbstverständlich, daß die Marinepfarrer — wie
die gesamte Wehrmacht — sich von politischer Betätigung
jeder Art fernzuhalten hatten und damit auch von einer Teilnahme an den Auseinandersetzungen, die in der evangelischen Kirche selbst im Gange waren. Ich habe jeden neu zur
Marine kommenden Pfarrer persönlich empfangen und auf
seine Aufgaben und Pflichten hingewiesen. Meine Auffassung
spiegelt sich wider in der Anweisung, wie ich sie am 1. Dezember 1937 an den neueintretenden Marinepfarrer Dr. Hölzer gegeben habe: »Es wird nicht Ihre Aufgabe sein, in der
Kriegsmarine einen kirchenpolitischen Kampf zu führen, noch
ausdrücklich auf die durch den Nationalsozialismus entstan-
denen Geistesströmungen der Zeit einzugehen. Verkündigen
Sie als Geistlicher Christus, aber mit allem Ernst und ohne
Kompromisse. Werden Sie niemals müde, das zu tun.«

Ich habe ebenfalls versucht, im Offizierkorps eine kirchen-
freundliche Einstellung aufrechtzuerhalten, und habe mich in
Offiziersversammlungen ausdrücklich und scharf gegen Kir-
chenaustritte erklärt und hinzugefügt, daß ich überzeugter
Christ sei und bleiben werde. Am 17. August 1934 hatte Hitler in einer Rede in Hamburg gesagt: »Der nationalsozialistische Staat bekennt sich zum positiven Christentum. Es wird
mein aufrichtiges Bestreben sein, die beiden großen Konfessionen in ihren Rechten zu schützen, in ihren Lehren vor Eingriffen zu bewahren und in ihren Pflichten den Einklang mit
den Auffassungen des heutigen Staates herzustellen.« Ich habe

daraufhin meinen Standpunkt der Marine folgendermaßen bekanntgegeben: »Demgegenüber haben für mich anders formulierte Äußerungen anderer Personen der Partei keine Bedeutung. Die in der Wehrmacht vorhandenen kirchlichen Einrichtungen sind dienstliche Einrichtungen. Ich kann eine nach außen zur Schau getragene Abkehr von ihnen nicht dulden, das heißt den Austritt aus der Kirche. Ich kann es auch nicht billigen, daß solche Fragen an Außenstehende herangetragen werden, auch nicht an Führer oder Vertreter der Deutschen Glaubensbewegung. Teilnahme der Soldaten an Veranstaltungen der Deutschen Glaubensbewegung ist verboten.«

Die Auswahl der Marinepfarrer wurde allein nach ihrer Eignung vorgenommen. Wir haben uns dabei von niemandem beeinflussen lassen. So habe ich im Jahre 1938 den Pfarrer Poetzsch zum Garnisonpfarrer in Cuxhaven ernannt, obgleich er aus seiner Pfarrei in Sachsen wegen Widerstandes gegen Eingriffe von Parteistellen entfernt worden war. Drei weitere Geistliche, von denen zwei schon einmal verhaftet gewesen waren, wurden gegen den Wunsch der Partei in die Marine eingestellt. Nach diesen Vorgängen war damit zu rechnen, daß die kirchenfeindlichen Kreise der Partei versuchen würden, ihren Einfluß in anderer Form auszuüben. Gegen den bereits erwähnten Marinepfarrer Dr. Hölzer wurde im Jahre 1942 von einem anderen Marinegeistlichen, der aus der bayerischen Kirche zur Marine getreten war, Anzeige wegen angeblicher abfälliger Äußerungen über führende politische Persönlichkeiten erstattet, die zu einem gerichtlichen Verfahren führte. Die Geheime Staatspolizei versuchte, das Verfahren an sich heranzuziehen, was ich aber ablehnte, da der beschuldigte Geistliche der Gerichtsbarkeit der Marine unterstand. Das zuständige Marinekriegsgericht sprach den angeklagten Marinepfarrer Dr. Hölzer wegen Unglaubwürdigkeit des als Hauptbelastungszeuge auftretenden anderen Pfarrers frei. Letzterer wurde dabei als ein Spitzel der Gestapo entlarvt. Ich habe das freisprechende Urteil bestätigt und den Pfarrer, der die falsche Anschuldigung erhoben hatte, aus der Kriegsmarine entlassen.

Aber auch mit kleinlichen Mitteln wurde gegen die Marineseelsorge gearbeitet. Im Kriege waren die Gesangbücher, von denen jeder Soldat ein Exemplar erhielt, vergriffen. Zunächst wurde ein Neudruck des evangelischen Gesangbuches hergestellt, während das »Katholische Gesang- und Gebetbuch für die Kriegsmarine« von Marinedekan Dr. Estevant neu herausgegeben wurde. Bei der nächsten Auflage des evangelischen Marinegesangbuches, das durch Dekan Ronneberger für Soldaten sehr ansprechend gestaltet war, traten plötzlich Schwierigkeiten auf. Vom Propagandaministerium wurde weder die Druckerlaubnis erteilt, noch wurde das nötige Papier zur Verfügung gestellt. Wir halfen uns jedoch, indem wir das Gesangbuch in Den Haag, Reval und Oslo drucken ließen, wobei wir von den Presseoffizieren der dortigen Heeresstellen Material und Unterstützung erhielten; so konnte die Kriegsmarine im Jahre 1942 mit den neuen Gesangbüchern ausgerüstet werden.

Obgleich die Partei die Benachrichtigung der Hinterbliebenen von Gefallenen wie auch deren weitere Betreuung als ihr Vorrecht betrachtete, haben wir es als eine Aufgabe der Marineseelsorge angesehen, unsererseits die Verbindung mit ihnen nicht abreißen zu lassen. Meine Frau hatte zusammen mit einigen anderen Marinefrauen eine genaue Anschriftenkartei der Hinterbliebenen angelegt, wodurch es möglich war, die Beziehungen zwischen der Marine und den Angehörigen aufrechtzuerhalten. Die Hinterbliebenen erhielten ein von Dekan Ronneberger verfaßtes »Trostbuch für alle, die um Gefallene trauern«; ferner wurde zu Weihnachten und an Gedenktagen Verbindung mit ihnen aufgenommen. Diese Betätigung war jedem von uns eine selbstverständliche Verpflichtung.

Sämtliche Versuche außenstehender Stellen, die Marineseelsorge in ihrer Ausübung zu behindern, konnten wir erfolgreich abwehren. Wir haben sogar während des Krieges eine Reihe von größeren Marinepfarrerkonferenzen in Dresden wie auch an mehreren Orten in Frankreich und Dänemark durchgeführt, die jeweils aus zwei gleichzeitigen, getrennten Tagungen der katholischen und der evangelischen Geistlichen bestanden. Bei diesen Gelegenheiten hielten von evangelischer Seite unter anderen Bischof Lilje, Oberkirchenrat Gerstenmaier, die Universitätsprofessoren Müller (Leipzig), Fendt (Berlin), Wendland und Meinhold (Kiel) Referate; die beiden letzteren waren seit 1939 auch als Marinekriegspfarrer tätig. Auf den katholischen Tagungen kamen Persönlichkeiten wie Dr. Jürgensmeyer vom Priesterseminar Paderborn, Prälat Dr. Grosche (Köln) und Dr. Laros (Trier) neben anderen zu Worte. Auf der Dresdener Konferenz nahmen auch der evangelische und der katholische Feldbischof an den Tagungen ihrer Pfarrer teil.

Die katholischen und evangelischen Marinepfarrer haben — bei voller Wahrung ihrer konfessionellen Prägung und unter strenger Beachtung ihrer eigenen kirchlichen Weisungen — in dem Ringen um die Erhaltung der Marineseelsorge fest zusammengestanden und sich gegenseitig gestützt. In gemeinsamer Arbeit, an der auch Offiziere des Oberkommandos der Kriegsmarine, wie die Admirale Schniewind und Warzecha, einen wichtigen Anteil hatten, und in der ich mich in voller Übereinstimmung mit den Befehlshabern befand, haben wir die Durchführung der Seelsorge in der Marine für beide Konfessionen gegenüber allen Einflüssen sichergestellt. Sie blieb auch unter meinem Nachfolger bestehen. Richtlinien des Oberkommandos der Wehrmacht, die offensichtlich den seelsorgerischen Einfluß immer mehr zurückdrängen sollten, wurden auf meine ausdrückliche Anordnung nicht ausgeführt. Die Marinepfarrer haben, gestützt durch die Führung der Marine,

147

unbeirrt ihren kirchlichen Dienst versehen und die geistliche Betreuung ihrer Gemeinden durchgeführt. Für mich als evangelischen Christen war es dabei eine tiefe Genugtuung, daß unser Kampf von dem katholischen Feldbischof Exzellenz Rarkowski besonders anerkannt wurde; er brachte zum Ausdruck, daß die Erhaltung der gesamten Wehrmachtseelsorge nur der Standfestigkeit der Marine zu danken wäre.

Ich glaube allerdings, daß ich den Kampf um die Kirche in der Marine nur deshalb erfolgreich habe führen können, weil ich Hitler gegenüber von Anfang an einen ganz klaren Standpunkt eingenommen habe. Noch im Jahre 1942 habe ich ihm eine gegen mich gerichtete Äußerung Görings gemeldet, der gesagt hatte: »Raeder hat zwar seine Marine in Ordnung, aber er geht in die Kirche.« Bei dieser Gelegenheit habe ich Hitler noch einmal meine religiöse und kirchliche Einstellung bestätigt. Ich weiß nicht, ob Hitler durch meine konsequente Haltung sich zur Vorsicht veranlaßt sah oder ob er aus anderen Gründen sich nicht zur endgültigen Abschaffung der noch bestehenden Wehrmachtseelsorge entschloß — jedenfalls konnte die Marinekirche erhalten und entsprechend der Vergrößerung der Marine im Kriege auch ausgebaut werden. Allein die Zahl der evangelischen Marinepfarrer — bei den katholischen Geistlichen waren die Verhältnisse die gleichen — erhöhte sich von vier im Versailler Vertrag vorgesehenen auf zehn im Jahre 1939 und stieg auf insgesamt vierundsiebzig, die in der Heimat, den besetzten Gebieten, in der Front und an Bord tätig waren. Es waren wesentlich mehr als im ersten Weltkrieg. Fünf evangelische und drei katholische Marinepfarrer sind an der Front gefallen.

Die kritischen Jahre 1938/39

Während der Ereignisse um die Verabschiedung von Generalfeldmarschall von Blomberg und Generaloberst Freiherr von Fritsch waren noch andere Entwicklungen im Gange, die von entscheidender Bedeutung auch für die Kriegsmarine werden sollten. Bisher war das Flottenabkommen von 1935 die Grundlage für alle Maßnahmen und Gedanken der Marine gewesen. Eine bewaffnete Auseinandersetzung mit England wurde als ausgeschlossen angesehen und nicht in Betracht gezogen. Ich hatte strikt untersagt, eine Gegnerschaft Englands auch nur bei Kriegsspielen oder Manövern anzunehmen. Am 5. November 1937 hatte Hitler in kleinem Kreise eine Rede gehalten, in der er ausführte, daß es sein Wille sei, die Fragen des Anschlusses von Österreich und der Ausschaltung der Tschechoslowakei als möglichen Gegner in absehbarer Zeit zu erledigen, spätestens jedoch 1943—45. Noch vor Beginn der Ansprache hatte mir Göring gesagt, daß diese den Zweck haben sollte, das Heer bei der Aufrüstung anzuspornen. Ich konnte schon daraus ersehen, daß trotz des etwas scharfen Tones der Rede eine Abkehr von der bisherigen Methode der Verhandlungen und eine Schwenkung zu einer kriegerischen Politik, die man vielleicht aus einigen Redewendungen heraushören konnte, nicht beabsichtigt war. Irgendwelche

149

Änderungen für den Aufbau der Flotte wurden dabei auch nicht erwähnt. Am Schluß der Ansprache, an der noch Generalfeldmarschall von Blomberg, Generaloberst Freiherr von Fritsch, Außenminister Freiherr von Neurath, Generalfeldmarschall Göring und Oberst Hoßbach teilnahmen, meldeten Blomberg und Fritsch Hitler, daß England und Frankreich unter keinen Umständen als Gegner auftreten dürften, da die Wehrmacht einer derartigen Lage nicht gewachsen wäre. Generaloberst Freiherr von Fritsch bot aber sofort an, auf seinen für den Winter 1937/38 geplanten mehrmonatigen Urlaub zu verzichten, um vorsorglich die notwendigen militärischen Planungen durchzuführen. Hitler erwiderte darauf, daß diese nicht so eilig wären; von Fritsch könne ruhig auf Urlaub gehen; er sei überzeugt, daß England nicht eingreifen würde und daher auch eine kriegerische Aktion Frankreichs nicht zu erwarten wäre. Nach meinem Eindruck verfolgte diese Rede tatsächlich nur den von Göring erwähnten Zweck. Auch Blomberg meinte mir gegenüber, als wir das Zimmer verließen, daß das Ganze einmal wieder nicht so ernst gemeint wäre. Jedenfalls hatte ich keineswegs das Empfinden einer außenpolitischen Kursänderung. Der Anschluß Österreichs und die Sudetenfrage sind dann auch ohne kriegerische Ereignisse gelöst worden.

Dagegen machte es mir Sorge, daß ich bei Konferenzen mit Hitler unausgesprochen fühlte, daß er in bezug auf die Entwicklung des Verhältnisses zu England nicht mehr so optimistisch eingestellt war wie in den vorhergehenden Jahren. Besonders hatte ich eine solche Empfindung, als Generalfeldmarschall von Blomberg Ende Mai 1937 in meiner Gegenwart Hitler über die Teilnahme an den Krönungsfeierlichkeiten in London berichtete. Blomberg urteilte sehr günstig über die Stimmung in England; die Witwe Königs Georg V. habe ihn mit herzlichem Händedruck aufgefordert, dafür einzutreten, daß eine Lage wie im Jahre 1914 nie wieder entstehen könne.

Diese Beurteilung nahm Hitler, wie mir schien, mit einer gewissen Skepsis auf.

Allerdings habe ich immer gewußt, daß es in England Kreise gab, die Gegner einer Verständigung mit Deutschland waren. Um so mehr mußte es für uns darauf ankommen, diejenigen Kräfte in England zu stärken und mit unseren Problemen vertraut zu machen, die bestrebt waren, mit Deutschland zu einer Einigung zu gelangen. Daß Ribbentrop als Botschafter in London dafür nicht die geeignete Persönlichkeit war, war niemandem in der Marine zweifelhaft. Ribbentrop hatte zwar als Sonderbotschafter des Reiches mit dem Abschluß des Flottenabkommens 1935 in London seinen Namen unter ein Dokument setzen können, das den vielleicht wichtigsten Erfolg der damaligen Außenpolitik darstellte. Aber die Lage, die er dabei hatte meistern müssen, war für ihn nicht schwierig gewesen; zumindest war der günstige Ausgang der Verhandlungen kein Beweis für seine diplomatische Begabung. Die ganze Aktion war durch die Marine und das Auswärtige Amt sorgfältig vorbereitet worden. Ich hatte bei Hitler dafür gesorgt, daß Ribbentrop schärfste Anweisung erhielt, lieber ohne Ergebnis zurückzukommen, als in der grundsätzlichen politischen Frage nachzugeben. Ribbentrop hatte in London vor allem deswegen Erfolg gehabt, weil auf der englischen Seite die Bereitschaft für eine Verständigung vorhanden war. Ob Hitler aus diesem Anlaß bei ihm auf besondere diplomatische Fähigkeiten geschlossen hat, ist mir nicht bekannt. Auf keinen Fall war er zum Botschafter in London geeignet, noch viel weniger aber zum Außenminister, zu dem er als Nachfolger von Neuraths am 4. Februar 1938 ernannt wurde. Ich bin der Überzeugung, daß Freiherr von Neurath als Außenminister für eine andere Politik England gegenüber gesorgt und auch Wege dafür gefunden hätte. Daß Hitler sich von diesem hervorragenden und erfahrenen Diplomaten trennte, ist einer der Gründe für das spätere Unglück Deutschlands gewesen. Freiherr von Neurath, der auf ausdrücklichen Wunsch Hindenburgs in das Kabinett Hitler eingetreten war, vereinigte mit Erfahrung und Routine einer langen Diplomatenlaufbahn zugleich die innere Sicherheit eines festen Auftretens.

Wenn auch die Stimmung Hitlers gegenüber England zurückhaltender und pessimistischer geworden war, so ist doch in dieser ganzen Zeit bis zum Kriege von seiner Seite aus niemals von einer nahe bevorstehenden Auseinandersetzung mit England oder auch nur von der Wahrscheinlichkeit dafür die Rede gewesen. Vielmehr hat Hitler in allen seinen Äußerungen zu mir bis zuletzt zum Ausdruck gebracht, daß er zwar eine Gegnerschaft Englands wohl oder übel bei seinen Überlegungen mit in Rechnung stellen müsse; aber niemals hat er die Erwartung eines in absehbarer Zeit möglichen bewaffneten Konfliktes angedeutet oder auf mein Befragen zugegeben.

Ich hatte also keinerlei Veranlassung anzunehmen, daß Hitler künftig seine Außenpolitik mit anderen Methoden als den bisherigen führen oder von seinem Ziel einer dauerhaften Verständigung zwischen Deutschland und England abgehen wollte. Während aber bisher von der Marine keinerlei Überlegungen für den Fall angestellt worden waren, daß England sich bei einem Konflikt auf die Seite unserer Gegner stellen würde, mußten nun Vorüberlegungen für eine solche, zwar nicht als wahrscheinlich, aber auch nicht mehr als völlig ausgeschlossen zu betrachtende Lage angestellt werden. In allen Ländern ist es die selbstverständliche Pflicht der Wehrmacht, daß sie sich mit möglichen kriegerischen Verwicklungen beschäftigt und sich gedanklich und, soweit angängig, auch materiell darauf einstellt — ohne Rücksicht auf den Grad der Wahrscheinlichkeit eines solchen Falles.

Ende Mai 1938 gingen bei einer Besprechung zwischen Hitler und mir seine Überlegungen davon aus, daß man mit Frankreich und England auf der Gegenseite rechnen müsse. Er drängte darauf, die Fertigstellung der Schlachtschiffe »F« und »G« (später »Bismarck« und »Tirpitz«) so zu beschleunigen, daß sie schon im Herbst 1940 in Dienst kommen könnten. Ferner sollten sechs Hellinge für größere Schiffe bereitgestellt werden, damit ein späterer Aufbau der Flotte nicht am Fehlen von Hellingen scheitern sollte. Auf den Werften sollten gleichzeitig Vorbereitungen getroffen werden, damit nach erfolgtem Befehl ein vermehrter Bau von U-Booten einsetzen könnte, um in dieser Schiffsklasse auf dieselbe Stärke wie England zu kommen; in einer Klausel des Flottenabkommens war diese Angleichung vorgesehen.

Die Forderungen Hitlers hielten sich innerhalb der mit England getroffenen Vereinbarungen. Schon daraus ging hervor, daß er die außenpolitische Lage keineswegs durch eine unbegrenzte Aufrüstung der Marine belasten, sondern die bisherige Basis der Verständigung mit England beibehalten wollte. Dies war für mich ein deutlicher Beweis, daß er trotz gelegentlicher anders klingender Äußerungen von einer vorsichtigen Politik des Ausgleichs mit England nicht abgehen wollte.

Das Jahresende 1938 schien nach Überwindung der Sudetenkrise eine gewisse Entspannung zu bringen. Die Konferenz in München mit Chamberlain hatte Ende September 1938 mit einer deutsch-englischen Nichtangriffserklärung geendigt, der am 6. Dezember 1938 eine gleichartige gemeinsame Erklärung von Deutschland und Frankreich gefolgt war. Aber andererseits konnte nicht verkannt werden, daß das deutsche Vorgehen in der Tschechoslowakei die Stimmung in England uns gegenüber verschlechtert hatte. Hitler sah seine Politik des Ausgleichs mit England zwar nicht als gescheitert an, hielt es nunmehr aber doch für angebracht, alle Möglichkeiten auszunutzen, die uns durch die Flottenverträge gegeben waren.

Zunächst wurde ein Bauprogramm für U-Boote aufgestellt. Bis zum Winter 1943/44 sollte ein Bestand von 129 U-

Booten erreicht werden, der der Stärke der englischen U-Bootstonnage entsprach. In dem Flottenabkommen war vorgesehen,
daß die deutsche Marine ihren Bestand an U-Booten von 45
Prozent auf 100 Prozent der englischen U-Bootstonnage nach
vorheriger freundschaftlicher Vereinbarung mit der englischen
Regierung erhöhen könne. Hiervon wurde jetzt Gebrauch gemacht. Admiral Cunningham und Captain Phillips kamen als
Beauftragte der britischen Admiralität im Dezember 1938
zum Abschluß der neuen Abmachungen nach Berlin. Die Verhandlungen mit ihnen führte hauptsächlich der Chef des Stabes der Seekriegsleitung, Admiral Schniewind. Dabei ergaben
sich keine Schwierigkeiten. Ebenso wurde eine Einigung darüber erzielt, daß Deutschland auch noch zwei weitere Schwere
Kreuzer bauen könnte. Die Besprechungen mit Admiral Cunningham und seinen Begleitern endeten mit einer Einladung
durch mich am 31. Dezember, bei der die kameradschaftliche
und verbindliche Grundstimmung der beiden Marinen deutlich in Erscheinung trat.

Abgesehen von der Mitteilung an die Engländer über die
Erhöhung der U-Bootquote und die Vermehrung der Schweren Kreuzer von drei auf fünf legte Hitler vom Oktober 1938
an besonderen Wert darauf, daß jedes von uns geplante Schiff
stärker als das entsprechende englische war; er äußerte zu mir,
daß die Marine sich auf einen gewaltigen Aufbau vorbereiten
müsse. Auch bei diesen Gesprächen wies ich sehr ernst darauf
hin, daß unsere Flotte in den allerersten Anfängen des Ausbaues sei und wir selbst bei größter Anstrengung und stärkster
Anspannung aller Werften nicht vor 1945/46 daran denken
könnten, England in einem etwaigen Seekrieg entgegenzutreten.

Im Oberkommando der Kriegsmarine hatten Überlegungen und Vorbereitungen eingesetzt, um der veränderten Betrachtung der Situation gerecht zu werden. Vor allem galt es,
alle Maßnahmen für die Inangriffnahme des Baues der schon

154

geplanten Schiffe zu treffen. Die Seekriegsleitung forderte daneben Torpedoboote, Schnellboote und Minensuchboote sowie in erster Linie die Erfüllung des Programms, das die U-Bootwaffe auf die englische Stärke bringen sollte. Ich setzte außerdem Ende September 1938 einen Planungsausschuß ein mit dem Auftrag, in kurzer Zeit die Richtlinien für den weiteren Aufbau der Kriegsmarine bei operativer Einstellung auf einen etwaigen künftigen bewaffneten Konflikt mit England aufzustellen.

Diese Erwägungen basierten auf der Voraussetzung, daß hierfür eine längere friedliche Periode zur Verfügung stehen würde. Der Gedanke, etwa in der Frist von ein oder zwei Jahren eine für England politisch und militärisch beachtliche deutsche Flotte zu schaffen, wäre aus personellen und materiellen Gründen utopisch gewesen. Als Mindestzeit hatte Hitler verschiedentlich die Jahre bis 1944/45 genannt, für die er mit einer ruhigen außenpolitischen Atmosphäre rechnete. Trotzdem haben wir uns Überlegungen gemacht, ob sich nicht in kürzerer Zeit eine zweckentsprechende, wenn auch schwächere Flotte aufstellen ließe. Im Winter 1938/39 trug ich Hitler vor, daß zwei Wege beschritten werden könnten. Wenn man hauptsächlich U-Boote und Panzerschiffe baute, könnte man schneller eine Flotte schaffen, die eine gewisse Bedrohung für die für England lebenswichtigen Zufuhren über See im Kriegsfalle darstellen würde. In einer solchen Zusammensetzung wäre sie aber einseitig, weil sie nicht für einen Kampf mit stärkeren englischen Seestreitkräften geeignet sein würde. Eine schlagkräftige Flotte jedoch, die auch über die stärksten Schiffstypen verfügen würde und daher sowohl die englische Seezufuhr bekämpfen wie auch britischen Seestreitkräften mit Aussicht auf Erfolg gegenübertreten könnte, brauchte aber längere Zeit zum Ausbau; dafür hätte sie dann ein größeres militärisches und damit politisches Gewicht. Ausdrücklich wies ich dabei darauf hin, daß wir in diesem Falle nur über eine unfertige und wenig leistungsfähige Flotte verfügen würden, wenn es in den nächsten Jahren zu einem Kriege kommen würde.

Hitler betonte, daß er die Flotte bis 1946 nicht für seine politischen Zwecke benötigen würde. Vielmehr könne er eine politische Entwicklung in Aussicht stellen, die der Marine die Voraussetzungen für einen ruhigen, langfristigen Aufbau schaffen würde. Er gäbe daher der stärkeren, aber erst später fertig werdenden Flotte den Vorzug. Die Pläne der Marine sollten dementsprechend aufgestellt werden. Hiermit hatte Hitler sich dahingehend festgelegt, daß er von sich aus keinesfalls eine Verschärfung der politischen Lage und die Gefahr eines Krieges herbeiführen würde. Hitler war gewiß schwer zu durchschauen und verstand es, seine wirklichen Pläne und wahren Absichten im Dunkeln zu lassen. Daher konnten bloße Versicherungen von seiner Seite natürlich irreführend sein. Hätte er aber zu diesem Zeitpunkt die Absicht gehabt, eine Politik zu betreiben, die einen Krieg mit England in gefährliche Nähe rücken ließ, so hätte er sich anders entscheiden müssen. Dann hätte er mit äußerstem Nachdruck den Bau von U-Booten und Handelsstörern, also Panzerschiffen und Kreuzern, fordern müssen. Daß er dies nicht tat, war mir mehr als seine Worte eine Sicherheit dafür, daß er von der bisherigen Linie seiner Politik im Grundsatz nicht abrücken würde.

In den Jahren von 1933 bis zum Kriege hat Hitler in zahlreichen Wendungen und Formulierungen mir gegenüber, auch unter vier Augen, stets betont, daß das Ziel seiner Politik ein Ausgleich mit England sei; in einem deutsch-englischen Bündnis sähe er die Krönung seiner Politik. Am 18. Juni 1935 hatte er zu mir gesagt: »Heute ist der glücklichste Tag meines Lebens. Erst die Nachricht von meinem Arzt, daß die Verletzung meiner Stimmbänder nicht bösartiger Natur ist, und soeben die Meldung vom Abschluß des Flottenabkommens.« Bei keiner Gelegenheit hat er zum Ausdruck gebracht oder auch nur angedeutet, daß er eine kriegerische Auseinandersetzung mit England anstrebe. Davon war auch jetzt im Winter 1938/39 nicht die Rede. Sein Ziel blieb nach wie vor das gleiche — jedenfalls machte er zu mir niemals eine gegenteilige Äußerung. Aber er glaubte, daß eine beachtenswerte Stärke der deutschen Flotte für England eine Veranlassung sein würde, bei etwa noch kommenden politischen Differenzen zwischen uns und anderen Staaten nicht auf die Gegenseite zu treten.

Hitlers Gründe für eine Vergrößerung der deutschen Flotte lagen auf dem politischen Gebiet. So gern er sich mit Kriegsschiffen, insbesondere Schlachtschiffen, beschäftigte — in erster Linie betrachtete er die Flotte doch als ein politisches Instrument. Wahrscheinlich ist es auch dadurch zu erklären, daß er für die Verwendung und den Einsatz von Seestreitkräften in einem Kriegsfall nur geringes Interesse zeigte. Für die mittelbare operative Wirkung einer Seemacht und den ständigen Druck, den sie namentlich von einer günstigen geographischen Lage aus auf den Gegner ausübt, hatte er wenig Verständnis. Ich habe mich bemüht, ihn durch Einladungen zur Mitfahrt auf Kriegsschiffen und zu Manövern an diese Probleme heranzuführen. Anfang Februar 1937 hatte ich ihm in einem ausführlichen, sorgfältig vorbereiteten Vortrag, an dem auch eine ganze Reihe maßgeblicher Persönlichkeiten wie Neurath, Blomberg, Hess und verschiedene höhere Parteiführer teilnahmen, meine grundsätzlichen Gedanken über eine Seekriegführung dargelegt und die Erfahrungen und Erkenntnisse des letzten Seekrieges erläutert. Aber seine ausgeprägte Vorliebe für alles Technische brachte ihn immer wieder dazu, Schiffsgrößen, Armierungen, Panzerstärken und Geschwindigkeiten deutscher Kriegsschiffe mit denen anderer Nationen in Vergleich zu setzen und sich daraus ein oft recht theoretisches Bild zu machen. Daß vieles andere, wie der Besitz und die Lage von Stützpunkten, der Grad der Abhängigkeit eines Landes von der Seezufuhr oder die Unterstützung überseeischer Bundesgenossen eine entscheidende Rolle für die größere oder geringere Bedeutung einer Flotte spielen, ist ihm nie richtig bewußt geworden. Ich hatte stets eine gewisse Besorgnis, daß er die Überlegenheit, die England als Seemacht nicht allein zahlenmäßig, sondern bereits durch seine günstige geographische Lage uns gegenüber hatte, nicht hoch genug einschätzte. Daher war es mein unablässiges Bestreben, ihn vor einer Außenpolitik zu warnen, die England zu unserem Gegner machen könnte.

Hitlers Gedanken kreisten um die Politik, für deren Durchführung er das Vorhandensein einer deutschen Flotte, die von etwaigen Gegnern nicht übersehen werden konnte, für notwendig hielt. Nun war es Aufgabe der Marine, sich über die Zusammensetzung einer solchen — erst in weiter Zukunft fertigen — Flotte Gedanken zu machen und dafür Pläne aufzustellen. Im Nürnberger Prozeß ist später versucht worden, hieraus gegen mich den Vorwurf der Vorbereitung eines Angriffskrieges zu konstruieren. Ich glaube, daß dieser Vorwurf heute keiner Widerlegung mehr bedarf. Ein verantwortlicher Offizier, der sich nicht jede Möglichkeit eines Kriegsfalles vor Augen führt und daraus seine Folgerungen zieht, versäumt seine Pflicht. Es war daher selbstverständlich, daß auch die englische Flotte nun in die Reihe der möglichen Gegner einbezogen werden mußte. Das hieß aber keineswegs, daß sich damit das gute Verhältnis zur britischen Marine änderte; auch die Admiralität in London hat natürlich Kriegsvorbereitungen für alle denkbaren Fälle getroffen. Vielmehr erweiterte sich für uns nur die Ausgangsbasis für die operativen Betrachtungen. Nicht durch die gedankliche und sachliche Vorarbeit der Soldaten werden Kriege herbeigeführt, sondern allein durch die Politik mit ihren Absichten, Handlungen, Unterlassungen und Fehlern.

Eingehende Überlegungen bestätigten die Auffassung, daß es in einem etwaigen Seekrieg gegen England darauf ankomme, den Krieg gegen die Zufuhr mit größtem Nachdruck unter Einsatz aller verfügbaren Seekriegsmittel — also Überwasserschiffen, Unterseebooten und einer Marineluftwaffe — zu führen. England hatte eine jährliche Einfuhr von etwa fünfzig Millionen Tonnen, von der es abhängig war. Die Möglichkeit, gegebenenfalls diesen englischen Überseehandel wirkungsvoll bekämpfen zu können, mußte das Ziel des deutschen Flottenbaus sein. Hierfür waren Schiffe von erheblicher Kampfkraft erforderlich, die für den operativen Einsatz auf dem Atlantik geeignet waren, wegen unserer ungünstigen geographischen Lage und des Fehlens von eigenen Stützpunkten über einen außerordentlich großen Fahrbereich verfügten und nicht vom Gegner gestellt oder lahmgelegt werden konnten.

Das Kernstück des Bauplanes, der nun aufgestellt wurde und den Namen »Z-Plan« erhielt, bildeten sechs Schlachtschiffe eines in vieler Hinsicht neuartigen Typs von etwa 50 000 Tonnen Wasserverdrängung mit reinem Dieselmotorenantrieb und einer Armierung von 40-cm-Geschützen. Als neuer Typ für den Zufuhrkrieg war ein Schlachtkreuzer von rund 30 000 Tonnen mit 34 Knoten Geschwindigkeit und gemischtem Maschinenantrieb — Motoren- und Hochdruckheißdampfanlage — geplant. Von diesen Schiffen sollten drei gebaut werden. Sie waren den in fremden Marinen eingeführten Schweren Kreuzern an Geschwindigkeit und mit den vorgesehenen 38-cm-Geschützen auch an Armierung überlegen. Als Leichter Kreuzer für Atlantikverwendung wurde ein Typ mit gemischtem Antrieb, großer Geschwindigkeit und erheblichem Fahrbereich entwickelt. Daneben war der Neubau von Zerstörern, Torpedobooten und anderen Fahrzeugen vorgesehen. Die Zahl der U-Boote sollte 249 im Endziel betragen. Rechtzeitige politische Verhandlungen über eine Ergänzung des deutsch-englischen Flottenabkommens waren in Aussicht genommen.

Dem Plan lag folgende Idee einer Seekriegführung zu Grunde: Auf den englischen Überseeverkehr sollten außer U-

Booten und Hilfskreuzern auch noch Gruppen von Schlachtkreuzern und anderen Kreuzern angesetzt werden. Die britische Flotte würde dadurch gezwungen werden, ihre Geleitzüge nicht nur mit leichten Streitkräften zu sichern, die gegen
U-Boote und Hilfskreuzer ausreichend wären. Sie müßte
vielmehr kampfkräftige große Schiffe heranziehen, was zu
einer Aufteilung, Zersplitterung und Abnützung der englischen schweren Streitkräfte führen würde. Die schnellen deutschen Kreuzer würden einen Rückhalt an den Schlachtkreuzern haben, die wiederum mit ihrer überlegenen Geschwindigkeit den englischen Schlachtschiffen ausweichen könnten. Der
geschlossene Verband der deutschen Motorschlachtschiffe mit
ihrem großen Aktionsradius würde die Unterstützung für die
Panzerschiffe und Kreuzer bilden und nötigenfalls in der Lage
sein, die Schlachtschiffsicherung von feindlichen Geleitzügen
niederzukämpfen. Die seestrategische Lage hätte sich durch
den Bau der schweren Streitkräfte dieses Planes grundsätzlich
geändert.

Mitte Januar 1939 legte ich Hitler den Z-Plan vor, dessen
Erfüllung etwa für 1948 vorgesehen war. Er erklärte sich damit einverstanden, forderte allerdings die Fertigstellung in
sechs Jahren und entschied, daß der Ausbau der Kriegsmarine
allen anderen Aufgaben vorzugehen hätte. Um sicherzustellen, daß nicht gleichzeitig überall angefangen, sondern eine
sinnvolle Reihenfolge eingehalten wurde, ordnete ich an, daß
der Bau der Schlachtschiffe und der U-Boote den Vorrang
haben sollte; erstere als der nur in langer Bauzeit fertigzustel-
lende Kern der gesamten Flotte, letztere als das einzige wirksame operative Seekriegsmittel in der Zeit unserer maritimen
Schwäche. Das U-Bootprogramm an U-Kreuzern, Minen- und
Fernverwendungsbooten sollte bereits bis 1943 abgeschlossen
sein.

Das umfangreiche Neubauprogramm ist nicht mehr zur
Durchführung gekommen; nur zu einem kleinen Teil ist es

vorbereitet und begonnen worden. Die Entscheidung für einen langfristigen Bauplan bedeutete nicht nur die Festlegung auf einen bestimmten politischen Kurs, sondern zugleich die Bindung der gesamten Werftkapazität und eines großen Teiles der Rüstungsindustrie auf lange Zeit hinaus. Ein Umstellen auf ein kurzfristiges Programm wegen Änderung der politischen Lage — wie es nachher unerwartet durch den Ausbruch des Krieges erforderlich wurde — war damit auf das äußerste erschwert. Ich habe Hitler keinen Zweifel darüber gelassen, daß in den Jahren des Aufbaues nur eine schwache Flotte vorhanden sein würde und daher der von ihm in Aussicht gestellte Kurs einer ruhigen und ausgleichenden Politik in dieser Zeit auch ohne Schwanken durchgehalten werden müßte. Es durfte also keine der noch offenen politischen Forderungen Deutschlands so auf die Spitze getrieben werden, daß es zu einem bewaffneten Zusammenstoß kommen konnte. Hitler mochte in seinen Reden Drohungen ausstoßen oder sich in bestimmten zweckbetonten Ansprachen anders ausdrücken — die Tatsache, daß in den nächsten sechs bis acht Jahren die Voraussetzungen für einen Seekrieg mit England einfach nicht vorhanden waren und ihm dies genau bekannt war, hatte demgegenüber für mich in der Beurteilung der Absichten Hitlers ein sehr viel stärkeres Gewicht. Trotzdem habe ich bis zum Kriegsausbruch keine Gelegenheit vorübergehen lassen, um ihn auf diese Lage hinzuweisen. Es war gewissermaßen mein »ceterum censeo«, und Hitler hat mir immer dabei zugestimmt. Niemals hat er die Forderung gestellt, von dem sehr weit gesteckten Ziele abzugehen und ein kurzfristiges Bauprogramm durchzuführen. Ich mußte also ebenso wie die ganze Marine der Auffassung sein, daß die Politik Hitlers schon in klarer Erkenntnis unserer Schwäche zur See für eine lange Frist ihren vorsichtigen Kurs gegenüber England beibehalten würde.

Wenn der Bau der neuen Schiffe aus dem Z-Plan politisch zur Wirkung kommen und nicht nur ein allgemeines Wettrüsten herbeiführen sollte, mußten die Schiffe schlagartig gebaut und die Besonderheit ihres Typs so lange wie möglich geheim gehalten werden, um einen zeitlichen Vorsprung zu gewinnen. Ähnliches haben die Engländer vor dem ersten Kriege durch den unerwarteten Übergang zum Bau von Großkampfschiffen mit der »Dreadnought« zu erreichen versucht. Hitlers Auffassung war die, daß die Engländer bei einer solchen Entwicklung eher zu einem Ausgleich geneigt wären, vor allem, wenn ihnen durch politisches Entgegenkommen auf anderen Gebieten gleichzeitig goldene Brücken gebaut würden.

Um den Bau dieser Schiffe wirklich in der vorgesehenen Frist bewältigen zu können, waren einschneidende Maßnahmen erforderlich. Nach eingehender Prüfung blieb nur eine Lösung übrig, nämlich einer einzigen Persönlichkeit die gesamte Durchführung verantwortlich zu übertragen und ihr die erforderliche Vollmacht zu geben. Mit dieser Aufgabe betraute ich Admiral Fuchs, einen dafür besonders befähigten Offizier. Die einheitliche Konstruktion aller sechs Schlachtschiffe übernahm die Hamburger Werft Blohm & Voss mit Unterstützung einer Arbeitsgruppe des Oberkommandos der Kriegsmarine. Admiral Fuchs gelang es, alle Schwierigkeiten zu überwinden, so daß das erste Schiff schon am 15. Juli 1939 bei Blohm & Voss auf Stapel gelegt werden konnte; ihm folgte am 15. August die Kiellegung des zweiten Schiffes bei der »Deschimag« in Bremen. Bevor aber das im September bei den Deutschen Werken in Kiel vorgesehene dritte Schlachtschiff auf Stapel gelegt werden konnte, war der Krieg ausgebrochen. Die Arbeit an den beiden ersten Schiffen mußte eingestellt, das bereitgelegte Material für andere Bauten verwendet werden.

Nachdem Anfang 1939 Klarheit über das Ziel des Ausbaues und die Wege zu seiner Verwirklichung geschaffen war, habe ich mir ferner ein Bild zu machen versucht, wieweit Hitler die durch den Einmarsch deutscher Truppen in die Tschechei und die englisch-französische Garantieerklärung für

Polen im Frühjahr 1939 entstandene gespannte Lage als gefahrdrohend ansah. Beim Stapellauf des Schlachtschiffes »Tirpitz« am 1. April 1939, dem gleichen Tage, an dem Hitler in einer Rede auf dem Rathausplatz von Wilhelmshaven mit einer Kündigung des deutsch-englischen Flottenabkommens drohte, habe ich ihn wegen vorsorglicher Maßnahmen für einen etwaigen Krieg mit England angesprochen. Er hat mir dabei die eindeutige Anweisung erteilt, einen solchen nicht vorzubereiten. Ich war daher völlig überrascht, als Hitler in seiner Reichstagsrede vom 28. April 1939 das Flottenabkommen kündigte, ohne mich vorher zu Rate zu ziehen.

Am 23. Mai hielt Hitler in kleinem Kreise eine Ansprache, in der er zu dem Problem Polens merkwürdig widerspruchsvolle Gedanken äußerte. Auch diese Ansprache hatte nach meinem Eindruck nur einen bestimmten Zweck, nämlich die Einsetzung eines kleinen Studienstabes außerhalb der Generalstäbe. Die Schlußfolgerung, die Hitler im übrigen selber zog, war die, daß das Schiffbauprogramm in der bisherigen Weise weitergeführt und die sonstigen Rüstungsprogramme der Wehrmachtteile auf die Jahre 1943/44 abgestellt werden sollten. Eine Sinnesänderung Hitlers gegenüber England war bei dieser Gelegenheit nicht zu erkennen.

Im Anschluß an diese Ansprache habe ich mit Hitler eine Unterredung unter vier Augen gehabt. Ich habe ihm gesagt, daß doch ein Widerspruch darin läge, wenn er einerseits den Fall Polen unter allen Umständen friedlich regeln wolle und andererseits eine kriegerische Lösung für möglich hielte. Hitler hat mich beruhigt und mir erklärt, er habe die Dinge politisch fest in der Hand. Er sei überzeugt, daß wegen seiner letzten Revisionsforderung, der Frage des polnischen Korridors, nicht mit einem Krieg gegen England zu rechnen wäre.

Nach diesen Zusicherungen trug ich keine Bedenken, das Schlachtschiff »Gneisenau« im Juni 1939 zu einer mehrwöchigen Erprobungsfahrt in den Atlantik zu entsenden. Da artilleristische Versuche auf hoher See durchgeführt werden sollten, hatte »Gneisenau« fast ausschließlich Erprobungsmunition an Bord, so daß die Ausstattung mit Gefechtsmunition, ohne die sonst kein Kriegsschiff die heimischen Gewässer verläßt, nur zum geringsten Teil an Bord gegeben werden konnte. Wenn mir die Lage irgendwie als gefährlich erschienen wäre, hätte ich das erste fertiggestellte Schlachtschiff natürlich nicht in diesem Zustand in den Atlantik geschickt. Einwände dagegen wurden auch weder vom Flottenchef noch vom Befehlshaber der Panzerschiffe geäußert. Im Juni 1939 fand eine große Minenübung in der Helgoländer Bucht statt. Ich konnte dabei dem Führer der Minensuchboote, Kapitän zur See Ruge, sagen, daß er jetzt unbesorgt auf Urlaub gehen könnte, was im letzten Jahr wegen der Sudetenkrise nicht möglich gewesen war. Die Beteiligung von ausländischen Marinen an der im Juli 1939 in Kiel stattfindenden alljährlichen Marinepokalsegelwettfahrt war besonders groß. Es nahmen Abordnungen der dänischen, englischen, estnischen, italienischen, niederländischen, rumänischen, schwedischen und spanischen Kriegsmarinen an den Wettkämpfen teil. Die segelnden Vertreter der verschiedenen Marinen fanden sich in ausgezeichneter Kameradschaft zusammen. Die siegreiche englische Mannschaft errang den Wanderpreis des verstorbenen Reichspräsidenten von Hindenburg. Ich war, wie jedes Jahr, bei diesen internationalen Regatten anwesend und habe die Vertreter der fremden Kriegsmarinen als meine Gäste begrüßt.

Die außenpolitische Situation in diesem Sommer schien mir trotz der vorhergegangenen Ereignisse des Frühjahres und trotz der englisch-französischen Garantieerklärung für Polen nicht gefahrdrohend. Ich befand mich darin in Übereinstimmung mit den meisten meiner Mitarbeiter und Berater. Aber es waren natürlich auch andere Auffassungen vertreten, die die politische Entwicklung keineswegs als so gesichert betrachteten. Der Führer der U-Boote, Kapitän zur See Dönitz, der selbst schon seit längerer Zeit mit einem kommenden Kriege rechnete, meldete mir, daß bei seinen Offizieren gewisse Befürchtungen beständen, daß es zu einem kriegerischen Konflikt kommen könnte, auf den die U-Bootwaffe bei ihrer geringen Zahl an U-Booten nicht genügend vorbereitet wäre. Diese aus ehrlicher Besorgnis entstandene Einstellung trug ich Hitler bei nächster Gelegenheit vor. Er erwiderte, daß ich die U-Bootoffiziere beruhigen könne, es würde keinen Krieg geben. Mitte Juli besichtigte ich die U-Bootflottillen, die mir Kapitän zur See Dönitz in größeren Übungen vorführte. Der Ausbildungsstand war ausgezeichnet und die von Dönitz entwickelte Angriffstaktik vielversprechend und überzeugend. Ich sprach am 22. Juli dem Führer der U-Boote und seinen Besatzungen meine Anerkennung aus und stellte ihnen in Aussicht, daß ich in den künftigen Bauplänen der Marine die Zahl der U-Boote noch erhöhen würde. Gleichzeitig aber sagte ich den Offizieren, daß mir ihre Besorgnisse gemeldet worden wären und daß ich ihnen im Auftrage Hitlers versichern könne, es würde keinen Krieg mit England geben, der das Ende Deutschlands bedeuten würde. Kapitän zur See Dönitz trat daraufhin eine vorgesehene mehrwöchige Kur an.

Am 22. August 1939 rief Hitler einen großen Teil der militärischen Führer auf dem Obersalzberg zusammen. Über diese Ansprache ist beim Nürnberger Prozeß eingehend verhandelt worden. Die Anklagebehörde hat dabei zwei Dokumente vorgelegt, die angeblich den Inhalt der Rede Hitlers wiedergaben. Beide Darstellungen erwiesen sich als nicht richtig. Die Anklagebehörde ist nicht in der Lage gewesen, eine eindeutige Erklärung zu geben, von wem diese Unterlagen stammten. Sie enthielten weder ein Datum noch eine Unterschrift. Dagegen hatte der Flottenchef, Admiral Boehm, der an der Besprechung bei Hitler teilgenommen und sich dabei genaue Aufzeichnungen gemacht hatte, sofort hinterher eine eingehende Niederschrift angefertigt, die er dann auch in

Nürnberg vorgelegt hat. Es besteht für mich kein Zweifel, daß die Fassung von Admiral Boehm Inhalt, Form und Tendenz der Rede einwandfrei trifft. Mein damit übereinstimmender Gesamteindruck war der, daß Hitler im Hinblick auf die Möglichkeit eines Krieges den militärischen Führern die Richtigkeit seiner Politik darstellen wollte. Er betonte in dieser Rede, daß durch die Haltung Polens eine gewaltsame Auseinandersetzung drohe. Aber er versuchte die Anwesenden zu überzeugen, daß England und Frankreich in einen möglichen Konflikt nicht eingreifen würden. Schon aus diesem Grunde würde Polen die Dinge nicht auf die Spitze treiben und sich weiterhin verhandlungsbereit zeigen. Jedenfalls sei der Verhandlungsweg noch nicht abgeschnitten.

Aus den Worten Hitlers ging hervor, daß wir dicht am Rande eines Krieges standen. Aber die Tatsache, daß der Außenminister von Ribbentrop am gleichen Tage nach Moskau abreiste, um dort, wie Hitler bekanntgab, den Pakt mit den Sowjets zu unterschreiben, erfüllte mich doch mit der Hoffnung — ebenso wie wohl die meisten der anderen Zuhörer —, daß hier wieder ein geschickter politischer Schachzug Hitlers vorliege und daß es ihm gelingen würde, auch diesen Fall friedlich zu lösen, wie er es bei allen früheren Gelegenheiten fertiggebracht hatte. Ich sprach gleich nach der Rede mit dem Chef des Stabes der Seekriegsleitung, Admiral Schniewind, der ebenfalls der Versammlung beigewohnt hatte. Beide hatten wir Bedenken, ob Hitler die Einstellung der englischen Regierung richtig einschätzte und ob England bei einem bewaffneten Konflikt mit Polen wirklich zum Nachgeben bereit sei. Ich bin darum nochmals nach dieser Ansprache zu Hitler gegangen, um ihn zu warnen. Aber Hitler hat mir auch dieses Mal erneut versichert, daß er die Schwierigkeiten ohne Krieg auf politischem Wege beseitigen werde. Die eingehenden außenpolitischen Gespräche der nächsten Tage mußte ich daher als eine Bestätigung dafür ansehen. Die Verhandlungen führte Hitler persönlich, der bei solchen Gelegenheiten, wie sich auch schon bei der Spannung des Herbstes 1938 gezeigt hatte, alle Fäden selbst in der Hand behielt. Nachdem ich Hitler noch einmal klar vor Augen geführt hatte, daß er es keinesfalls auf einen Krieg mit England ankommen lassen durfte, und er mir entsprechende Zusicherungen gegeben hatte, mußte ich damit rechnen, daß er in seinen Verhandlungen alles tun würde, um eine Lösung ohne Krieg herbeizuführen. Der Widerruf unseres Vormarschbefehls am 26. August schien der Auftakt für eine derartige Entwicklung zu sein. Die Marine hat daher in Erwartung einer Lokalisierung der Auseinandersetzung zuerst nur eine Teilmobilmachung durchgeführt. Als mir dann Hitler allerdings am 3. September in der Reichskanzlei eröffnen mußte, daß England und Frankreich ihren Abmachungen mit Polen entsprechend den Krieg an uns erklärt hatten, war ihm dies sichtlich sehr unangenehm. Seine falsche Beurteilung der Lage machte ihn mir gegenüber geradezu verlegen, als er sagte: »Nun habe ich den Krieg mit England doch nicht vermeiden können.«

Ich habe mir natürlich nachträglich die Frage vorgelegt, ob ich nicht den Eintritt dieser Lage früher hätte erkennen können. Die Möglichkeit irgendeines bewaffneten Konfliktes war bei der Politik Hitlers zur Beseitigung der territorialen Bestimmungen des Versailler Vertrages nicht von der Hand zu weisen. Da ich am besten übersah, daß die Marine mit ihrem geringen Bestand keinesfalls gegen die Seemacht England antreten konnte, habe ich das ganze Gewicht meiner Stellung dafür eingesetzt, Hitler dahin zu beeinflussen, daß er es unter keinen Umständen zu einem kriegerischen Konflikt kommen ließ. Aber ich mußte den Aufbau der Marine auf längere Zeit in einer bestimmten Richtung festlegen. Jedes kurzfristige Bauen einer Flotte führt zu Notlösungen, die vielleicht im Anfang gewisse Aussichten für die Verteidigung bieten, später jedoch erhebliche Nachteile haben. Eine Rüstung muß sich

167

der Linie der Außenpolitik anpassen. Es ist undenkbar, daß die Politik in großen Zeiträumen rechnet, während die Rüstung kurzfristig betrieben wird, ebenso wie es umgekehrt nicht der Fall sein darf. Diese Einheit zwischen Politik und Marinerüstung glaubte ich durch meinen Einfluß auf Hitler auch erzielt zu haben. Daß Hitler nicht von sich aus einen Krieg mit England haben wollte, ist meine Überzeugung; daß er aber eine Politik geführt hat, die schließlich zur Auslösung des Krieges beigetragen hat, ist unbestreitbar — trotz seiner wiederholten Versicherungen mir gegenüber, daß er es nicht zu einem Krieg mit England kommen lassen würde.

Die Selbsttäuschung Hitlers und seine daraus resultierende Politik hat die tragische Folge für die Marine gehabt, daß ihr Aufbau vor dem Kriege, vor allem durch die endgültige Entscheidung für eine auf lange Frist gedachte Marinerüstung, der tatsächlich eingetretenen politischen Entwicklung nicht entsprochen hat. Ob und wann ein radikales Umstellen des gesamten Kriegsschiffbaues am Platze und möglich gewesen wäre, ist eine Frage, die erst nach Vorliegen aller aktenmäßigen Unterlagen beantwortet werden kann. Solange Hitler sich an die Abmachungen der Verträge halten wollte, hatten wir jedenfalls nur geringen Spielraum, denn wir konnten dann lediglich das Flottenabkommen ausschöpfen. Da Hitler sich jedoch immer wieder für einen langfristigen Aufbau der Marine erklärte und die politischen Voraussetzungen dafür schaffen wollte, wurde natürlich das Bauprogramm der Marine hierauf abgestellt. Die Kapazität unserer Werften und Rüstungsindustrie wurde daher für den Bau einer Flotte eingesetzt, die in einem ausgewogenen Verhältnis schwere und leichte Überwasserstreitkräfte und Unterseeboote umfassen sollte. Für die Vorbereitung eines baldigen Seekrieges gegen England wäre die Inangriffnahme des Z-Planes selbstverständlich nicht zweckentsprechend gewesen. Militärisch wäre es dann richtig gewesen, nur U-Boote in größtmöglicher Zahl zu bauen; das hätte aber politisch einen provozierenden Bruch des Flottenabkommens bedeutet. Für eine solche Umstellung der Baupläne lag aber für mich nach den Versicherungen Hitlers kein Grund vor. Im Gegensatz dazu ist die politische Entwicklung eine andere und sind meine ständigen Warnungen umsonst gewesen. Dies war von den schwersten Folgen für die Marine und für ganz Deutschland.

Die Lage der Marine bei Kriegsbeginn

Bis 1938 hatte die Marine sich niemals mit England als Gegner beschäftigt. Erst bei den Vorüberlegungen für einen Bauplan der Marine, die seit Herbst 1938 im Gange waren, hatten wir uns über die Form eines in weiter Zukunft etwa möglichen Seekriegs mit England Gedanken machen müssen, ohne daß diese sich jedoch zu unmittelbaren Operationsplänen verdichtet hatten. Solche hätten auch jeder realen Grundlage entbehrt, da man die Entwicklung für sechs bis acht Jahre nicht voraussagen konnte.

Für den Kriegsfall mit Polen waren gemäß der ergangenen Anweisungen Pläne aufgestellt worden, die unter dem Stichwort »Fall Weiß« liefen. England gegenüber bestand kein richtiger festgelegter Kriegsplan. Nur hatten wir uns pflichtgemäß in unserer gedanklichen Vorbereitung auch mit diesem Fall beschäftigt; es kam nichts anderes als der Kampf gegen die englischen Seeverbindungen in Frage. Niemand in der Marine war sich darüber im Unklaren, daß zum damaligen Zeitpunkt in einem Kriege mit England keine durchgreifenden Erfolge zu erwarten waren. Unter anderem hatten sowohl der Flottenchef, Admiral Boehm, wie auch der Führer der U-Boote, Kommodore Dönitz, mir schon vor dem Kriege ihre dementsprechenden Ansichten vorgetragen, denen ich völlig zustimmte. Ich hatte beiden dem Sinne nach geantwortet, es wäre mein unablässiges Bemühen, Hitler dahin zu unterrichten, daß in einem jetzt etwa entstehenden Krieg die deutsche Marine nicht viel mehr tun könnte, als kämpfend und in Ehren unterzugehen.

Kommodore Dönitz legte mir bereits am 1. September 1939 ein Memorandum vor, in dem er eindeutig darauf hinwies, daß bei der geringen Zahl der vorhandenen U-Boote unmöglich die erwünschten und notwendigen Ergebnisse erzielt werden könnten. Er führte aus, daß die einzige Möglichkeit, auf den englischen Gegner einen Druck auszuüben, in dem Kampf gegen seine Seeverbindungen auf dem Atlantik bestände. Solange wir dafür nicht genügend Überwasserstreitkräfte hätten, würde dies hauptsächlich Aufgabe der U-Bootwaffe sein. Aber auch wenn wir ausreichende Überwasserstreitkräfte besitzen würden, würde das U-Boot immer noch das geeignetere und wirkungsvollere Mittel sein und müsse daher das Rückgrat der Kriegführung gegen England bilden. Er hielt für einen erfolgversprechenden Einsatz die gleichzeitige Tätigkeit von 90 U-Booten im Kriegsgebiet für erforderlich, was einer Gesamtzahl von ungefähr 300 für diese Art der Kriegführung geeigneten Booten entspräche. Diese Forderung hatte er schon im Winter 1938/39 auf Grund von Kriegsspielergebnissen erhoben. Von den am 1. September 1939 vorhandenen 57 U-Booten kämen 26 für eine operative Verwendung im Atlantik in Frage. Davon würden jeweils etwa 8 bis 9 Boote am Feind sein können. Mit einer so geringen Zahl wäre es nicht möglich, eine entscheidende Rolle im Kampf gegen die britische Zufuhr zu spielen. Dönitz forderte daher mit Recht, daß zur Verbesserung unserer Lage der U-Bootbau in stärkster Form unter Zurückstellung aller anderen Streitkräfte durchgeführt würde.

Die ernste Beurteilung der geringen uns verbleibenden Möglichkeiten im Seekrieg gegen England teilte ich durchaus.

Ich habe am 3. September 1939, dem Tage des Kriegseintritts von Frankreich und England meine grundsätzliche Auffassung schriftlich niedergelegt und aktenkundig gemacht. Ich führte dabei unter anderem aus, daß wir den Krieg entsprechend der Zusicherung Hitlers keinesfalls vor 1944 hätten erwarten können und Hitler bis zum letzten Augenblick geglaubt hätte, er könne ihn vermeiden, selbst wenn er die endgültige Regelung der Polenfrage hinausschieben müßte; er hatte dies in seiner Rede auf dem Obersalzberg am 22. August 1939 gesagt. Wenn wir den »Z-Plan« etwa bis 1945 hätten durchführen können, hätten wir zu diesem späteren Zeitpunkt Aussichten gegen die britische Flotte gehabt. Jetzt wäre die Marine in keiner Weise gerüstet, um in einen Krieg mit Großbritannien einzutreten. Sicher wäre in der kurzen Periode seit 1935 eine vorzüglich ausgebildete und gut organisierte U-Bootwaffe aufgebaut worden; aber sie wäre noch zu schwach, um von entscheidender Bedeutung zu sein. Die Überwasserstreitkräfte wären an Zahl und Stärke so unterlegen, daß sie nicht viel mehr tun könnten, als zu zeigen, daß sie tapfer zu sterben wüßten.

Diese nüchternen Feststellungen bedeuteten natürlich nicht, daß die Marine irgendwie resignierte oder bereit gewesen wäre, die Ungunst der Lage als unabänderlich hinzunehmen. Das hätte ihrem Geiste widersprochen. Sie hat im Gegenteil in den nun folgenden Kriegsjahren so viel an Kraft und Zähigkeit bewiesen, daß sie trotz ständiger Unterlegenheit und nie endender Knappheit an Material zu einer wirklichen Bedrohung für den Gegner wurde. Ich glaubte, die Marine nach meiner damals 45jährigen Zugehörigkeit in jeder Beziehung zu kennen — aber meine Erwartungen sind weit übertroffen worden. Ihre Leistungen sind um so höher zu werten, als die äußeren Voraussetzungen dafür keineswegs gut waren.

Schon das zahlenmäßige Stärkeverhältnis der beiderseitigen Überwasserstreitkräfte zeigte die schwierige Situation der deutschen Kriegsmarine. Unseren 2 Schlachtschiffen und 3

Panzerschiffen standen zusammen 22 britische und französische Schlachtschiffe gegenüber. Wir hatten keinen Flugzeugträger; der schon ziemlich weit fertiggestellte Träger »Graf Zeppelin« wurde nicht weitergebaut, da die Luftwaffe keine geeigneten Trägerflugzeuge entwickelt hatte. Der Gegner verfügte dagegen über 7 Flugzeugträger. Unseren 2 Schweren Kreuzern entsprachen 22 der anderen Seite. Bei den Leichten Kreuzern war das Verhältnis 6:61 und bei den Zerstörern und Torpedobooten 34:255.

Die Nachteile unserer geographischen Position hatten sich gegenüber dem ersten Weltkrieg kaum geändert. Zwar war jetzt die Verwendung eines Teiles unserer Flottenstreitkräfte auch außerhalb der Nordsee zu Handelskriegsunternehmungen wenigstens für kürzere Zeit möglich. Die Bedingungen dafür konnten sogar verbessert werden, wenn eine wirkungsvolle Versorgungsorganisation durch Troßschiffe, Öltanker und sonstige Hilfsschiffe aufgebaut wurde. Andrerseits aber war der Ausbruch deutscher Überwasserstreitkräfte von der Nordsee nach dem Atlantik infolge der feindlichen Luftaufklärung bedeutend schwieriger geworden.

Bei der zehnfachen zahlenmäßigen Überlegenheit des Gegners, die durch seine günstig gelegenen Stützpunkte noch erheblich gesteigert wurde, bestand nur dann die Aussicht, ihn in seiner Kriegführung zu beeinträchtigen, wenn wir alle Kräfte auf den Kampf gegen seine Überseeverbindungen konzentrierten. Die Zufuhr, besonders nach England, war seine einzige verwundbare Stelle, an der nun angesetzt werden mußte. U-Boote, Kreuzer, Panzerschiffe, Schlachtschiffe, später Hilfskreuzer, ferner Zerstörer und Schnellboote mußten in abgestimmter Wechselwirkung zum Einsatz gebracht werden. Dabei kam es nicht nur darauf an, daß unmittelbare Erfolge am Gegner erreicht wurden — das war natürlich das Ziel —, sondern es waren die Rückwirkungen von Vorstößen in der Nordsee auf die Kriegführung im Atlantik ebenso wie der

Einsatz von einzelnen Handelsstörern auf den weiten Seegebieten der Ozeane mit ihrem Einfluß auf den Gegner in Betracht zu ziehen. In unserer bedrängten Lage war entscheidend, daß wir uns die eigene Initiative nicht aus der Hand
nehmen ließen. Wir mußten anstreben, durch eine bewegliche
Führung des Seekrieges den Gegner zum Einsatz von Streitkräften an möglichst vielen verschiedenen Stellen zu zwingen
und dadurch seine Abwehr gegenüber unseren U-Booten und
Panzerschiffen zu zersplittern.

Hierbei wäre eine verständnisvolle und stoßkräftige Mit-
wirkung der Luftwaffe von großer Bedeutung gewesen. Entsprechend der »Weisung Nr. 1 des Oberkommandos der Wehr-
macht für die Kriegführung vom 31. August 1939« hatte die
Kriegsmarine »Handelskrieg mit dem Schwerpunkt gegen
England zu führen«. Die Luftwaffe dagegen sollte »in erster
Linie den Einsatz der feindlichen Luftwaffe gegen das deutsche
Heer und den deutschen Lebensraum verhindern. Bei der
Kampfführung gegen England ist der Einsatz der Luftwaffe
zur Störung der englischen Seezufuhr, der Rüstungsindustrie, der Truppentransporte nach Frankreich vorzubereiten.
Günstige Gelegenheiten zu einem wirkungsvollen Angriff
gegen massierte englische Flotteneinheiten, insbesondere gegen
Schlachtschiffe und Flugzeugträger sind auszunutzen ...«.
Nach dieser Weisung des Oberkommandos der Wehrmacht
war der Angriff gegen die englische Seezufuhr für die Luftwaffe nur ein Nebenziel, für dessen Wichtigkeit, wie sich bald
herausstellte, der Oberbefehlshaber der Luftwaffe nicht das
erforderliche Verständnis besaß. Die Seekriegführung gegen
die englische Zufuhr entbehrte infolgedessen zu einem wesentlichen Teil der Unterstützung durch ein Kriegsmittel, das nicht
wie die Seestreitkräfte in einer zahlenmäßigen und materiellen Unterlegenheit zu kämpfen brauchte. Damit war die Marine mit der Führung des Seekrieges gegen England fast allein
auf die eigene Kraft angewiesen. Das Hauptkampfmittel sah

die Seekriegsleitung — und darüber bestand bei niemand ein Zweifel — in den U-Booten; alle Maßnahmen mußten vor allem dazu dienen, deren Wirkung unmittelbar oder mittelbar zu erhöhen.

Bei der Schwäche unserer Seestreitkräfte mußte man damit rechnen, daß sie schließlich aufgebraucht sein oder durch Beschädigungen für längere Perioden ausfallen würden. Ihr Ersatz durch Neubauten war daher eine entscheidende Frage. Die bisherigen für eine längere Friedensperiode berechneten Baupläne mußten grundlegend auf einen schnell zur Wirkung kommenden Kriegsbauplan umgestellt werden. Dies bedeutete einen radikalen Abbruch des Schiffbaues, wie er nach dem Z-Plan gedacht war, und die Konzentration auf diejenigen Neubauten, die in absehbarer Zeit fertig werden konnten. Hauptsächlich waren das die U-Boote. Die Weiterarbeit an den großen Schiffen wurde eingestellt bis auf die beiden Schlachtschiffe »Bismarck« und »Tirpitz« und den Kreuzer »Prinz Eugen«, die in ihrem Bau schon weit fortgeschritten waren. Die freiwerdende Kapazität der Werften wurde überwiegend für den Bau von U-Booten eingesetzt.

Damit allein war es aber nicht getan. Die Knappheit an Material und Arbeitskräften und die starke Beanspruchung der gesamten Rüstungsindustrie durch Heer und Luftwaffe erforderten über den Rahmen der Marine hinaus, daß die Staatsführung auch ihrerseits das Hauptgewicht auf die Förderung des U-Bootbaues legte und nötigenfalls Beschränkungen auf anderen Gebieten dafür in Kauf nahm. Hierzu aber war Hitler nicht bereit. Es begann nun ein unablässiger Kampf der Marine um eine bevorzugte Behandlung ihres Kriegsbauprogramms sowie um die Zuteilung von Arbeitskräften, der nötigen Kapazität der Rüstungsindustrie und des erforderlichen Materials. In zahlreichen persönlichen Vorträgen, durch Einreichen von Denkschriften und Hinweise bei jeder Gelegenheit habe ich mich bemüht, bei Hitler den Vorrang der

Forderungen der Marine auf dem U-Bootgebiet durchzusetzen.

Aber es war nicht möglich, Hitler hiervon zu überzeugen und ihn zu den notwendigen wirkungsvollen Anordnungen zu veranlassen. Für sein Verhalten hatte er allerdings einen Grund, den ich aber nicht als stichhaltig anerkennen konnte: er hoffte noch immer, einer endgültigen Auseinandersetzung mit dem Westen aus dem Wege gehen zu können. Nach seiner Ansicht würde sich seine politische Stellung durch die erwarteten schnellen Erfolge im Landkrieg so stärken, daß er mit den Westmächten erneut zu Verhandlungen kommen könnte.

Diese Auffassung Hitlers hat sich auch für die Anfangsoperationen der Marine hemmend und nachteilig ausgewirkt. Ich hatte vorsorglich am 21. und 24. August 1939 die Panzerschiffe »Admiral Graf Spee« und »Deutschland« nebst einem Versorgungsschiff mit Genehmigung Hitlers in den Atlantik auf Wartestellungen auslaufen lassen, damit sie, falls es tatsächlich zu einem Kriege kommen sollte, sofort in ihrem Operationsgebiet waren. Die Entsendung dieser Schiffe sowie einiger U-Boote war eine Vorsichtsmaßnahme, wie sie in Krisenzeiten selbstverständlich von jeder Marine getroffen werden; sowohl englische wie französische Seestreitkräfte waren während der außenpolitischen Spannung des vorhergegangenen Herbstes mobilisiert gewesen. Die Maßnahme widersprach auch nicht meiner damals noch bestehenden Ansicht, daß nach dem Abschluß des deutsch-russischen Paktes ein Krieg mit England und Frankreich durch eine vernünftig gehandhabte Politik von unserer Seite vermieden werden könnte.

In seinem Bestreben, sich die letzte von ihm vermutete Möglichkeit nicht zu verbauen, wollte Hitler die erhofften Gespräche mit dem Westen keinesfalls vorbelasten durch etwaige gegnerische Verluste im Seekrieg, die das Prestige Englands als Seemacht berühren würden. Die Panzerschiffe erhielten auf seine Anordnung bei Kriegsausbruch die Weisung, in ihren Operationsgebieten nicht in Erscheinung zu treten, bis ihnen besondere Befehle zugingen; die U-Boote wurden mit starken Einschränkungen für ihre Operationen belastet. Die von Hitler für die Marine befohlene militärische Zurückhaltung hat uns zweifellos um viele Gelegenheiten gebracht, Anfangserfolge zu erzielen, die man dann erreichen kann, wenn man bei Kriegsbeginn schnell handelt. Die Umstellung der in der ganzen Welt verteilten englischen Handelsschiffahrt auf die Kriegsverhältnisse und vor allem die Organisation von Geleitzügen mußten nach unserer Ansicht längere Zeit beanspruchen, die wir ausnutzen mußten. Durch die Zurückhaltung der Schiffe und U-Boote verzichtete Hitler auf einen Teil der gerade in den ersten Kriegstagen und -wochen möglichen Erfolge.

Wenn ich auch Hitlers Auffassung und Erwartungen nicht teilte, so mußte die Seekriegführung doch seiner Linie angepaßt werden; ich machte die erforderlichen Vorschläge und erließ die sich daraus ergebenden Befehle. Zeitweise glaubte ich sogar, daß noch eine geringe Aussicht bestand, durch Schonung der französischen Schiffahrt und Seestreitkräfte etwas zu erreichen; aber als auch diese Hoffnung nach kurzer Zeit geschwunden war, habe ich mich für die Aufhebung der einschränkenden Befehle für den Seekrieg eingesetzt. Nur sehr langsam und schrittweise gab Hitler hierbei nach. Die Kommandanten, besonders die U-Bootkommandanten an der Front, kamen durch die sich immer wieder ändernden Befehle in schwierige Situationen, die wir gerade auf Grund der Erfahrungen des ersten Weltkrieges vermeiden wollten.

Als vorübergehende Maßnahme konnte es vielleicht noch vertretbar erscheinen, der Seekriegführung Beschränkungen aufzuerlegen, um eine politische Möglichkeit nicht aus der Hand zu geben. Aber unabhängig davon mußten wir uns rüstungsmäßig auf ein langes, schweres Ringen einstellen, wofür alle Wahrscheinlichkeit sprach. Dementsprechend war es notwendig, ohne Verzögerung und mit vollem Nachdruck alles zu tun, was dem Bau von U-Booten diejenige Dringlichkeit in der Gesamtrüstung sicherte, die ihnen als dem einzigen auf lange Sicht gegen England wirksamen Kriegsmittel zukam. Daß Hitler sich zu diesem Zeitpunkt nicht dazu entschließen konnte, hat sich später gerächt.

Es ist eine merkwürdige Erscheinung, daß Hitler, der gewiß nicht phantasielos war, sich trotz aller meiner Bemühungen in dieser Richtung niemals ein zutreffendes Bild über die Stellung Englands uns gegenüber gemacht hat. Er sah die schnelle und günstige Entwicklung des Feldzuges in Polen; ihm stand in dieser ganzen Zeit die Sorge vor Augen, daß Frankreich während des Polenkrieges angreifen könnte, und sicherlich hatte er sich auch Überlegungen gemacht, wann und in welcher Form er sich nach der Niederschlagung Polens gegen Frankreich wenden wollte. Aber offensichtlich waren seine Gedanken nie so weit gegangen, daß er sich ebenso gründlich mit den Möglichkeiten befaßte, die England als Seemacht uns gegenüber besaß. Er stellte nicht ausreichend in Rechnung, daß der Druck der britischen Flotte im Verein mit der geographischen Lage Englands sich allmählich immer stärker in militärischer und politischer Beziehung auswirken würde. Vielleicht hat er auch nicht genügend gewertet, daß England mit der Unterstützung durch den amerikanischen Präsidenten Roosevelt in der einen oder anderen Weise rechnen konnte.

Solange der Feldzug in Polen noch im Gange war und die Gefahr eines Zweifrontenkrieges an unserer östlichen und westlichen Grenze bestand, mochte es noch verständlich sein, daß ihn vornehmlich die Sorge vor einem französischen Angriff auf das Reichsgebiet bedrängte. Aber nach den Erfolgen in Polen, die die Überlegenheit unserer Heeresführung sowie die bessere Ausrüstung und Ausbildung unserer Truppen erkennen ließen, war die Lage auf dem Lande wesentlich günstiger geworden. Es hätte also nahegelegen, sich wenigstens jetzt mit der Drohung zu beschäftigen, die das für uns kaum angreifbare England bildete. Sie verdiente um so mehr Beachtung, als wir ihr zunächst nur mit ungenügenden Mitteln entgegentreten konnten; um ihr zu begegnen, mußten wir also alle Maßnahmen ergreifen, die unsere Stellung im Seekrieg mit England verbessern konnten. In Worten hat Hitler diese Notwendigkeit mir gegenüber verschiedentlich anerkannt; die nötigen Folgerungen hat er nicht daraus gezogen. Ich glaube, daß die vom Landkriege herkommende Einstellung Hitlers, die von vielen seiner Ratgeber geteilt wurde, für seine Handlungen bestimmend war. Aber sie war einseitig und damit bedenklich.

Selbst wenn Hitler sich zu Anfang noch der Illusion hingab, daß er den Krieg durch einen gewonnenen Feldzug an Land zur Beendigung bringen könnte, so mußte er doch wenigstens nach der Ablehnung seines Friedensangebotes, das er bei Abschluß der Feindseligkeiten in Polen gemacht hatte, sich völlig darauf umstellen, daß nunmehr auf den Kampf gegen die Seemacht England das entscheidende Gewicht zu legen war. In den Friedensjahren war ich der ständige Mahner gewesen, den Bogen in der Politik nicht zu überspannen und eine Gegnerschaft Großbritanniens unter allen Umständen zu vermeiden. Nun war es meine ebenso undankbare Aufgabe geworden, bei jeder Gelegenheit warnend darauf hinzuweisen, daß jetzt England unser wichtigster und auf die Dauer gefährlichster Gegner war.

Die Bedeutung der englischen Stellung beruhte auf zwei Faktoren: der Lage der britischen Inseln, durch die die Nordsee und damit die deutschen Häfen fast völlig vom Atlantik und den anderen Ozeanen getrennt sind, und der Stärke der britischen Flotte, die zusammen mit der Luftwaffe die Zugänge von der Nordsee zum Atlantik zwar nicht hermetisch, aber doch sehr wirkungsvoll abschloß und außerdem zu gleicher Zeit auf allen Ozeanen aufzutreten vermochte. Ohne auch nur einen Schuß von britischer Seite waren wir durch die englische Seemacht in kürzester Frist von allen Überseeverbindungen abgeschnitten. Unsere Handelsflotte war für ihre eigentliche Aufgabe ausgefallen, der deutsche Seehandel zum Erliegen gekommen. Ein großer Teil unserer auf Fahrt befindlichen Handelsschiffe hat es trotzdem fertiggebracht, in den ersten Wochen und Monaten des Krieges nach langen abenteuerlichen Reisen, unter unsäglichen Schwierigkeiten und durch Umgehen oder Täuschung der britischen Überwachung deutsche Häfen zu erreichen. Die Handelsschiffskapitäne und ihre Besatzungen haben Mut, Klugheit, List und kühne Seemannschaft in hervorragender Form gezeigt. Mit dem Durchbruch nach der Heimat begann die gewaltige Leistung der deutschen Handelsmarine und Fischereiflotte im Rahmen des Seekrieges, der ich nur meine uneingeschränkte Achtung bezeugen kann. Was ihre Angehörigen Seite an Seite mit der Kriegsmarine an Einsatzfreudigkeit, Zähigkeit und Geschicklichkeit bis zum Kriegsende bewiesen haben, was sie an Opfern und Verlusten in Kauf genommen haben, kann nicht hoch genug anerkannt werden.

Während die Ausschaltung des deutschen Überseehandels sich fast automatisch vollzog, waren unsere Möglichkeiten, den britischen Seehandel anzugreifen, nur sehr gering; aber sie mußten bis zum Äußersten ausgenutzt werden. Bei dem gegenseitigen Stärkeverhältnis kam es nicht in Frage, von uns aus Zusammenstöße mit der überlegenen englischen Flotte selbst herbeizuführen. Vielmehr mußte versucht werden, solche Kämpfe zu vermeiden und dafür unsere Streitkräfte dort anzusetzen, wo auf der Weite der Ozeane schwache Punkte in der Sicherung des gegnerischen Handelsverkehrs erkennbar waren; dort bestand die Aussicht, ihn durch überraschende Schläge zu schädigen, ohne daß stärkere feindliche Streitkräfte zur Abwehr in Erscheinung treten konnten. Eine solche Art der Kriegführung erforderte eine große Beweglichkeit der höheren Führung wie besonders der Streitkräfte in See. Gewisse Voraussetzungen dazu waren gegeben. Die U-Boote waren durch ihre Tauchfähigkeit in der Lage, auch in Gebieten wirkungsvoll aufzutreten, die vom Gegner beherrscht wurden. Die Panzerschiffe hatten durch ihren Dieselantrieb einen erheblichen Fahrbereich, der ihnen Operationen in weiterer Entfernung von der Heimat gestattete. Die Schlachtschiffe »Scharnhorst« und »Gneisenau« sowie die Zerstörer besaßen durch den Hochdruckdampfantrieb eine sehr hohe Gefechts- und vor allem Dauergeschwindigkeit. Wenn zu diesen — zahlenmäßig allerdings schwachen — Streitkräften in absehbarer Zeit noch gut getarnte Hilfskreuzer hinzutraten und wenn die Versorgung der in See befindlichen Schiffe und U-Boote durch eine umfangreiche Nachschuborganisation verbessert wurde, konnten Erfolge im Zufuhrkrieg erwartet werden.

Wie hoch die Ergebnisse sein würden, konnte niemand voraussehen. Je überlegter und planvoller, aber auch je energischer und kühner unsere wenigen Streitkräfte von der Seekriegsleitung eingesetzt wurden, um so größer mußte die Wirkung auf den Gegner sein. Auch wenn dabei die Schiffe und U-Boote auf das Stärkste beansprucht und abgenutzt wurden, durfte dies nicht zu einer zaudernden Zurückhaltung führen. Als die Schwächeren konnten wir es uns nicht leisten, abzuwarten und nur zufällige günstige Gelegenheiten auszunutzen. Damit waren keine Erfolge zu erzielen, und das Gesetz des Handelns wäre an den Gegner übergegangen. Es war vielmehr von vornherein meine Absicht — die durchaus der allgemeinen Einstellung in der Marine entsprach —, sämtliche Streitkräfte zur Schädigung und Beunruhigung des Gegners einzusetzen, soweit das überhaupt möglich war. Ich war bereit, dafür ein erhebliches Risiko zu übernehmen.

Bei einer derartigen Führung der Streitkräfte durch die Seekriegsleitung wurde ebenfalls den Befehlshabern und Kommandanten während der Operationen eine sehr große Verantwortung auferlegt, so daß sie oft vor schweren Entscheidungen standen. Sie sollten sichtbare Erfolge erzielen, mußten aber zugleich ihre Schiffe möglichst lange gefechtsfähig erhalten. Die Operationsbefehle, die sie mitbekamen, enthielten daher die Weisung, dem Kampf mit überlegenen feindlichen Streitkräften auszuweichen und auch Gefechte mit einem schwächeren Gegner im allgemeinen zu vermeiden. Die Seebefehlshaber mußten ferner ihre Brennstoffvorräte und ihren Munitionsbestand in ihre Überlegungen einbeziehen und mußten die Aussichten eines Erfolges mit der Größe des Einsatzes abwägen. Der Gegner konnte bei der Zahl seiner Streitkräfte ein hohes Risiko in Kauf nehmen, im Fall von Beschädigungen bald einen eigenen Stützpunkt erreichen und etwaige Verluste leicht verschmerzen. Bei uns dagegen stellte jeder Schiffsuntergang, ja schon jede ernstere Beschädigung einen praktisch unersetzlichen Verlust dar. Dazu kam die notwendige Rücksicht auf die Neutralen, mit denen Zwischenfälle unbedingt vermieden werden sollten. Es war also ein schmaler Grat, auf dem sich die in See befindlichen Befehlshaber und Kommandanten mit ihren Entscheidungen zu bewegen hatten.

Im Seekrieg liegen Erfolg und Mißerfolg meist dicht beieinander. Ein falscher oder zu später Entschluß, für den oft nur Minuten zur Verfügung stehen, die Fehlbeurteilung einer Nachricht, eine störende Wetteränderung oder gar ein unglücklicher Treffer können die Gunst einer Lage in ihr Gegenteil verkehren; genauso wie sich in einer hoffnungslos erscheinenden Situation durch das Verhalten des Gegners ein Ausweg oder ein Erfolg ergeben kann. Von den Besonderheiten des Seekrieges hatte Hitler als sehr landgebundener Mensch keine rechte Vorstellung. Er hatte auf der einen Seite immer eine starke Sorge um die großen Schiffe, wenn sie in See waren; andrerseits glaubte er, in unserer Art der Handelskriegführung ein Abweichen von dem eigentlichen Kampfzweck des Kriegsschiffes sehen zu müssen und führte Mißerfolge dann zu Unrecht auf einen nicht genügenden Einsatzwillen zurück.

Wenige Tage vor Kriegsbeginn waren, wie erwähnt, die beiden Panzerschiffe »Deutschland« und »Admiral Graf Spee« auf Wartestellungen in den Atlantik entsandt worden; sie erhielten aus den geschilderten politischen Gründen erst Ende September 1939 Handlungsfreiheit. Ihr Auftreten übte eine große Wirkung auf die englische Schiffahrt aus und veranlaßte die britische Marine zu zahlreichen Gegenmaßnahmen. Panzerschiff »Deutschland« kehrte nach wenig erfolgreicher Fahrt Ende November 1939 aus dem Nordatlantik zurück, während »Admiral Graf Spee« unter der sehr geschickten Führung seines Kommandanten, Kapitän zur See Langsdorff, im Südatlantik und im Indischen Ozean bei häufigem Wechsel seines Operationsgebietes beachtliche Versenkungserfolge aufzuweisen hatte. Der Kommandant beabsichtigte, zur Durchführung dringender Reparaturen etwa im Januar 1940 den Rückmarsch anzutreten, jedoch vorher in einem Gebiet starken feindlichen Schiffsverkehrs vor der südamerikanischen Ostküste zu operieren.

Auf der Höhe der La Plata-Mündung traf er dabei am 13. Dezember 1939 auf britische Streitkräfte, die aus dem Schweren Kreuzer »Exeter« und den beiden Leichten Kreuzern »Ajax« und »Achilles« bestanden und von Commodore Harwood taktisch erfolgreich geführt wurden. Es gelang dem deutschen Panzerschiff zwar, den feindlichen Schweren Kreuzer niederzukämpfen, so daß dieser sich vom Gefechtsfeld zurückziehen mußte. In dem Gefecht hatte aber auch »Admiral Graf Spee« neben Verlusten an Gefallenen und Verwundeten so erhebliche Schäden durch die Artillerie der drei Gegner erlitten, daß das Schiff nicht mehr genügend Seefähigkeit besaß, um den beabsichtigten Rückmarsch in die Heimat durch die Winterstürme des Nordatlantik durchzuführen. Der Kommandant, der selbst verwundet worden war, hoffte, in Montevideo die dringendsten Arbeiten zur Wiederherstellung der Seefähigkeit des Schiffes erledigen zu können, und meldete diese Absicht an die Seekriegsleitung. Die uruguayische Regierung verweigerte jedoch unter starkem englischen Druck die Erlaubnis für einen längeren Aufenthalt als zweiundsiebzig Stunden, die zur Reparatur nicht ausreichten.

Über dem Schicksal des Schiffes und seines Kommandanten waltete eine tiefe Tragik. Kapitän zur See Langsdorff, der ein besonders fähiger und charaktervoller Offizier war, hatte das Bewußtsein, das Gefecht erfolgreich überstanden zu haben, nachdem sein Hauptgegner schwer beschädigt aus Sicht gekommen war und die beiden ihm an Geschwindigkeit überlegenen Leichten Kreuzer abgedreht hatten. Letztere aber hielten auf große Entfernung weiter Fühlung und stellten fest, daß er die La Plata-Mündung ansteuerte. Die Seekriegsleitung hatte in die Entscheidung des Kommandanten nach dem Gefecht zunächst nicht eingegriffen, da in Berlin die Einzelheiten des Kampfes und der Zustand des Schiffes nicht zu übersehen waren. Der Kommandant hatte dann aus Montevideo gemeldet, daß starke englische Streitkräfte vor der La Plata-Mündung ständen. Die Meldung beruhte auf einer Irreführung durch den englischen Nachrichtendienst, der durch geschickt gesteuerte Meldungen den Kommandanten zu der Überzeugung gebracht hatte, daß inzwischen weit überlegene britische Streitkräfte, darunter ein Flugzeugträger und ein Schlachtkreuzer, vor der La Plata-Mündung versammelt wären. Tatsächlich sind die schweren britischen Streitkräfte zu dieser Zeit noch weit entfernt gewesen. Dies war aber weder dem Kommandanten noch der Seekriegsleitung bekannt. Das Schiff war durch das Anlaufen von Montevideo und die Haltung der uruguayischen Regierung in eine Lage gekommen, aus der es nur durch einen gewaltsamen Ausbruch durch die vor der La Plata-Mündung vermuteten überlegenen britischen Streitkräfte herauskommen konnte. Der Kommandant meldete, daß er den Durchbruch versuchen wolle; falls dieser nicht möglich wäre, bäte er um Entscheidung, ob sein Schiff interniert oder auf flachem Wasser gesprengt werden sollte.

Hitler stimmte meinem Vorschlag zu, daß die Absichten des Kommandanten gebilligt würden, jedoch eine Internierung in Uruguay nicht in Frage käme. Sein Standpunkt war, daß »Admiral Graf Spee« wenn irgend möglich den Ausbruch versuchen müßte. Vielleicht würde dann wenigstens noch ein letzter militärischer Erfolg durch Versenkung eines Gegners erzielt werden können. Die Entscheidung mußte natürlich dem Kommandanten überlassen bleiben, der allein die Verhältnisse an Ort und Stelle übersehen und die noch vorhandene Kampfkraft seines Schiffes beurteilen konnte. Langsdorff kam zu dem Schluß, daß ein Durchkämpfen in freies und tiefes Wasser mit einiger Aussicht auf eine wirksame Schädigung des Gegners bei dessen vermuteter Stärke und vor allem bei dem geringen Munitionsbestand, über den »Admiral Graf Spee« nach dem langen Kampf mit den drei Kreuzern noch verfügte, nicht möglich war. In dem bestimmt zu erwartenden Gefecht mit den weit überlegenen Gegnern würde sein Schiff niedergekämpft werden. Es würde aber in dem flachen Wasser des La Plata nicht sinken können; vielmehr bestände die Gefahr, daß es dann mit allen seinen Einrichtungen in Feindeshand fiele. Der Kommandant entschloß sich daher, das Schiff — ohne Einwirkung des Gegners — selbst zu versenken und dabei so gründliche Zerstörungen vorzunehmen, daß das Wrack für den Gegner wertlos gemacht wurde; gleichzeitig konnte er so seine Besatzung retten. Diese Absicht führte er aus. Das Schiff wurde am 17. Dezember 1939 außerhalb der Hoheitsgewässer auf flachem Wasser durch Sprengen der Munition und Torpedos zerstört, die Besatzung vollzählig nach Buenos Aires überführt. Kapitän zur See Langsdorff nahm sich, nachdem er seine letzte Pflicht als Kommandant erfüllt hatte, das Leben.

Obgleich ich die unerwartete und schwierige Lage des Schiffes mit Hitler eingehend besprochen hatte, war er mit dem

Ergebnis nicht zufrieden und äußerte seinen Unwillen über die Entscheidung des Kommandanten und vor allem auch über die Befehle, die dieser von der Seekriegsleitung mitbekommen hatte. Er beanstandete namentlich, daß die draußen operierenden Kriegsschiffe die Weisung hatten, allen Gefechten mit feindlichen Seestreitkräften möglichst aus dem Wege zu gehen, um ihre Hauptaufgabe, die Schädigung und Unterbindung der feindlichen Zufuhr, erfüllen zu können. Hitler sah in dem Kampf gegen die feindlichen Kriegsschiffe die eigentliche Aufgabe der eigenen Streitkräfte, insbesondere der großen Schiffe, und hatte für deren mittelbare Wirkung auf den Gegner kaum Verständnis. Er ließ die Verwendung der U-Boote, Hilfskreuzer und leichten Streitkräfte für den Zufuhrkrieg wohl gelten. Doch schon bei Kreuzern und Panzerschiffen hielt er den Einsatz für solche Aufgaben nur eben noch für gerechtfertigt, während er ihn bei Schlachtschiffen als zu groß ansah. Er rechnete sich aus, daß einige wenige U-Boote mit geringerem Aufwand mehr erreichen könnten. Von dem Einfluß, den die Operationen unserer großen Schiffe auf den Gegner ausübten, konnte er sich keinen richtigen Begriff machen. Daß durch sie ein Mehrfaches an Streitkräften des Feindes gebunden, seine Abwehr zersplittert sowie sein Versorgungssystem durch Umleiten von Geleitzügen, Sperrung von Seegebieten und überhaupt durch die allgemeine Unsicherheit gestört wurde, zählte für ihn nicht; ihm lag in erster Linie an den für jedermann sichtbaren Erfolgen.

Ferner war Hitler der Ansicht, daß es für die Befehlshaber und Kommandanten nach Beginn eines Gefechtes keinen anderen Gesichtspunkt geben durfte als den, den Kampf erfolgreich durchzustehen und bei schwerer Beschädigung oder gar Verlust des eigenen Schiffes wenigstens dem Gegner noch soweit als möglich Schaden zuzufügen. Eine solche Auffassung hat natürlich ihre Berechtigung — wenigstens bis zu einem bestimmten Grade. Die Lage ist aber in den wenigsten Fällen so einfach, daß andere Gesichtspunkte ganz auszuschalten sind. Bei dem völligen Fehlen von Reparaturstützpunkten auf den Ozeanen und ohne Rückhalt an stärkeren eigenen Streitkräften bedeutete jede größere Beschädigung eines unserer Schiffe im Gefecht das Ende seiner Tätigkeit im Zufuhrkrieg und damit seiner Wirkung auf den Gegner. Die Befehlshaber und Kommandanten standen daher stets beim Zusammentreffen mit dem Gegner vor schwierigen Entscheidungen. Ich war der Auffassung, daß bei dem Ende des Panzerschiffes »Admiral Graf Spee« die Fehlentscheidung des Kommandanten darin lag, daß er sich überhaupt auf das Gefecht mit den britischen Seestreitkräften eingelassen hatte. Langsdorff hatte sich beim Sichten der drei feindlichen Schiffe sofort zum Angriff entschlossen in der Annahme, aus der Anwesenheit britischer Streitkräfte auf die Nähe eines wertvollen Geleitzuges schließen zu können, den er nach Niederkämpfen der Sicherung aufzufinden hoffte. Dieser Entschluß läßt seinen Angriffswillen klar erkennen. Er widersprach aber der allgemeinen Weisung, die die Seekriegsleitung erlassen hatte. Wie später bekannt geworden ist, haben nicht weniger als fünf Gruppen von Schlachtschiffen, Flugzeugträgern und Kreuzern im Südatlantik gegen »Admiral Graf Spee« operiert. Die Bindung von diesen starken Streitkräften fiel mit dem Augenblick weg, in dem das Panzerschiff durch Treffer im Gefecht so schwer beschädigt war, daß es nicht mehr seine volle Gefechtsfähigkeit und damit Handlungsfreiheit hatte. Hitler dagegen meinte, in der von der Seekriegsleitung befohlenen Art des Vorgehens — Angriff auf die Seeverbindungen unter Ausweichen vor feindlichen Schutzstreitkräften — einen Mangel an Kampfgeist erblicken zu müssen. Bei ihm entstand das durchaus unberechtigte Mißtrauen, daß sich die älteren Offiziere der Marine zu sehr in strategischen Überlegungen bewegten und — im Gegensatz zu den jüngeren Zerstörer- und U-Bootkommandanten — der unmittelbaren Kampfaufgabe zu wenig Beachtung schenkten. Ihm war dabei nicht bewußt, daß jeder Befehlshaber in See, auch der U-Bootkommandant, laufend vor Entscheidungen ähnlicher Art steht, wenn er in Fühlung mit dem Gegner kommt. Ich glaube, daß der Unterschied zwischen meiner Auffassung von den Grundsätzen des Seekrieges und der Einstellung Hitlers eine der Wurzeln für unser späteres Zerwürfnis gewesen ist.

Die Maßnahmen der Marine bei Kriegsausbruch gingen in verschiedene Richtungen. Zunächst war es notwendig, die Ein- und Auslaufwege in der Deutschen Bucht zu sichern. Der Oberbefehlshaber des Marinegruppenkommandos West, Admiral Saalwächter, erhielt am 3. September 1939 den Befehl, sofort in der Nordsee mit dem Auslegen eines Systems von Minensperren, des sogenannten »Westwalls«, zu beginnen, der sich von Terschelling bis auf die Breite von Horns Riff erstreckte. Im Gegensatz zu den Schutzsperren des ersten Weltkrieges, die nur die Helgoländer Bucht eng abschlossen, umgaben jetzt diese Sperren in weitem Bogen die Deutsche Bucht, so daß durch sie ein umfangreiches Seegebiet entlang der Küste gegen den Einbruch feindlicher Streitkräfte, insbesondere auch gegen den Anmarsch von Minenlegern, geschützt wurde. In Verbindung mit den normalen Minensperren waren an geeigneten Stellen U-Bootminensperren gelegt, um getauchte feindliche U-Boote zu treffen. Minenfreie Ausmarschwege nach Westen und Norden waren vorgesehen; ein Weg, der die neutrale Schiffahrt außerhalb der Sperren frei durch die Nordsee führte, war anfänglich durch Feuerschiffe gekennzeichnet. Das gefährdete Gebiet wurde durch Funkspruch bekanntgegeben. Die Sperren wurden in den ersten Kriegsnächten unter Führung des Befehlshabers der Aufklärungsstreitkräfte, Vizeadmiral Densch, in angestrengtester Arbeit von Kreuzern, Zerstörern und dem Aviso »Grille« im Westen beginnend geworfen. Zu unserer Überraschung erfolgte keinerlei Störung von englischer Seite. Nach kurzer Zeit war so ein Seegebiet geschaffen, innerhalb dessen eine gute Flankensicherung für ein- und auslaufende Streitkräfte entstand. Die Sperren wurden im Laufe der Zeit immer weiter nach Norden verlängert. Der Ausgang der Deutschen Bucht wurde auf diese Weise praktisch erheblich nach Norden vorgeschoben und eine während des ganzen Krieges wirksam gebliebene Sicherung unserer Auslaufwege erreicht.

Sehr bald nach dem Auslegen dieser Defensivsperren fingen wir mit dem Werfen von Minen an der englischen Küste durch Zerstörer und U-Boote an. Die nächtlichen Vorstöße der Zerstörer in die britischen Gewässer wurden unter Ausnutzung ihrer hohen Dauergeschwindigkeit und der Dunkelheit des Spätherbstes und Winters ohne Verluste durch den Gegner durchgeführt. Wir verloren aber zwei Zerstörer als Folge des Angriffs eines eigenen Flugzeuges, das von dem Inseesein der eigenen Schiffe nicht unterrichtet war und sie für feindliche gehalten hatte — ein bitterer Beweis, wie falsch es war, daß nicht alle in den Seekrieg eingreifenden Kampfmittel von einer einzigen Stelle aus geführt und eingesetzt wurden.

An dem Minenlegen vor der englischen Küste beteiligten sich auch Flugzeuge. Zwischen Göring und mir hatte eine Meinungsverschiedenheit bestanden, zu welchem Zeitpunkt mit dem Werfen von Minen begonnen werden sollte. Die Minen der Marine waren fertig, und ich hielt es für notwendig, sie möglichst bald zur Wirkung zu bringen, bevor die Engländer ihre Küstengewässer durch Verteidigungssperren für uns unpassierbar gemacht hatten und solange die Nächte lang genug waren, um den unbemerkten An- und Rückmarsch der Zerstörer zu ermöglichen. Die Luftwaffe wollte dagegen warten, bis die Massenherstellung von Flugzeugminen angelaufen wäre. Schließlich beteiligte sie sich doch an den Operationen. Leider wurde eine Flugzeugmine auf eine Sandbank statt in das Fahrwasser geworfen. Sie konnte von den Engländern geborgen und auseinandergenommen werden. In kurzer Zeit hatten sie die erforderlichen Gegenmittel entwickelt, so daß unsere Minenoffensive wesentlich an Wirkung verlor.

Der Verwendung der U-Boote waren, wie erwähnt, starke Beschränkungen auferlegt, um Zwischenfälle mit Neutralen zu vermeiden. Die U-Boote hatten Befehl, genau nach der »Prisenordnung« zu verfahren, in der die internationalen Regeln und die Vereinbarungen über die Kriegführung durch U-Boote enthalten waren. Trotz aller Vorsichtsmaßnahmen und Anordnungen kam es schon wenige Stunden nach Kriegsbeginn zu einem Zwischenfall. Ein deutsches U-Boot versenkte entgegen den erteilten Befehlen den britischen Passagierdampfer »Athenia«, wobei eine Anzahl Fahrgäste, darunter auch amerikanische Staatsbürger, den Tod fanden. Der Dampfer war von dem U-Boot außerhalb der üblichen Schiffahrtswege angetroffen worden. Da er keine Lichter gesetzt hatte, sondern abgeblendet und mit Zickzackkursen fuhr, hatte der U-Bootkommandant annehmen müssen, daß es sich um einen britischen Hilfskreuzer handelte. Er hatte daher auch über die Versenkung keine Meldung durch Funkspruch erstattet. Die Seekriegsleitung befand sich infolgedessen in dem berechtigten Glauben, daß das sehr bald durch ausländische Nachrichten gemeldete Sinken des Dampfers nicht von einem deutschen U-Boot herbeigeführt sein könnte; ein entsprechendes Dementi wurde herausgegeben. Erst nach Rückkehr des U-Bootes ergab sich der wahre Sachverhalt. Nun aber bestand Hitler aus politischen Gründen darauf, daß der Tatbestand keiner anderen deutschen oder ausländischen Stelle gegenüber richtiggestellt werden durfte, um Komplikationen mit den Vereinigten Staaten von Amerika über einen Vorfall zu vermeiden, der — so bedauerlich er war — nicht wieder gutgemacht werden konnte. Die Marine konnte dabei nichts anderes tun, als die unbedingte Geheimhaltung des Vorfalles sicherzustellen. Zu meiner größten Überraschung wurde dann kurze Zeit später vom Propagandaministerium verbreitet, das Schiff sei auf Veranlassung von Churchill, dem Ersten Lord der britischen Admiralität, versenkt worden. Dies war eine ebenso törichte wie erfolglose Propagandamaßnahme, die völlig ohne vorherige Kenntnis oder Befragung der Marine erfolgte. Das Gegenteil der erhofften Wirkung trat ein.

Die Folgen der Versenkung der »Athenia« waren für die Seekriegführung sehr störend und nachteilig. Gerade einen solchen Fall hatten wir unbedingt vermeiden wollen und hatten alle denkbaren Sicherungen dagegen getroffen; die falsche und ungeschickte Behandlung der Angelegenheit durch das Propagandaministerium hatte den Schaden noch erheblich vergrößert. Die bestehenden Befehle wurden noch weiter verschärft, indem wir sogar soweit gingen, daß Passagierdampfer selbst dann nicht angegriffen werden durften, wenn sie im Geleit von Kriegsschiffen fuhren. Diesen Befehl haben wir noch bis August 1940 aufrechterhalten, obgleich eine rechtliche Verpflichtung für eine solche Ausnahmebehandlung nicht bestand.

In allen Anweisungen und Befehlen, die unsere U-Boote erhielten, haben wir uns grundsätzlich auf völkerrechtlich einwandfreiem Boden bewegt. Wir waren dem Londoner U-Bootsabkommen von 1930 im Jahre 1936 beigetreten. Nach den dabei getroffenen Vereinbarungen waren U-Boote zum Anhalten und zur Untersuchung von Handelsschiffen in derselben Weise verpflichtet wie die Überwasserschiffe. Eine Versenkung ohne vorherige Untersuchung war nur unter folgenden Voraussetzungen möglich: einwandfrei erkannte Truppentransporter; Handelsschiffe, die im Geleit von Kriegsschiffen oder Flugzeugen fuhren; Handelsschiffe, die sich an Kampfhandlungen beteiligten oder zur Übermittlung von Nachrichten verwandt wurden. Damit waren nur diejenigen Handelsschiffe für den warnungslosen U-Bootangriff freigegeben, die in unmittelbarem Dienst der feindlichen Kriegführung standen. Bewaffnete Handelsschiffe sollten solange als

191

friedliche Kauffahrteischiffe gelten, als sie ihre Bewaffnung nur zur Verteidigung und nicht zum Angriff verwendeten. Diese Bestimmungen waren neben anderen internationalen Vereinbarungen in die erwähnte deutsche »Prisenordnung« aufgenommen, die von Vertretern des Auswärtigen Amtes, der Kriegsmarine, des Reichsjustizministeriums und des Instituts für Völkerrecht und ausländisches öffentliches Recht sorgfältig ausgearbeitet war.

Den U-Booten wurden darüber hinaus noch weitere Beschränkungen in der Waffenverwendung auferlegt wie zum Beispiel die Schonung von französischen Schiffen, die aus politischen Gründen erfolgte. Dagegen erließ die britische Admiralität eine Reihe von Anordnungen, die die englischen Handelsschiffe immer mehr in den Dienst der Kriegführung stellten und uns zu Gegenmaßnahmen zwangen. Die britischen Handelsschiffe erhielten Anfang September 1939 Anweisung, gesichtete deutsche U-Boote drahtlos zu melden. Dadurch wurden sie in den feindlichen Nachrichtendienst eingegliedert, so daß wir uns veranlaßt sahen, unseren U-Booten ein Vorgehen mit Waffengewalt gegen solche feindlichen Handelsschiffe zu befehlen, die von ihrer Funktelegrafie Gebrauch machten, wenn sie von einem U-Boot zur Untersuchung angehalten wurden. Der britischen Anweisung, daß die Handelsschiffe nachts abgeblendet fahren sollten, begegneten wir mit der Anordnung des Waffengebrauchs gegen abgeblendete Handelsschiffe, da sie von Hilfskriegsschiffen nicht zu unterscheiden waren. Als die britische Admiralität am 26. September 1939 bekanntgab, daß sie die Handelschiffe bewaffnete, und ihnen am 1. Oktober den Befehl erteilte, gegen U-Boote angriffsweise vorzugehen und sie zu rammen, blieb uns nur übrig, nunmehr den Angriff gegen feindliche Handelsschiffe, deren Bewaffnung einwandfrei erkannt war, freizugeben. Dieser Befehl wurde dann auf alle Feindschiffe ausgedehnt, da die Bewaffnung oft verdeckt aufgestellt und daher nicht erkennbar war. Nach wie vor blieben Passagierdampfer von jedem Angriff ausgenommen. Sämtliche Befehle, die an unsere U-Boote ergingen, enthielten außerdem die Anweisung, alle Vorkehrungen für die Rettung der feindlichen Besatzungen zu treffen, die möglich waren. Inzwischen waren zahlreiche Meldungen bei uns eingegangen, daß die britischen Handelsschiffe die Anordnungen ihrer Admiralität tatsächlich durchführten. Fast alle feindlichen Schiffe gaben bei Sichten eines deutschen U-Bootes einen Funkspruch mit einer Standortmeldung ab und zogen dadurch in den meisten Fällen sehr bald die U-Bootabwehr heran. Bereits wenige Tage nach Kriegsausbruch wurde ein deutsches U-Boot von einem britischen Dampfer beschossen. In den ersten drei Monaten des Krieges wurden etwa tausend britische Handelsschiffe mit Geschützen bewaffnet. Das Vorgehen unserer U-Boote gegen die feindliche Schifffahrt ist völlig korrekt und völkerrechtlich einwandfrei gewesen. Alle Versuche der Anklagebehörde in Nürnberg, die deutsche U-Bootkriegführung nachträglich zu diffamieren, sind daher auch gescheitert. Das Internationale Militärtribunal lehnte es ab, Großadmiral Dönitz und mich wegen der Führung des U-Bootkrieges für schuldig zu erklären.

Wenn den U-Booten auch erhebliche Einschränkungen auferlegt werden mußten, so wurden doch die Erwartungen von ihren Erfolgen weit übertroffen. Im September 1939 konnten vierzig Schiffe mit 153 000 Bruttoregistertonnen versenkt werden; hierzu kamen noch neun Schiffe mit 31 000 BRT, die auf U-Bootminen vor englischen Häfen gelaufen waren. Ich habe Hitler gleich nach Beendigung des Polenfeldzuges zu einem Besuch des U-Bootstützpunktes in Wilhelmshaven veranlaßt. Meine Absicht war dabei, Hitler durch Gespräche mit dem Führer der U-Boote und den U-Bootbesatzungen für die Unterseebootwaffe und ihre Hauptaufgabe, den Kampf gegen die feindlichen Seeverbindungen, zu interessieren. Mehrere Boote waren gerade von ihrer ersten Feindfahrt zurückgekehrt, und die Besatzungen waren so, wie sie aus See kamen, zum Teil noch mit Bärten, angetreten. Einige Tage vorher, am 17. September 1939, hatte ein U-Boot den britischen Flugzeugträger »Courageous« versenkt. Der Kommandant des Bootes, Kapitänleutnant Schuhart, befand sich unter den Offizieren, die frisch und ohne Hemmungen Hitler von ihren Fahrten berichteten. Der Eindruck auf ihn war sehr günstig. Er wurde kurze Zeit später noch vertieft, als Kapitänleutnant Prien nach Rückkehr von Scapa Flow, wo er am 19. Oktober 1939 im englischen Hauptstützpunkt das Schlachtschiff »Royal Oak« versenkt hatte, sich in Berlin bei Hitler meldete. Die Berliner Bevölkerung jubelte ihm und seiner Besatzung begeistert zu. Das Eindringen in Scapa Flow war der persönliche Plan von Konteradmiral Dönitz gewesen, der durch sorgfältige Arbeit in seinem Stabe die Möglichkeit dazu entdeckt hatte. In den ersten Monaten konnte zwar die neue Form des Gruppenangriffs der U-Boote auf Geleitzüge noch nicht zum Tragen kommen, weil ihre geringe Zahl zur Einzelverwendung zwang. Aber Können, Angriffsgeist und sichere Führung durch ihren Befehlshaber traten schon von Anfang an zutage. Die Leitung der in See befindlichen U-Boote erfolgte durch Funkbefehle von der Führungsstelle des Befehlshabers der U-Boote.

In gleicher Weise konnten wir unsere Überwasserstreitkräfte mit Hilfe der drahtlosen Telegraphie auf allen Ozeanen ohne besondere Schwierigkeit erreichen. Damit war die Möglichkeit gegeben, in einzelne Operationen durch direkte Befehle der Seekriegsleitung einzugreifen, gleichzeitig aber auch die Gefahr, die Entschlußfreiheit des in See befindlichen militärischen Führers zu beeinträchtigen. Jede Lage sieht sich an Ort und Stelle anders an als am Kartentisch in der Heimat. In allen Fällen wird der Befehlshaber draußen in taktischer Beziehung den besseren Einblick haben. Da er — außer bei Feindberührung — keine Funksprüche abgeben kann, um seinen Standort nicht zu verraten, sind die von ihm gemachten Beobachtungen der Seekriegsleitung meist nicht bekannt, während er von dieser jederzeit über die bei ihr eingehenden Nachrichten informiert werden kann. Ich habe übereinstimmend mit allen älteren Offizieren Wert darauf gelegt, den in See befindlichen Befehlshabern und Kommandanten die eigene Entscheidung zwar durch Übermittlung von Nachrichten, Unterlagen und Lagebeurteilungen zu erleichtern, aber nicht durch Eingreifen mit Befehlen zu erschweren. Ein Eingreifen der oberen Führung in Operationen sollte nur in dringenden Fällen über »Weisungen« hinausgehen, dann aber auch von dem Befehlenden die volle Verantwortung übernommen werden.

Die Führung der Streitkräfte, die im Handelskrieg eingesetzt waren, einschließlich ihrer Versorgung durch Troßschiffe und Ölfahrzeuge, erfolgte durch die Seekriegsleitung unmittelbar. Die U-Boote wurden vom Befehlshaber der U-Boote nach Weisungen der Seekriegsleitung geführt. Die operative Führung der in Nord- und Ostsee eingesetzten Schiffe und Verbände lag in der Hand der Marinegruppenkommandos Ost und West.

Die Organisation dieser beiden Dienststellen entsprang eingehenden Überlegungen, die wir im Frieden angestellt hatten; ihnen oblag die Vorbereitung und Durchführung von Operationen der zugeteilten Streitkräfte. Wenn diese in See waren, sollten die Gruppenkommandos sie laufend über alle eingehenden Nachrichten informieren, wie sie sich zum Beispiel aus der Beobachtung des feindlichen Funkverkehrs und dem Sichten von Feindstreitkräften durch die eigene Luftaufklärung ergaben. Zu ihren Aufgaben gehörte ferner die Sicherung des Küstenvorfeldes durch U-Bootjagd-, Minensuch- und Vorpostenverbände sowie der Geleitdienst. Von solchen Einzelheiten sollte die Seekriegsleitung entlastet werden. Die Führung durch die Gruppenkommandos an Land sollte die jederzeitige Unterrichtung der in See befindlichen Verbände über alle mit den Operationen zusammenhängenden Angelegenheiten sicherstellen und die Erteilung von Weisungen und Befehlen ermöglichen, ohne daß Anfragen der eingesetzten Streitkräfte notwendig waren. Diese sollten vielmehr das Bewußtsein haben, von einer Dienststelle geführt zu werden, mit der sie durch eine stetige enge Zusammenarbeit vertraut waren und die ihnen unter Umständen durch eine Lagebeurteilung oder durch »Anheimstellen« den eigenen Entschluß erleichtern konnte.

Das Marinegruppenkommando Ost für den Bereich der Ostsee war unter Admiral Albrecht Ende Oktober 1938 geschaffen worden. Dort hatte sich die Organisation während des kurzen Seekrieges mit Polen bewährt. In der Nordsee dagegen war das Gruppenkommando West erst bei Kriegsbeginn eingerichtet worden. Ihm wurde das Flottenkommando, ebenso wie das Kommando der Nordseestation, operativ unterstellt.

Bisher hatte nach alter Tradition der Flottenchef mit dem Flottenkommando die Spitze der Seestreitkräfte gebildet und war auch im allgemeinen mit in See gegangen, wenn der Umfang der Operationen es erforderlich machte. Jedenfalls hatte die Leitung der Operationen in seiner Hand gelegen. Nachdem nunmehr die operative Führung an den Gruppenbefehlshaber überging und das Flottenkommando zur Vorbereitung und Durchführung der Operationen der Gruppe unterstellt wurde, mußten sich zahlreiche Fragen der Zuständigkeit und Abgrenzung der Befehlsbefugnisse ergeben. Erst eine längere Erfahrung konnte zeigen, wieweit und in welcher Form eine Trennung der operativen Führung und das Einschalten des Gruppenkommandos zwischen die Seekriegsleitung und den Flottenchef wirkliche Vorteile brachte.

Es war — nachträglich betrachtet — sicher ungünstig, daß diese Organisation mit dem Übergang vom Friedens- zum Kriegszustand eingeführt wurde, der schon mit Neuindienststellungen, Einrichten des Vorposten- und Sicherungsdienstes und Einspielen des ganzen Befehlsapparates vielerlei anfängliche Schwierigkeiten mit sich bringen mußte. Durch das Bestreben aller Beteiligten zu einer vernünftigen Zusammenarbeit wurden zwar Nachteile für die Kriegführung vermieden. Aber es ergaben sich doch Spannungen, die sich steigerten durch eine verschiedene Auffassung des Flottenkommandos und des Gruppenkommandos über den Einsatz von Zerstörern zu Minenunternehmungen an der englischen Küste. Das Gruppenkommando wollte den Einsatz der Zerstörer in den dunklen Herbst- und Winternächten 1939 ohne Sicherung durch Teile der Flotte vornehmen. Dagegen beabsichtigte der Flottenchef, Admiral Boehm, die Zerstörer auf dem Rückmarsch durch schwere Seestreitkräfte unter seiner Führung aufzunehmen, um rechtzeitig mit kampfkräftigen Verbänden an Ort und Stelle zu sein, falls ein Zerstörer zurückblieb — was bei den störanfälligen Maschinenanlagen leicht möglich war — und gesichert werden mußte. Admiral Boehm ging in der Frage des Einsatzes der Flottenstreitkräfte weiter als das Gruppenkommando und die Seekriegsleitung, die der Ansicht der Gruppe zustimmte. Es entwickelte sich hieraus wie aus der Verschiedenheit der Auffassungen über Stellung und Arbeitsweise von Gruppe und Flotte auch eine persönliche Zuspitzung in dem Verhältnis zwischen dem Flottenchef und mir, die Admiral Boehm veranlaßte, die Enthebung von seinem Posten zu beantragen. Ich habe damals geglaubt, dieser Bitte entsprechen zu müssen — eine Entscheidung, die mir außerordentlich schwer gefallen ist und die mich innerlich sehr belastet hat. Admiral Boehm war einer der erfahrensten Admirale der Marine und auf der Kommandobrücke groß geworden. Er besaß, wie er schon im ersten Kriege bewiesen hatte, eine besondere Einsatzfreudigkeit. Wenn mir auch in diesem Zeitpunkt kein anderer Weg zur Lösung der Krise offenzustehen schien, so war doch mein persönliches Vertrauen zu Admiral

Boehm unverändert geblieben. Ich war daher im Interesse der Marine nicht gewillt, auf seine weitere Mitarbeit an verantwortlicher Stelle zu verzichten. Sie ergab sich sehr bald aus der Entwicklung des Krieges.

Das Norwegen-Unternehmen

Der deutsche Überseehandel war durch die Wirkung der britischen Seemacht zum Erliegen gekommen. Trotzdem waren wir nicht völlig blockiert. Zwei wichtige Seeverbindungen blieben noch offen. Der Ostseehandel vor allem mit Schweden und den Ostsee-Randstaaten wurde nicht beeinflußt und lief ungestört weiter. Ferner verfügten wir über eine Seeverbindung längs der norwegischen Küste bis Narvik hinauf. Neben anderen Gütern kam auf diesen beiden Wegen das für unsere Kriegswirtschaft benötigte schwedische Erz zu uns. Es handelte sich dabei um etwa zehn Millionen Tonnen jährlich, eine Menge, ohne die wir unsere Rüstung nicht aufrechterhalten konnten. Das Erz wurde mit der »Lapplandbahn« von den nordschwedischen Gruben nach dem schwedischen Ostseehafen Lulea und dem norwegischen Nordmeerhafen Narvik transportiert und dort verschifft. Der Hafen Lulea ist meist von Dezember bis Mai zugefroren, Narvik dagegen das ganze Jahr über eisfrei. Etwa ein Drittel des Erzes, zwischen zwei und vier Millionen Tonnen, ging damals über Narvik. Von dort aus liefen die Erzschiffe dicht an der norwegischen Küste innerhalb der Hoheitsgewässer, in denen sie durch die norwegische Neutralität — soweit diese auch von den Alliierten geachtet wurde — gegen feindliche Zugriffe geschützt waren, und gelangten dann in den deutschen Bereich.

Dieser Zustand war von uns als selbstverständlich hingenommen worden, ohne daß wir uns über die Problematik der Situation Gedanken gemacht hatten. Da wir uns in der Marine mit einem bevorstehenden Seekrieg mit England naturgemäß nicht näher beschäftigt hatten, waren auch keine Überlegungen darüber angestellt worden, wieweit die norwegische Neutralität in einem englisch-deutschen Konflikt die Sicherheit unserer Schiffahrt nach Narvik gewährleisten würde. Auch die politische Führung und Hitler selbst, dem die Dinge schon von Natur aus ferner lagen, hatten diese Fragen nicht erwogen, wie ich bald merkte. Wir hatten zwar bei Kriegsbeginn der norwegischen Regierung in einer diplomatischen Note die deutsche Absicht mitgeteilt, die Unverletzlichkeit Norwegens zu beachten, und gleichzeitig darin die Erwartung ausgesprochen, daß Norwegen seinerseits seine Neutralität wahren und keine Einbrüche dulden würde. Aber die Note war am 2. September 1939, also noch vor der am nächsten Tage erfolgten englischen Kriegserklärung, überreicht worden und hing mit der späteren Entwicklung nicht zusammen. Die Seekriegsleitung hatte an ihrer Abfassung nicht mitgewirkt. Wohl niemand in Deutschland — keinesfalls jedoch die Marine — beschäftigte sich in den ersten Wochen des Krieges mit dem norwegischen Problem.

Der Anstoß dazu kam vielmehr von außen. Ende September 1939 unterrichtete mich Admiral Canaris, Chef des deutschen Abwehrdienstes, daß gewisse Anzeichen auf britische Absichten hindeuteten, in Norwegen Fuß zu fassen. Die Meldung des Abwehrchefs bekam für mich ein größeres Gewicht dadurch, daß er sie in einem persönlichen Vortrag erstattete, was er nur in Ausnahmefällen tat. Etwa zur gleichen Zeit erhielt ich von Admiral Carls, Oberbefehlshaber der Marinegruppe Ost, in einem Brief ähnliche Mitteilungen.

Carls äußerte ernste Sorge über die Gefahr, die aus einem englischen Vorgehen in Norwegen für uns entstehen könnte. Aus dieser Befürchtung heraus schlug er vor, in der Seekriegsleitung untersuchen zu lassen, ob man unter Umständen durch eine Verlegung von deutschen Operationsbasen in den norwegischen Raum der drohenden Gefahr begegnen könnte. Ich ordnete eine Prüfung dieser Frage an.

Es ergab sich sehr bald eine grundsätzliche Klärung. Die augenblickliche Lage war für uns in jeder Beziehung am günstigsten. Solange Norwegen neutral war und seine Neutralität von den Alliierten nicht verletzt wurde, hatten wir ungehinderten Zugang zum schwedischen Erz. Unsere Schiffahrt konnte innerhalb der norwegischen Hoheitsgewässer trotz der Nähe der britischen Flotte aufrechterhalten werden. Auch war die Ostsee durch feindliche Flugzeuge nicht gefährdet, da der Anflug, außer über Schleswig-Holstein, über neutrales Gebiet erfolgen mußte. Die Neutralität der skandinavischen Staaten schützte uns im Norden; wir hatten allen Grund, sie zu erhalten.

Die Situation mußte sich aber völlig ändern, wenn die Engländer die norwegische Neutralität nicht beachteten und in Norwegen See- und Luftstützpunkte errichteten. Dann wäre die nördliche Nordsee von beiden Seiten durch die gegnerische Flotte und Luftwaffe flankiert und endgültig abgeschlossen. Für uns würde keine Aussicht mehr bestehen, mit Überwasserstreitkräften in den Atlantik zu gelangen. Die Absperrung der Nordsee könnte mit Hilfe von großen Minensperren — ähnlich wie im ersten Weltkrieg — so wirkungsvoll gemacht werden, daß selbst das Auslaufen von U-Booten sehr erschwert, wenn nicht gar unmöglich sein würde. Mit dem Aufhören des Erzverkehrs von Narvik nach Deutschland würde die Zufuhr von schwedischem Erz nur noch während des Sommers über den schwedischen Hafen Lulea erfolgen können. Eine Besetzung Norwegens durch England würde aber auch auf Schweden einen starken Druck ausüben; die Lieferung des schwedischen Erzes an Deutschland würde sicher durch irgendwelche britische Maßnahmen überhaupt verhindert werden. Nach einer Errichtung von englischen Stützpunkten in Norwegen mußten auch ähnliche Pläne gegenüber Schweden befürchtet werden. Eine neu entstehende Front in unserem Norden würde die Ostsee unter feindlichen Einfluß bringen. Die britischen Luftstützpunkte würden in bedrohliche Nähe unserer Ostseeprovinzen kommen. Dadurch würden wir zu Abwehrmaßnahmen auf Kosten unserer Verteidigung im Westen gezwungen werden. Es war unschwer zu erkennen, daß eine solche Lage den Verlust des Krieges für uns sehr nahe gerückt hätte.

Mit wachsender Sorge stellten wir bei Bekanntwerden der britischen Absichten in der Seekriegsleitung die uns drohende Gefahr fest. Um ihr zu begegnen, blieb nur der Weg, den englischen Absichten rechtzeitig zuvorzukommen, indem wir uns an den entscheidenden Stellen in Norwegen Stützpunkte verschafften, bevor sie in der Hand der Engländer waren. Wie dies geschehen könnte, war noch nicht zu übersehen. Ob es möglich sein würde, die Genehmigung zu solchen Stützpunkten politisch auszuhandeln, wie es mit Rußland gelungen war, das uns im deutsch-russischen Vertrag einen Liegeplatz in der Murmansk-Bucht zur Verfügung gestellt hatte, war eine offene Frage. Aber auf welche Weise auch derartige Stützpunkte gewonnen werden konnten, sie mußten doch militärisch gesichert werden; sie würden wahrscheinlich der Anlaß zu ununterbrochenen Kämpfen mit der englischen Flotte und Luftwaffe werden, ohne eine ungefährdete Seefahrt in den norwegischen Hoheitgewässern zu gewährleisten. Die Abwehr englischer Angriffe würde unsere Kräfte übersteigen oder zumindest andere Kampffronten mittelbar schwächen. Der Gewinn einiger Stützpunkte würde natürlich für die Seekriegführung und auch für die Luftaufklärung gewisse

Vorteile bringen, aber in keinem Verhältnis zur Größe des erforderlichen Aufwandes stehen und daher ein Vorgehen gegen Norwegen militärisch nicht rechtfertigen. Es muß mit Nachdruck betont werden, daß die Aussicht, in Norwegen Stützpunkte für unsere Kriegführung zu gewinnen, in keiner Weise ausschlaggebend für die spätere Aktion der Besetzung war.

Das eindeutige Ergebnis aller Überlegungen war, daß es am besten sein würde, wenn die Verhältnisse so blieben wie bisher. Eine zuverlässige und sichere Neutralität erfüllte alle unsere Forderungen; solange sie bestand, brauchten wir keine Änderung zu wünschen. Wenn jedoch diese Neutralität vom Gegner nicht beachtet würde, wenn er sogar zur Besetzung von Stützpunkten in Norwegen übergehen würde, dann mußte sich die Lage völlig in ihr Gegenteil verkehren und die für uns günstige Situation im nordischen Raum sich in eine lebensgefährliche Bedrohung verwandeln. Der Weiterbestand der bisherigen Verhältnisse war allein davon abhängig, ob und wieweit die alliierte Führung gewillt war, die Neutralität eines kleinen Landes zu respektieren, das mit seinen Interessen und vielfach auch mit seinen Sympathien auf der britischen Seite stand.

Zu welchen Ergebnissen man aber kommen mochte und welche Folgerungen sich ergeben würden, auf jeden Fall war es notwendig, Hitler über die neu aufgetauchten Fragen zu unterrichten, damit er sich mit ihnen beschäftigen konnte. Bei der Durchprüfung in der Seekriegsleitung hatte sich gezeigt, daß das Problem Norwegen in erster Linie ein politisches war und daher im Grundsätzlichen von der Staatsführung behandelt werden mußte. Ich meldete mich bei Hitler zum Vortrag an und erstattete ihm am 10. Oktober 1939 Bericht über den ganzen Fragenkomplex. Dabei trug ich die weiteren, inzwischen eingegangenen Nachrichten vor und schilderte die Gefahren, die durch eine englische Besetzung von norwegischen Stützpunkten eintreten würden und kriegsentscheidend werden könnten. Eine strenge Neutralität Norwegens wäre auf jeden Fall für uns das Beste. Selbst wenn wir uns Stützpunkte an der norwegischen Küste sichern würden, würde es zu einer lebhaften Seekriegführung an der norwegischen Küste kommen, der wir mit unseren geringen Überwasserstreitkräften auf die Dauer nicht gewachsen sein würden.

Bei dieser Besprechung wurde keine Entscheidung getroffen. Eine solche hatte ich auch nicht erwartet; es handelte sich für mich lediglich darum, Hitler zu unterrichten, ihn auf eine große Gefahr aufmerksam zu machen und darauf hinzuweisen, daß wir unter Umständen zu einem Akt der Notwehr gezwungen sein könnten. Da ich das Ganze zunächst als eine politische Angelegenheit ansah, habe ich dabei keinen Vorschlag gemacht und mich ebensowenig für eine Besetzung von Stützpunkten in Norwegen ausgesprochen. Vielmehr betonte ich von vornherein, wie ich es später immer wiederholt habe, daß wir bei etwaigen Operationen zur Besetzung norwegischer Stützpunkte unsere gesamte Flotte verlieren könnten. Ich betrachtete es als günstigen Fall, wenn der Verlust nur ein Drittel betragen würde.

Hitler war bis dahin mit diesen Fragen offensichtlich nicht befaßt worden, wie sich aus der nachfolgenden Unterhaltung ergab. Das Problem lag ihm fern, weil er, wie er sagte, mit den Verhältnissen der Seekriegführung zu wenig vertraut war. Er stellte in Aussicht, sich damit zu beschäftigen, und bat mich, ihm meine Vortragsnotizen als Grundlage für seine Überlegungen zu belassen; weitere Nachrichten sollten abgewartet werden. Ich hörte dann wochenlang hierüber nichts mehr von seiner Seite.

Inzwischen bestätigten neue Nachrichten, daß man vielfach in Norwegen mit englischen Landungen rechnete. Während vorher im allgemeinen von britischen Absichten in Süd-

und Mittelnorwegen die Rede gewesen war, wurde nun auch Narvik genannt. Die Nachrichten stammten zu einem Teil von dem deutschen Marineattaché in Oslo, Korvettenkapitän Schreiber, der sich sehr schnell in die dortigen Verhältnisse eingearbeitet hatte und über gute Beziehungen zu Norwegern verfügte. Er zeichnete sich durch ein kluges und treffendes Urteil und verläßliche Berichterstattung aus. Die Lage im Norden verschärfte sich durch den Ausbruch des russisch-finnischen Krieges am 30. November 1939. Aus verschiedenen Quellen kamen jetzt Nachrichten über eine alliierte Absicht, Finnland auf dem Wege über Norwegen und Schweden durch Entsenden von Truppen zu Hilfe zu kommen. Der Schluß war naheliegend, daß die Alliierten dann den Transport durch Norwegen und Schweden benutzen würden, um durch Stehenlassen von Truppen in diesen Ländern und durch Errichten von Luftstützpunkten allmählich eine Front gegen Deutschland aufzubauen. Anfang Januar 1940 wurden die bisherigen Nachrichten über eine bevorstehende alliierte Hilfe für Finnland auch durch ausländische Pressemeldungen bestätigt.

Unerwartet kam die schwebende Frage schließlich in ein neues Stadium, als im Dezember 1939 der norwegische Politiker Quisling in Berlin eintraf und sich durch Vermittlung des Reichsleiters Rosenberg zu einem Besuch bei mir am 11. Dezember ansagte. Ich hatte bis dahin weder Beziehungen zu Rosenberg, den ich nur gelegentlich gesehen hatte, noch zu Quisling. Mein Chef des Stabes meldete mir, daß der Major Quisling aus Oslo, der früher einmal norwegischer Kriegsminister gewesen sei, durch einen Herrn Hagelin eine Unterredung mit mir erbitte, um mir über norwegische Verhältnisse zu berichten. Da mir eine solche Information wichtig erschien, erklärte ich mich zu der Besprechung bereit. In seinem kurzen Besuch schilderte mir Quisling die Lage in Norwegen, die zu England hinneigende Einstellung der norwegischen Regierung und die Nachrichten über britische Landungsabsichten. Nach den Ausführungen Quislings lag das Motiv für seinen Schritt und seine Warnung an Deutschland in seiner Einschätzung des Bolschewismus, den er durch jahrelangen Aufenthalt in Rußland kennengelernt hatte. Deutschland sei das einzige wirkliche Bollwerk gegen die Gefahr aus dem Osten. Wenn es in Verbindung mit einer alliierten Besetzung Norwegens niedergerungen würde, so wäre das eine tödliche Bedrohung der gesamten abendländischen Kultur. Ich erwiderte ihm, daß das politische Gebiet nicht zu meinem Arbeitsbereich gehöre; aber ich würde Hitler von dem Gespräch Meldung machen.

Am folgenden Tage berichtete ich Hitler über den Besuch und schlug ihm vor, Quisling persönlich zu empfangen, damit er selber einen Eindruck von dem norwegischen Politiker bekäme. Ich erwähnte dabei, daß man natürlich bei einem Parteipolitiker nie wissen könne, wieweit er die Interessen seiner Partei gleichzeitig mit im Auge habe. Vorsicht sei daher geboten. Außerdem wies ich darauf hin, daß der Versuch einer deutschen Besetzung Norwegens mit einem erheblichen Risiko verbunden sei und große Nachteile für die Zukunft haben könnte. Bereits am 14. Dezember ordnete Hitler in meiner Gegenwart an, daß das Oberkommando der Wehrmacht sich nunmehr mit dem ganzen Problem befassen und es studieren sollte. Dort wurde für die militärische Seite der Angelegenheit zunächst eine »Studie Nord« aufgestellt. Der Empfang Quislings und Hagelins durch Hitler fand am 16. und 18. Dezember statt, ohne daß ich zugegen war.

Während der Operationsstab im Oberkommando der Wehrmacht die notwendigen militärischen Vorüberlegungen machte und entsprechende Pläne entwarf, waren wir uns in der Seekriegsleitung durchaus nicht einig, ob die baldige Inbesitznahme Norwegens durch England in absehbarer Zeit zu erwarten sei. Eine derartige Operation konnte England in einen politischen Gegensatz zu Rußland bringen und mußte deutsche Maßnahmen auslösen, die sicher nicht ohne Rückwirkung auf Dänemark und Schweden bleiben würden. Die Vertreter solcher Ansichten, vor allem der Chef der Operationsabteilung, Konteradmiral Fricke, glaubten daher, daß ein englisches Vorgehen gegen Norwegen immerhin als fraglich angesehen werden müsse; jedenfalls hielten sie es noch nicht für akut.

Dieser Ansicht konnte ich mich nicht anschließen. Daß unmittelbare Aktionen der Alliierten sehr bald zu erwarten sein würden, ging aus den zahlreichen Nachrichten hervor, die wir ständig erhielten. Sie meldeten das Auftauchen alliierter Generalstabsoffiziere in Norwegen, die sich für Hafenanlagen, Flugplätze, Eisenbahnen und Straßen interessierten; bei verschiedenen britischen Konsulaten seien englische Seeoffiziere tätig. Zugleich setzte eine starke britische Pressepropaganda ein, die auf beabsichtigte alliierte Unternehmen hindeutete, und am 20. Januar 1940 forderte Churchill die Neutralen auf, sich den Alliierten anzuschließen. Wenn die nordischen Staaten dieses Ansinnen auch ablehnten, schienen die bisherigen Vorarbeiten des Oberkommandos der Wehrmacht im Rahmen der »Studie Nord« völlig unzureichend angesichts der drohenden Lage. Hitler befahl deshalb am 27. Januar die Bildung eines Sonderstabes innerhalb des Oberkommandos der Wehrmacht, bestehend aus je einem älteren Offizier der drei Wehrmachtteile, der einen Operationsplan für den Fall einer etwa notwendig werdenden Besetzung Norwegens ausarbeiten sollte.

In den folgenden Wochen mehrten sich auch die Fälle von Verletzungen der norwegischen Neutralität durch britische Streitkräfte. Die Lage wurde schließlich schlagartig beleuchtet und geklärt durch den Überfall des britischen Zerstörers »Cossack« auf das deutsche Troßschiff »Altmark« im Jössingfjord am 16. Februar 1940. Die »Altmark«, ein unbewaffnetes Troßschiff, war zur Versorgung des Panzerschiffes »Admiral Graf Spee« im Südatlantik tätig gewesen und befand sich mit etwa 300 Gefangenen, die sie von dem Panzerschiff übernommen hatte, innerhalb der norwegischen Hoheitsgewässer auf der Heimreise. Obwohl das deutsche Schiff außerdem noch unter dem Schutz von begleitenden norwegischen Torpedobooten stand, ging der englische Zerstörer längsseit und erzwang mit Gewalt die Herausgabe der Gefangenen. Sieben deutsche Seeleute wurden dabei innerhalb der Hoheitsgewässer durch britische Schüsse getötet, ohne daß die anwesenden norwegischen Torpedoboote eingriffen. Ein Protest des Kommandanten des norwegischen Torpedobootes »Kjell« wurde vom Kommandanten der »Cossack« abgelehnt mit dem Hinweis auf den strikten Befehl der britischen Admiralität, die Gefangenen der »Altmark« auch gegen den Willen der norwegischen Regierung zu befreien.

Durch dieses Ereignis erhielt die ganze Norwegenfrage ein wesentlich anderes Gesicht, denn nun war eindeutig bewiesen, daß die norwegische Regierung nicht in der Lage gewesen war, ihre Neutralität aufrechtzuerhalten. Nach den Umständen des ganzen Falles war sogar klar zu erkennen, daß nicht einmal die Absicht dazu — zumindest nicht bei allen norwegischen Stellen — bestanden hatte. Ferner zeigte das Vorgehen des britischen Zerstörers, daß die Engländer keine Bedenken trugen, einen unzweideutigen Bruch der norwegischen Neutralität für die Befreiung von Gefangenen in Kauf zu nehmen. Mit einer an Sicherheit grenzenden Wahrscheinlichkeit mußte man jetzt erwarten, daß die Engländer vor einer gewaltsamen Besetzung von Stützpunkten in Norwegen nicht zurückschrecken würden, wenn sie sich einen großen, vielleicht sogar kriegsentscheidenden Vorteil kampflos verschaffen konnten. Während bisher die Norwegenfrage bei uns noch nicht überall in ihrer Bedeutung und in ihrer akuten Gefahr erkannt worden war, trat nunmehr das Problem einer

präventiven militärischen Besetzung Norwegens stärker in den Vordergrund. Am 21. Februar 1940 wurde General der Infanterie von Falkenhorst mit der Vorbereitung einer Operation gegen Norwegen beauftragt, die den inzwischen fertiggestellten Operationsplan des Sonderstabes als Grundlage benutzen sollte und den Namen »Weserübung« erhielt.

Kurz nach dem »Altmark«-Überfall habe ich am 23. Februar 1940 Hitler noch einmal in einem Vortrag meinen Standpunkt dargelegt, daß die Neutralität Norwegens in jedem Falle die günstigste Lösung für uns sein würde. Eine Besetzung durch England wäre für uns allerdings untragbar. Sie könne von uns nicht wieder rückgängig gemacht werden, würde einen erheblichen Druck auf Schweden ausüben, alle Zufuhren von Erz unterbinden und unter Umständen den Krieg auf Schweden und die Ostsee ausdehnen. Am 1. März 1940 billigte Hitler grundsätzlich den Plan »Weserübung«, wonach die Wehrmachtteile die nötigen Befehle für ihren Bereich aufstellen sollten. Es war in den Anweisungen weder ein endgültiger Entschluß zu dem Unternehmen ausgesprochen, noch ein Termin genannt. Die Ausführung sollte vielmehr von der Lage in Skandinavien abhängig gemacht werden.

Am 12. März 1940 fand der russisch-finnische Winterkrieg durch den Friedensschluß in Moskau sein Ende. Damit verloren die Westmächte zunächst den Anlaß, in Skandinavien zu landen; Norwegen und Schweden lehnten die alliierte Forderung auf Durchmarsch nach Finnland ab. Aber schon bald trafen bestimmte Meldungen aus Norwegen ein, die erneut von englischen Absichten auf Norwegen sprachen. Bereits am 3. März hatte Hitler auf Grund alarmierender Nachrichten eine Beschleunigung der Vorbereitungen für die Operation »Weserübung« befohlen. Die Übergriffe von britischen Streitkräften in norwegischen Hoheitsgewässern traten vermehrt auf. Aus entzifferten englischen Funksprüchen ging hervor, daß ein alliiertes Unternehmen im Anlaufen war, das offenbar eine Landung in Norwegen zum Ziele hatte.

In Zeiten derartiger Spannungen und in einer so labilen Lage ist es natürlich, daß die Ansichten bei den verschiedenen Beteiligten häufig wechseln. Bei nüchterner Überlegung ergab sich aber aus den Entwicklungen, Nachrichten und Ereignissen immer erneut folgendes Bild: Nach wie vor war das Weiterbestehen der norwegischen Neutralität und des augenblicklichen Zustandes für uns dringend erwünscht. Irgendein Mittel, die norwegische Regierung zur Sicherung ihrer Neutralität anzuhalten oder gar zu zwingen, besaßen wir allerdings nicht. Wir konnten weder einen politischen noch einen wirtschaftlichen oder gar militärischen Druck auf Norwegen in dieser Richtung ausüben und waren damit auf den guten Willen der norwegischen Regierung angewiesen. Leider hatte ihr Verhalten in der letzten Zeit, vor allem beim »Altmark«-Fall, bewiesen, daß sie bei englischen Eingriffen in ihre Neutralität nicht über den notwendigen Widerstandswillen verfügte und nicht beabsichtigte, dabei von ihren militärischen Machtmitteln Gebrauch zu machen. Es wäre also eine Illusion gewesen, darauf zu vertrauen, daß Norwegen sich zu wirkungsvolleren Maßnahmen als zu höflichen und unverbindlichen Protesten zum Schutz seiner Neutralität gegenüber den Alliierten entschließen könnte und würde.

Für die Engländer mußte es außerordentlich störend und unerwünscht sein, daß der für Deutschlands Kriegführung so wichtige Erztransport von Narvik sich unmittelbar vor den Augen ihrer Flotte und Luftwaffe abspielte, ohne daß sie eine völkerrechtliche oder sonstige Handhabe hatten, um dagegen einzuschreiten. Auf die Dauer konnte das für sie kein erträglicher Zustand sein. Mit Sicherheit standen sie über kurz oder lang vor der Notwendigkeit, die sehr wesentliche Lücke in der Absperrung Deutschlands zu schließen. Der Gedanke, hierbei auf dem Wege einer militärischen Besetzung Norwegens vorzugehen, war für England mehr als naheliegend. Sie würde zwar offiziell gegen den Willen und sicherlich auch unter dem Protest Norwegens erfolgen. Aber bei der Einstellung der norwegischen Regierung und der Sympathie weiter Bevölkerungskreise für England war keinesfalls eine stärkere Gegenwirkung als Proteste zu erwarten; militärischer Widerstand würde unterbleiben. Ein Vorgehen gegen Norwegen war daher für England und die Alliierten nicht mit einem nennenswerten militärischen Risiko verbunden. Es bot ihnen als leicht zu erringenden Erfolg die Aussicht, von neuen Stützpunkten aus den Druck auf die deutsche Kriegführung entscheidend zu verstärken. Eine solche Wirkung mußte den Alliierten besonders dringlich erscheinen, da sie im Frühjahr mit dem Beginn einer deutschen Westoffensive rechnen mußten. Für eine etwaige vorsorgliche Abwehraktion von unserer Seite war darum Eile geboten.

Natürlich mußte die Frage erwogen werden, ob dabei die erhofften Vorteile nicht durch die Nachteile aufgehoben würden, die eine jede Präventivmaßnahme mit sich bringt. Es wurden daher Stimmen laut, auch in der Seekriegsleitung, ob man nicht den Engländern den ersten Schritt der Besetzung Norwegens überlassen und erst dann in einem Gegenangriff die englischen Besatzungskräfte wieder aus Norwegen herausdrücken sollte. Das wäre aber ein sehr gefährliches Spiel gewesen. Es wäre eben doch ein neuer Kriegsschauplatz entstanden, der uns die unerwünschte Nordfront gebracht hätte. Bei dem schwierigen Gelände des norwegischen Raumes wäre es eine kräfteverzehrende, äußerst langwierige Aufgabe gewesen, etwa von Südnorwegen aus in großen Operationen an Land gegen die alliierten Besatzungstruppen vorzugehen. Außerdem war es sicher, daß bei einem Festbeißen von beiden Gegnern in Norwegen die Westmächte durch die Beherrschung der Nordsee viel leichter in der Lage sein würden, ihre kämpfende Truppe zu versorgen, als wir es von Deutschland aus vermochten. Tatsächlich konnte dann die deutsche Besetzung Norwegens nur unter außerordentlich schweren Kämpfen durchgeführt werden. Sie wäre wahrscheinlich zum mindesten im Norden gescheitert, wenn nicht der Westfeldzug die Kräfte der Alliierten bis zum Äußersten beansprucht und damit eine wirkungsvolle Stärkung ihrer Positionen in Nordnorwegen verhindert hätte.

So blieb also nur die Möglichkeit, den Engländern durch unseren Angriff zuvorzukommen. Die deutsche Flotte mußte dabei gegen alle Regeln der Kriegskunst in erheblicher Entfernung von den Heimatstützpunkten voll eingesetzt werden, wobei auf jeden Fall mit starken Verlusten zu rechnen war. Für die Seekriegsleitung und für mich war es sehr schwer, uns zu einem so gewagten Entschluß durchzuringen. Aber wir waren in einer Zwangslage und mußten den Sprung nach Norwegen früher ausführen als die Alliierten, auch wenn er für uns bedeutend weiter und damit riskanter war als für den Gegner.

Die Überlegungen der Seekriegsleitung hatten sich bis in den Februar 1940 hinein nicht mit der Frage einer Besetzung von Dänemark befaßt. Sie wurde weder für militärisch erforderlich noch für politisch zweckmäßig gehalten. Daher war sie auch von mir Hitler gegenüber in meinen grundsätzlichen Vorträgen nicht erwähnt worden, noch weniger aber hatte ich einen Vorschlag dazu gemacht. Ich nahm vielmehr an, daß der englische Einfluß in Dänemark völlig ausgeschaltet werden könnte, wenn wir die wichtigen Punkte an der norwegischen Küste besetzt hätten. Jedoch bestand dann die Luftwaffe wegen der langen Anflugstrecken nach Norwegen auf der Benutzung der Flugplätze in Jütland, wodurch sich schließlich die Einbeziehung Dänemarks in die Aktion ergab.

Bei den Überlegungen über den Zeitpunkt für die Durchführung der ganzen Operation mußte in Betracht gezogen werden, daß für den weiten Anmarsch, vor allem der Zerstörer, die die Gebirgstruppen des Generals Dietl nach Narvik bringen sollten, lange und dunkle Nächte erforderlich waren, damit sie nicht vorzeitig entdeckt wurden. Ich schlug Hitler dafür die nächste Neumondperiode vor und nannte den 7. April als Stichtag. Am 2. April befahl Hitler dann die Durchführung der Operation »Weserübung« für den 9. April 1940.

Bei den Vorbereitungen hatte ich noch eine Meinungsverschiedenheit mit Hitler. Hitler wollte, daß die Seestreitkräfte einige Zeit nach der Landung der Truppen in ihren Ausschiffungshäfen verblieben, um den gelandeten Armeeteilen Rückhalt zu geben und bei ihnen nicht das Gefühl aufkommen zu lassen, daß sie von der Heimat abgeschnitten seien. Ich mußte dagegen fordern, daß alle Seestreitkräfte nach Ölergänzung so schnell wie möglich den Rückmarsch antreten sollten, damit sie nicht bei einer Nebenaufgabe verloren gingen, sondern bei etwaigen feindlichen Gegenaktionen auf See eingesetzt werden konnten und im übrigen für die spätere Seekriegführung erhalten wurden. Hitler legte besonderen Wert auf Narvik und Drontheim. Erst in einem Gespräch unter vier Augen gelang es mir, ihn von seinen Absichten für Narvik abzubringen. Die Lage dort entwickelte sich dann so, daß die Zerstörer wegen Ausbleibens des versenkten Öldampfers nicht genügend Brennstoff für ihre Rückfahrt nehmen und daher nicht, wie geplant, sofort wieder auslaufen konnten. Sie wurden im Fjord von britischen Streitkräften angegriffen und sanken im Kampf, wobei der vortreffliche Führer der Zerstörer, Kommodore Bonte, den Tod fand. Mit der Vernichtung der zehn Zerstörer war das eingetreten, was ich befürchtet hatte, falls ihr sofortiges Auslaufen verzögert wurde. Aber die Besatzungen der Zerstörer in Stärke von etwa dreitausend Mann, die zum größten Teil gerettet wurden, haben dann die Truppen des Generals Dietl personell und materiell verstärkt und somit schließlich entscheidend dazu beigetragen, daß die durch den alliierten Landangriff im Gebiet von Narvik entstandene gefährliche Krise überwunden wurde.

Der deutsche Norwegenfeldzug war eine erfolgreiche und in sich abgeschlossene Operation. Es war des erste Mal, daß bei einem Unternehmen so großen Stils die drei Wehrmachtteile in enger taktischer Verbindung eingesetzt wurden. Die Zusammenarbeit aller Führungsstellen sowie der Front hat sich hierbei in glänzendstem Lichte gezeigt. Die Vorbereitung der Aktion mußte teilweise gegen den Wunsch des Heeres und der Luftwaffe erfolgen, weil diese den vor ihnen liegenden Westfeldzug als ihre wichtigste Aufgabe betrachteten. Aber die Auffassung von der Notwendigkeit der norwegischen Aktion setzte sich bei Prüfung der Frage innerhalb des aus Offizieren der drei Wehrmachtteile gebildeten Vorbereitungsstabes durch. Ich möchte hier die erfolgreiche Tätigkeit von Kapitän zur See Krancke als Vertreter der Marine erwähnen. An dem Gelingen haben alle Waffengattungen gleichen Anteil. Die Kriegsmarine hat im ersten Abschnitt, bei der schlagartigen Besetzung, die Hauptlast des Kampfes zu tragen gehabt. Das Risiko ihres Einsatzes angesichts der britischen Beherrschung der Nordsee war außerordentlich. Die Verluste, die wir in Kauf nehmen mußten, haben uns während des weiteren Krieges schwer belastet. Der Einsatz der Marine war trotzdem voll gerechtfertigt. Die Luftwaffe hat die englischen Gegenmaßnahmen zur Vertreibung der deutschen Streitkräfte aus Norwegen zu einem wesentlichen Teil zum Scheitern gebracht und das Ausharren unserer Truppen in kritischen Lagen erst ermöglicht. Die Truppenteile des Heeres haben in schwierigstem Gelände Leistungen vollbracht, die die des Gegners weit überragten.

Das Ergebnis der Besetzung Norwegens ist von großer Bedeutung gewesen. Die Erzzufuhr von Narvik aus nach deutschen Häfen war gesichert und wurde in der Folgezeit weniger gestört, als wir erwartet hatten. Auf der anderen

Seite war die Lieferung von Erz und Holz nach England, darunter besonders des für die englischen Kohlenbergwerke benötigten Grubenholzes, unterbrochen. Die in Norwegen errichteten deutschen Stützpunkte kamen nun sehr viel näher an die britischen Häfen in Nordengland und Schottland heran. Die Engländer waren dadurch gezwungen, ihre Bewachung der Nordseeausgänge von der etwa zweihundert Seemeilen breiten Enge zwischen den Shetlandinseln und der norwegischen Küste zurückzuverlegen in das erheblich größere und schwerer zu kontrollierende Seegebiet beiderseits von Island. Die Möglichkeit, die nördliche Nordsee durch Minensperren abzuschließen, war entfallen, da eine Verminung in den isländischen Gewässern wegen der großen Wassertiefen nicht in Frage kam. Allerdings hat sich die englische Regierung durch die gewaltsame Besetzung der dänischen Färöer-Inseln und Islands am 10. Mai 1940 Stützpunkte verschafft, die ihnen die Überwachung der Islandpassage erleichterten. Insgesamt jedoch war der deutsche Auslaufweg nach dem Atlantik besser passierbar geworden; für den Gegner war die Aussicht, unsere U-Boote abzusperren, nicht mehr vorhanden. Auch nach der kurze Zeit später erfolgten Besetzung Frankreichs und dem Gewinn von Stützpunkten an der westfranzösischen Küste behielt der nördliche Ausgang aus der Nordsee nach wie vor seine Wichtigkeit, weil ein Passieren des Kanals zwischen England und Frankreich nicht ohne weiteres möglich war.

Die entscheidende Bedeutung der Besetzung Norwegens lag darin, daß ein Festsetzen Englands verhindert worden und damit die Gefahr der Errichtung einer Front gegen Deutschland im skandinavischen Raum gebannt war. Zur vollen Auswirkung kam dies erst, nachdem der Krieg mit Rußland ausgebrochen war und die alliierten Seezufuhren von Kriegsmaterial nach Murmansk eingesetzt hatten. Von Norwegen aus konnten wir mit U-Booten, Überwasserstreitkräften und Flugzeugen viele erfolgreiche Angriffsunternehmungen gegen die im hohen Norden laufenden Geleitzüge durchführen. Dadurch wurden große Teile der britischen Flotte gebunden und die feindlichen Abwehrstreitkräfte in starkem Maße beansprucht. Diese Entwicklung habe ich allerdings zum Zeitpunkt der Besetzung Norwegens noch nicht voraussehen können, da ich mit einem Krieg gegen Rußland niemals gerechnet hatte.

Die in Norwegen gefundenen und in den Kämpfen erbeuteten Dokumente bewiesen eindeutig, daß ein englisch-französischer Angriff auf Norwegen nicht nur vorbereitet, sondern bereits im Gange gewesen war. Noch bevor deutsche Kriegsschiffe in die norwegischen Häfen eingelaufen waren und Truppen gelandet hatten, waren am Morgen des 8. April als erster Abschnitt des alliierten Planes englische Minen unter Bruch der Neutralität in norwegischen Hoheitsgewässern gelegt worden. Die im Anschluß daran vorgesehene Besetzung mehrerer Stützpunkte an der norwegischen Küste unterblieb lediglich, weil unsere Operation schon im Anlaufen und unsere Flotte in See festgestellt worden war; die hierfür auf britischen Kreuzern eingeschifften alliierten Truppen wurden zunächst wieder an Land gesetzt.

Der Oberste Rat der Alliierten hatte bereits am 5. Februar 1940 in Paris beschlossen, in England französisch-britische Streitkräfte zum Transport nach Norwegen bereitzustellen. Am nächsten Tage hatte der britische Außenminister dem norwegischen Gesandten in London mitgeteilt, daß England sich gewisse Stützpunkte an der norwegischen Küste schaffen wolle, um den deutschen Erztransport von Narvik zu stoppen. Am 28. März wurde der Beginn der Operation zur Verminung der Hoheitsgewässer und Bildung von englischen Stützpunkten in Norwegen auf den 5. April 1940 festgesetzt. Dieser Termin wurde am 3. April auf den 8. April verschoben. Nur durch die zufällige Verlegung des Operationsbeginns kamen wir den Alliierten mit unserer Landung am 9. April um eine ganz knappe Frist zuvor.

Diese Tatsachen haben für das Nürnberger Tribunal nicht ausgereicht, um dort festzustellen, daß die Überlegungen und Gedanken über das norwegische Problem sich auf alliierter und deutscher Seite stark ähnelten, daß die Absichten für die Durchführung fast die gleichen waren und daß der zeitliche Vorsprung der Alliierten erst im letzten Augenblick durch das verzögerte Auslaufen der französisch-britischen Streitkräfte von uns aufgeholt worden ist. Der Urteilsspruch gegen mich wegen der norwegischen Aktion wurde »auf Grund des zur Verfügung stehenden Beweismaterials« gefällt. Es wäre nicht schwer gewesen, durch Vernehmung von maßgebenden Persönlichkeiten der alliierten Seite den wirklichen Sachverhalt zu klären. Wenige Jahre später hat Winston Churchill, der als Erster Lord der Admiralität und Mitglied der Regierung die treibende Kraft für das Vorgehen gegen Norwegen gewesen ist, in seinen Kriegserinnerungen die alliierten Absichten auf Norwegen ohne Einschränkung zugegeben, ebenso wie die offiziöse englische Darstellung dieser Zeit die damaligen Pläne nicht mehr bestreitet. Damit sind schon bald die Voraussetzungen für den Nürnberger Urteilsspruch entfallen und die wahren Zusammenhänge auch von der Gegenseite so bestätigt worden, wie ich sie gesehen habe. Irgendwelche Folgerungen daraus hat man mir gegenüber nicht gezogen.

Die Kämpfe in Norwegen endigten nach Abzug der alliierten Truppen mit der Waffenstreckung der letzten norwegischen Streitkräfte am 10. Juni 1940. Die Kapitulationsurkunde enthielt weitgehende Zugeständnisse von deutscher Seite. Den Offizieren wurden die Degen belassen, sofern sie erklärten, daß sie während der Dauer der Besetzung Norwegens keinerlei kriegerische oder feindselige Handlungen gegen das Deutsche Reich unternehmen würden. Sämtliche Kriegsgefangenen wurden entlassen. Hier wäre der Ausgangspunkt gewesen, um einen Weg zu finden, der die Besetzung für die norwegische Bevölkerung wenigstens einigermaßen erträglich machen konnte. Alle Befehle, die für die Durchführung der Aktion erlassen worden waren, hatten auf ein angemessenes Verhalten unserer Wehrmachtangehörigen hingewiesen. Ich hatte Admiral Boehm als Befehlshaber der Marine in Norwegen bestimmt, der in seiner festen und offenen Art zweifellos die geeignete Persönlichkeit war, um — soweit es die Marine betraf — gegenüber den Norwegern eine kluge, taktvolle und ausgleichende Linie zu verfolgen.

Auch Hitler hatte von vornherein zum Ausdruck gebracht, daß eine versöhnliche Haltung in seiner Absicht läge. Die von ihm erhoffte Einigung ohne Ausweitung zu einem Kriege — ähnlich wie in Dänemark — wurde durch die Flucht des norwegischen Königs mit seiner Regierung unmöglich gemacht. Nun wollte Quisling, um zu geordneten Verhältnissen zu kommen, eine neue norwegische Regierung bilden. Aber diese Absicht wurde durch einen Abgesandten Hitlers, den Unterstaatssekretär Habicht, der als Berater und Berichterstatter nach Norwegen geschickt war, in Verkennung der politischen Lage und seiner Befugnisse vereitelt und Quisling zum Rücktritt veranlaßt. Hitler setzte daraufhin Ende April 1940 den Gauleiter Terboven als Reichskommissar in Norwegen ein. Er hatte diesem, wie Terboven selbst zu Admiral Boehm sagte, die Richtlinie mitgegeben: »Sie können mir keine größere Freude machen, als wenn Sie mir dieses Volk zu Freunden gewinnen!« Für eine solche Aufgabe war, wie sich herausstellte, Terboven in jeder Beziehung ungeeignet. Sein Auftreten und seine Politik haben beim norwegischen Volk genau das Gegenteil erreicht.

Sehr bald kam es zu Gegensätzen und Zusammenstößen zwischen dem Reichskommissar und Admiral Boehm, der seine norwegenfreundliche Einstellung in vollem Einvernehmen mit mir während der ganzen Zeit seiner Tätigkeit in

Norwegen unverändert beibehalten hat. Nach der Kapitulation der norwegischen Truppen gab Terboven in einer Besprechung mit den Oberbefehlshabern der drei Wehrmachtteile — Generaloberst von Falkenhorst, Generaloberst Stumpf und Admiral Boehm — seine Absichten für die nächste Zukunft bekannt. Er, Terboven, wolle das norwegische Parlament, den Storting, einberufen und in einer feierlichen Sitzung den König, sein Haus und die alte Regierung absetzen lassen. Dem Präsidenten des Storting und den Parteiführern habe er klargemacht, daß bei einer Ablehnung ihrerseits dem Lande die Selbstverwaltung genommen und eine Art Protektorat gebildet werde. Die Norweger hätten nach anfänglichem Sträuben nachgegeben, als er ihnen den Brief vorgelesen habe, den er ihnen bei einer Weigerung schreiben würde.

Admiral Boehm brachte in der Besprechung sofort seine Bedenken gegen den Plan des Reichskommissars vor. Die Stortingmitglieder würden selbstverständlich im ganzen Land verbreiten, daß die Zustimmung zur Absetzung des Königs nur unter Zwang erfolgt wäre, und die Maßnahme dadurch illusorisch machen; im übrigen erklärte Boehm, daß er die Absicht des Reichskommissars dem an Norwegen stark interessierten Oberbefehlshaber der Kriegsmarine melden werde. Ich legte die Meldung über diese Sitzung Hitler vor, der schließlich nach Anhören der Beteiligten entschied: Keine Einberufung des Storting, keine Komödie einer Absetzung des Königs, Auflösung der Parteien bis auf die Partei »Nasjonal Samling«, Einsetzen eines Staatsrates aus Mitgliedern dieser Partei oder parteilosen Männern. Die Politik des Reichskommissars war damit von Hitler klar mißbilligt, was Terboven jedoch nicht veranlaßte, von seinem Posten zurückzutreten. Auch Hitler löste ihn nicht ab. Dagegen stand seit dieser Zeit Terboven in schärfstem Gegensatz zu mir und besonders zu Boehm, den er mit allen Mitteln bei Hitler bekämpfte, um ihn aus Norwegen zu verdrängen.

Ich habe die weitere politische Entwicklung in Norwegen mit größtem Bedauern verfolgt. Durch Admiral Boehm wurde ich laufend unterrichtet. Wenn sich irgendwie die Gelegenheit dazu bot, habe ich versucht, bei Hitler auf eine Änderung der Verhältnisse hinzuwirken. Eine Bevölkerung, die gegen ihren Willen die Besetzung ihres Landes erleiden muß, wird diese Tatsache niemals vergessen; sie wird sich aber damit eher abfinden können, wenn sie das Gefühl hat, daß ihre Freiheit und Selbständigkeit nicht stärker beschränkt werden, als es die militärischen Notwendigkeiten gebieten, wenn ihre Ehre nicht angegriffen und vor allem ihre nationale Zukunft, die Integrität und Souveränität ihres Landes gesichert wird. Gerade von uns Deutschen konnte man ein Verständnis für die Lage des norwegischen Volkes erwarten, nachdem wir eine Rheinlandbesetzung erduldet und lange Jahre unter den Auswirkungen des Friedensvertrages von Versailles gelebt hatten. Es ist unerfindlich, daß ein Mann wie Terboven weder hieraus gelernt hatte noch die Fähigkeit besaß, menschliches Verständnis für die Probleme eines besetzten Landes aufzubringen.

Die negative Entwicklung auf politischem Gebiet in Norwegen, die Generaladmiral Boehm in seinem Buche »Norwegen zwischen England und Deutschland« ausführlich dargestellt hat, bereitete mir viel Sorge. Mehrfach, besonders im Jahre 1942, habe ich Hitler vorgeschlagen, einen Friedensschluß mit Norwegen herbeizuführen. Ich habe beantragt, den Reichskommissar Terboven abzulösen und ihn durch Admiral Boehm zu ersetzen, nachdem Boehm sich mir gegenüber zu einer Übernahme dieses schweren Amtes unter der Voraussetzung einer völligen Änderung der bisherigen Politik einverstanden erklärt hatte. Aber Hitler ging auf meine Vorschläge nicht ein. Da ich die Möglichkeit einer Besserung des Verhältnisses zwischen Deutschland und Norwegen nicht mehr sah, war dies neben anderem ein wesentlicher Grund für meinen Rücktritt im Januar 1943.

Die Krise bei der Torpedowaffe
und ihre Lösung

Das Norwegenunternehmen hatte in der Einzeldurchführung ausgezeichnete Leistungen zutage treten lassen. Initiative und Angriffgeist von älteren und jüngeren Befehlshabern und Kommandanten, Selbständigkeit auch kleinerer Einheiten sowie eine große Anpassungsfähigkeit an plötzlich eintretende Situationen waren überall zu erkennen gewesen. Um so bedauerlicher war es, daß sich bei der Verwendung der U-Boote vor der norwegischen Küste nun endgültig zeigte — wie es schon vorher festgestellt war —, daß die Torpedos der U-Boote allgemein versagten. Eine Anzahl von Schußgelegenheiten war von den bewährtesten und am besten geschulten Kommandanten unter günstigen Umständen ausgenutzt worden, ohne daß die abgeschossenen Torpedos eine Wirkung am Ziel gehabt hatten. Den U-Booten waren hierdurch viele sichere Erfolge entgangen, die auf die weitere Seekriegführung von wesentlichem Einfluß gewesen wären. Es konnte leider kein Zweifel darüber bestehen, daß ohne das Versagen der Torpedos bedeutende Versenkungsergebnisse gegen Schlachtschiffe, Kreuzer, Zerstörer und Transporter erzielt worden wären.

Die Erkenntnis von dem Versagen unserer Torpedowaffe auf den U-Booten war bestürzend. Es entstand eine schwere

Vertrauenskrise. Sofortige und schärfste Maßnahmen waren geboten, um den technischen Mängeln auf den Grund zu gehen und sie schnellstens zu beseitigen. Der Befehlshaber der U-Boote forderte, daß ihm wirklich einwandfreie Torpedos geliefert wurden, ohne die der Einsatz der U-Boote seinen Sinn verlor. Mit aller Energie und Deutlichkeit drang er auf eine beschleunigte und gründliche Klärung der undurchsichtigen Angelegenheit. Ich berief am 20. April 1940 eine besondere Torpedokommission ein, die sich aus anerkannten Persönlichkeiten der Wissenschaft und Industrie zusammensetzte. Diese Herren und ihre Mitarbeiter leisteten mit großer Hingabe an ihren Auftrag hervorragende Hilfe. Außerdem sah ich mich veranlaßt, ein kriegsgerichtliches Verfahren durchführen zu lassen, das auch in einigen Fällen zu Strafen führte. Im übrigen war festzustellen, daß eine Vielzahl von teilweise weit zurückliegenden Ursachen zusammengekommen war. Fehlern, die sich im Frieden bei Erprobungen herausgestellt hatten, war nicht immer mit der nötigen Sorgfalt und Initiative nachgegangen worden. Der Anlaß lag zum Teil im Mangel an Geldmitteln und Personal, wie er zwar ursprünglich durch die Einschränkungen des Versailler Vertrages bedingt, später aber nicht mehr berechtigt war.

Die Marine besaß in der Torpedoversuchsanstalt in Ekkernförde ein Institut, in dem erfahrene Techniker und Offiziere tätig waren. Trotz personeller und materieller Knappheit in der Nachkriegszeit wurde in einer langjährigen Friedensentwicklung eine Reihe von Neuerungen geschaffen, die gerade für die U-Boote von besonderer Bedeutung waren. Das wichtigste war die Konstruktion des blasenlosen elektrischen Torpedos, dessen Laufbahn für den Gegner unsichtbar blieb, und ebenso der schwallose Ausstoß des Torpedos vom U-Boot, wodurch auch der Abschuß des Torpedos nicht wie früher an der Wasseroberfläche zu erkennen war. Hochgespannte Erwartung setzte man außerdem in die auf magnetischer Wir-

kung beruhende Zündvorrichtung des Torpedos, die sogenannte Abstandspistole. Mit ihr konnte der Torpedo auf einer
größeren Wassertiefe und damit sicherer geschossen werden
und unter dem Schiffsboden des Gegners mit vernichtender
Wirkung zur Detonation kommen.

Bald nach Kriegsbeginn entstanden in zunehmendem
Maße Bedenken über die Zuverlässigkeit der magnetischen
Pistole auf Grund von Frontberichten über Selbstzündungen.
Die weitere Frontverwendung dieser Pistole wurde zunächst
gesperrt. Die Torpedos wurden stattdessen mit der weniger
wirkungsvollen Aufschlagpistole geschossen. Eine bittere Ent-
täuschung war nun das Ausbleiben jeglichen Erfolges der eingesetzten U-Boote während der Norwegenunternehmung.
Frühere Zweifel des Befehlshabers der U-Boote auch an den
anderen Funktionen des Torpedos, insbesondere an seinem
zuverlässigen Tiefenlauf, fanden ihre Bestätigung. Man
konnte annehmen, daß die meisten der mit Aufschlagpistole
erfolglos geschossenen Torpedos unter ihrem Ziel durchge-
laufen waren, ohne zu detonieren.

Die Situation war außerordentlich ernst. Es durfte nichts
unversucht gelassen werden, um Klarheit zu schaffen. Alle mit
der Entwicklung, Konstruktion, Herstellung und Erprobung
des Torpedos befaßten Stellen innerhalb und außerhalb der
Marine nahmen sich des Problems mit größtem Nachdruck an.
Kleine Maßnahmen konnten nicht genügen; es mußte groß-
zügig vorgegangen werden, um schnellstens eine durchgrei-
fende Änderung herbeizuführen. Dies wurde überall voll verstanden. Die Energie des Befehlshabers der U-Boote hat sich
hierbei stark ausgewirkt. Das eindeutige Ergebnis der sorgfältigen, systematischen Untersuchungen war, daß der für die
Unterseeboote gelieferte Torpedo weder mit seinem Tiefenlauf noch mit seiner Zündvorrichtung den Anforderungen
entsprach, die an eine frontbrauchbare Waffe gestellt werden
müssen.

Es ergaben sich drei Hauptprobleme, die eine unverzügliche Lösung erheischten: Die Beseitigung der Fehlerquellen, das Aufgreifen neuer Entwicklungen auf Grund von Erfahrungen des Krieges und die Sicherstellung der Massenfabrikation von Torpedos. Auf allen drei Gebieten hatten die Erfordernisse des U-Bootkrieges im Vordergrund zu stehen. Die Beseitigung der Fehlerquellen erforderte umfangreiche und langwierige Versuche. Nachdem in der Rüstungswirtschaft eine besondere Dringlichkeitsstufe für die vorliegende Aufgabe erreicht war, wurde die Basis personell und materiell erheblich ausgeweitet. Universitätsinstitute, Laboratorien von Spezialfirmen und marineeigene Anlagen konnten durch Zuführung jungen, hochwertigen, zum Teil aus der Front zurückgezogenen technischen Personals aktiviert werden und wetteiferten miteinander um die Lösung. Die Ergebnisse blieben auch nicht aus. Im Jahre 1942 beruhigte sich die Krise endgültig; das Hauptverdienst daran hatten der damalige Inspekteur der Torpedoinspektion, Vizeadmiral Kummetz, und seine engsten technischen und militärischen Mitarbeiter. Die Torpedos wurden zuverlässig und konnten in genügender Zahl bereitgestellt werden. Zugleich wurden auch neue Entwicklungen und Konstruktionen erarbeitet, die vor allem im Kampf gegen Geleitzüge mit Erfolg angewandt wurden. Es waren besonders der schleifensteuernde Torpedo, der einen Geleitzug mehrmals durchsteuerte, bis er ein Ziel fand, und ferner ein zielansteuernder Torpedo, der auf angreifende Zerstörer geschossen wurde und durch deren Schraubengeräusche auf das Ziel gezogen wurde.

Das anfängliche Versagen der Torpedowaffe auf den U-Booten war sowohl durch seine Folgen für die Kriegführung wie auch durch die psychologische Wirkung auf die U-Bootbesatzungen ein schwerer Rückschlag. Ich muß aber anerkennen, daß zur Überwindung der Krise alle Beteiligten — Front, Versuchsstellen, Waffenamt, Industrie und Wissenschaft — sich in Erkenntnis der entscheidenden Bedeutung des Problems sehr gut zusammengefunden, den Torpedo wieder zu einer zuverlässigen und sicheren Waffe gemacht und ihn zu einer gesteigerten Leistungsfähigkeit weiterentwickelt haben.

Die geplante Landung in England

Die erfolgreiche Beendigung des Westfeldzuges Mitte 1940 brachte uns in den Besitz der Häfen am Kanal und in Westfrankreich. Wir standen am Atlantik und hatten den unmittelbaren Zugang zu dem großen Seegebiet gewonnen, in dem sich der weiträumige Zufuhrkrieg abspielte. Die Seekriegslage hatte sich für uns entscheidend verbessert. Mit einer so günstigen Entwicklung im Westen hatte niemand gerechnet. Die ursprünglichen Mitteilungen des Generalstabes an die Marine im Spätherbst 1939 sprachen von bevorstehenden schweren und verlustreichen Kämpfen und von einer langen Dauer der Westoffensive. Es wurde zunächst nur angenommen, daß wir etwa die gleiche Linie wie im Kriege 1914/18 erreichen und vielleicht die Häfen am Osteingang des englischen Kanals in unsere Hand bekommen könnten.

Trotzdem hatten wir uns in der Seekriegsleitung schon sehr frühzeitig Gedanken gemacht, wie der Kampf gegen England nach Beendigung der Offensive im Westen weitergeführt werden könnte. Da vor dem Krieg unsere gedanklichen wie materiellen Vorbereitungen nicht auf eine bewaffnete Auseinandersetzung mit England abgestellt gewesen waren, lag mir daran, daß wir wenigstens die ersten Vorüberlegungen gemacht hatten und uns in der Seekriegsleitung einigermaßen klar waren, wenn die Entwicklung der Ereignisse uns eines Tages vor diese Frage stellen würde. Für diese Vorarbeit setzte ich im November 1939 einen kleinen Sonderstab ein, der sich mit einer etwaigen Invasion gegen England vom militärischen, seemännischen und transporttechnischen Standpunkt befassen sollte. Dabei wurde Wert darauf gelegt, daß die Kenntnis von diesen Untersuchungen auf einen engen Personenkreis beschränkt blieb. Dazu hatte ich gute Gründe. Das Gespenst einer Invasion hatte die englische Öffentlichkeit schon früher häufig beschäftigt, ohne daß allerdings jemals eine derartige Absicht auf deutscher Seite bestanden hätte. Es war zu erwarten, daß dieses Problem eines Tages auch von der Wehrmachtführung angeschnitten würde. Dann aber wollte ich über sachlich begründete Unterlagen verfügen, um von vornherein einen festen Ausgangspunkt zu haben.

Eine Landung in England ging zunächst einmal die Marine an, weil es sich um eine Transportbewegung größten Ausmaßes über See handelte. Wir mußten uns als erste klar werden, ob und unter welchen Vorbedingungen sie durchführbar war. Da sie die Kräfte der Marine voll beanspruchen würde, mußte man damit rechnen, daß die Hauptaufgabe der Marine — die Führung des Handelskrieges gegen England — beeinträchtigt würde. Bisher war es mein Bestreben gewesen, Hitler und die Wehrmachtführung dazu zu bringen, daß sie alle Mittel der Kriegführung und der Rüstung zur Förderung dieses Zufuhrkrieges einsetzten. Jede materielle Vorbereitung anderer Pläne verminderte unsere Wirkung auf den britischen Gegner und bedeutete im besonderen eine Zersplitterung der schwachen Kräfte der Marine. Nur dann, wenn eine Landung in England sich als nicht allzu schwierig erweisen sollte — was höchst unwahrscheinlich war —, konnte ein Abweichen von dieser Linie in Betracht kommen. Die Überlegungen und Ergebnisse wurden in einer Planstudie niedergelegt. Die Behandlung des ganzen Problems lag in der Hand des Chefs des Stabes der Seekriegsleitung, Vizeadmiral Schniewind, und des

227

Chefs der Operationsabteilung, Konteradmiral Fricke, die mir besonders erfahrene und befähigte Mitarbeiter waren.

Der Beginn der Westoffensive wurde im Laufe des Winters 1939/40 wiederholt verschoben bis zum 10. Mai 1940. Dann aber entwickelte sich der Feldzug in Frankreich so schnell, daß bereits zehn Tage nach seinem Beginn, am 20. Mai, die französische Kanalküste im Raum von Abbéville erreicht und die englische Armee von dem größeren Teil des französischen Heeres durch das Vordringen unserer Truppen getrennt wurde.

Jetzt war der Augenblick gekommen, in dem ich die Frage der Invasion bei Hitler anschneiden mußte. Ich mußte befürchten, daß sonst von unverantwortlicher Seite der naheliegende Vorschlag zu einer Landung gemacht würde, Hitler den Gedanken aufgriff und dann die Marine plötzlich vor unlösbare Aufgaben gestellt wurde. Nach meiner Kenntnis der Persönlichkeit Hitlers war es in solchen Fällen immer richtig, ihn über meine eigene Beurteilung rechtzeitig zu unterrichten, ehe die Einflüsse Sachunkundiger sich geltend machten. Zu diesem Zeitpunkt war die Besetzung von Norwegen durchgeführt und über Erwarten gut geglückt; das Oberkommando der Wehrmacht war einer großen Sorge enthoben. Sehr schnell konnte der Gedanke aufkommen, in ähnlicher Weise wie gegen Norwegen nun auch gegen England vorzugehen; der Sprung über den Kanal, dessen Gegenufer man bei gutem Wetter von Frankreich aus liegen sieht, konnte auf den ersten Blick weniger gefährlich erscheinen als der weite Weg zu den norwegischen Häfen. Bei näherer Prüfung ergab sich aber das Gegenteil. Daher durften sich in der Wehrmachtführung unter keinen Umständen irgendwelche irrealen Vorstellungen über die Erfolgsaussichten eines solchen Unternehmens festsetzen, bevor das Gesamtproblem nach allen Seiten hin untersucht war. Wenn es dann überhaupt in Erwägung gezogen wurde, durfte die Durchführung keinesfalls kurzfristig befohlen werden. Vielmehr war mit Sicherheit eine lange Vorbereitungszeit erforderlich.

Die Überlegungen in der Seekriegsleitung hatten ergeben, daß eine Landung äußerst schwierig und mit größten Risiken verbunden sein würde. Immerhin war in Betracht zu ziehen, daß wegen der Entwicklung des Flugzeuges als Kampf- und Transportmittel eine Landung in England nicht mehr als so völlig undurchführbar wie in früheren Zeiten angesehen werden mußte. Es schien, daß unsere Luftwaffe bei ihrer damaligen Stärke gewisse Vorbedingungen für eine Invasion schaffen könnte. Ob sie wirklich dazu in der Lage sein würde, entzog sich der Beurteilung durch die Seekriegsleitung.

In meinen Vorträgen bei Hitler am 21. Mai wie auch am 20. Juni 1940 habe ich als erste Voraussetzung für ein Landungsunternehmen die absolute Luftherrschaft über dem Kanal genannt. Die deutsche Luftüberlegenheit müsse so weit gehen, daß sie außer der Beherrschung des Luftraumes auch noch das Eingreifen der britischen Flotte, wenn nicht ganz verhindern, so doch wenigstens sehr verlustreich gestalten würde. Könnten diese Vorbedingungen nicht erfüllt werden, wäre das Wagnis zu groß und nicht zu verantworten. Im übrigen würde die Bereitstellung des benötigten Transportraumes an Seeschiffen und Binnenwasserfahrzeugen auf die innerdeutsche Verkehrswirtschaft stark rückwirken.

Hitler, der zu der ganzen Frage zunächst keine eigene Ansicht äußerte, ordnete an, daß vorläufig keinerlei Vorbereitungen getroffen werden sollten. Eine weitergehende Klärung erfolgte nicht und war von mir auch nicht erwartet. Jedenfalls war Hitler unterrichtet, daß eine etwaige Landung in England sehr sorgfältig durchgeprüft und gründlich vorbereitet werden müßte. Unerwartet rückte jedoch das Problem einer Invasion wenige Tage nach meinem zweiten Vortrag in den Mittelpunkt des Interesses. Während bisher niemand außerhalb der Marine überhaupt den Gedanken einer Invasion in der einen oder anderen Richtung erwogen hatte, trat in den letzten Tagen des Juni ein Umschwung in der Auffassung des Oberkommandos der Wehrmacht ein; es begann nunmehr, sich mit einer Landung zu beschäftigen, und schien bereits gewisse Hoffnungen daran zu knüpfen. Wodurch dieses neuerwachte Interesse ausgelöst wurde, ist mir nicht bekannt. Aber es war naheliegend, daß nach dem Sieg in Frankreich sich dringend die Frage stellte, wie der Krieg weiter fortgeführt werden sollte. Am 10. Juni hatten die letzten norwegischen Truppen kapituliert; Norwegen war fest in unserer Hand. Italien war am gleichen Tag auf unserer Seite in den Krieg getreten, und am 21. Juni war der Waffenstillstand mit Frankreich unterzeichnet worden. Damit blieb England als einziger, noch voll intakter Gegner übrig.

Nach wie vor bestand für mich kein Zweifel, daß im Kampf gegen England der Zufuhrkrieg das auf die Dauer wirksamste Kriegsmittel war. Ich trat daher in diesem Augenblick bei Hitler erneut für die Bevorzugung des U-Bootbaues vor allen anderen Maßnahmen ein. Von den neugewonnenen U-Bootstützpunkten am Atlantik aus konnten wir die Wirksamkeit unserer U-Bootwaffe erheblich steigern. Wenn wir gleichzeitig die Luftkriegführung gegen die englische Zufuhr auf See und in den Häfen von den günstig gelegenen neuen Luftstützpunkten in Nordfrankreich aus verstärken und außerdem durch ein U-Bootbauprogramm höchster Dringlichkeit ein allmähliches Anwachsen der U-Bootwaffe erreichen würden, könnten sich die Aussichten im Zufuhrkrieg für uns wesentlich bessern. Es würde eine große, wenn nicht gar entscheidende Wirkung auf England eintreten. Jede Abweichung von diesem Weg konnte nur von Nachteil sein.

Ich war froh, daß ich die Frage der Invasion bereits von der Marine aus durchgeprüft und bei Hitler angeschnitten hatte, ehe die glänzenden Erfolge in Frankreich eine zu günstige Beurteilung der Gesamtlage und unserer Erfolgsaussichten gegen England herbeiführten. Durch meine Vorträge hatte ich erreicht, daß Hitler sich von vornherein über die Schwierigkeiten, die etwaigen Landungsplänen entgegenstanden, wenigstens ungefähr im klaren war. Dies zeigte sich schon in der ersten Weisung, die vom Oberkommando der Wehrmacht am 2. Juli 1940 herausgegeben wurde. Darin wurde unter anderem ausgesprochen, daß »unter bestimmten Voraussetzungen, als deren wichtigste die Erringung der Luftüberlegenheit anzusehen ist, eine Landung in England in Frage kommt«. Das Ganze wäre jedoch »nur ein Plan, über den noch keine Entscheidung gefallen ist«. Damit hatte Hitler sich noch nicht für eine Durchführung der Operation entschieden, sondern sie den Wehrmachtteilen zur Prüfung gegeben, ähnlich wie ich sie in der Seekriegsleitung bereits durchgeführt hatte.

Wenige Tage später, am 11. Juli, trug ich Hitler meine Auffassung vor, daß eine Invasion gegen England nur als letztes Mittel angesehen werden könnte, um England friedensbereit zu machen. Ich wäre nach wie vor der Ansicht, daß es notwendig wäre, zu diesem Zweck in erster Linie den Handelskrieg mit U-Booten wirksam zu gestalten, ferner Luftangriffe auf Geleitzüge und auf wichtige Punkte, wie zum Beispiel Liverpool, auszuführen. Im Gegensatz zu Norwegen könnte ich eine Landung in England nicht vorschlagen. Abgesehen von der absoluten Luftherrschaft müßte als weitere Vorbedingung eine zuverlässige minenfreie Zone für die Transporte geschaffen werden. Man könnte unmöglich sagen, wie lange man dazu brauchen würde, ob man überhaupt das Fahrwasser bis an die feindliche Küste hin minenfrei machen und es weiter gegen erneute Verseuchung durch feindliche Minenflieger sichern könnte. Die Flanken des Gebietes müßten dann noch durch starke und wirkungsvolle Minensperren geschützt werden. Außerdem würde die Bereitstellung der Transportfahrzeuge und ihr Umbau längere Zeit erfordern und tief in das Wirtschaftsleben und die Rüstung eingreifen.

Es wäre daher richtig, mit materiellen Vorbereitungen keinesfalls eher zu beginnen, als ein endgültiger Entschluß für eine
Landung gefaßt wäre. Hitler stimmte meiner Auffassung zu
und erklärte die absolute Luftherrschaft als entscheidende
Voraussetzung. Im übrigen erkannte er ausdrücklich die Vergrößerung der U-Bootwaffe als notwendig an.

Zu meiner Überraschung bekam die Seekriegsleitung wenige Tage darauf, am 15. Juli, die mündliche Mitteilung, daß
die Operation so beschleunigt vorzubereiten wäre, daß sie
vom 15. August ab durchgeführt werden könnte. Am nächsten Tag erhielten die Wehrmachtteile eine von Hitler unter-
schriebene Direktive, die weitgehende Vorbereitungen für eine
Invasion anordnete. Dieser Weisung lag der Gedanke einer
Landung in Form eines überraschenden Überganges in breiter
Front zugrunde. Der unerwartet frühe Termin war offensichtlich deswegen gewählt worden, weil das Oberkommando
des Heeres ab Oktober keine geeigneten Wetterverhältnisse
mehr erwartete.

Zwei Tage später hatte ich mit Generalfeldmarschall von
Brauchitsch eine Besprechung, aus der für mich hervorging,
daß die ursprünglichen starken Bedenken des Generalstabes
gegen die Invasion zurückgestellt waren und die Schwierigkeiten jetzt als verhältnismäßig gering, jedenfalls aber als
überwindbar angesehen wurden. Ich machte dem Oberbefehlshaber des Heeres gegenüber geltend, daß die Operation mit
den größten Gefahren verbunden sei. Ähnlich wie bei der
Norwegenaktion das Schicksal der ganzen deutschen Flotte
auf dem Spiel gestanden hätte, müsse man nun mit der Möglichkeit rechnen, daß die gesamten zum Einsatz kommenden
Armeen verloren sein könnten. Nach weiteren zwei Tagen,
am 19. Juli, überreichte die Seekriegsleitung dem Oberkommando der Wehrmacht ein ausführliches Memorandum.
Darin war gesagt, daß die Aufgabe, die der Marine zufallen
würde, nicht ihrer tatsächlichen Kraft entspräche und in kei-

nem Verhältnis zu den Aufgaben von Heer und Luftwaffe stände. Dann waren die Schwierigkeiten erläutert, die einer solchen Operation entgegenstanden: die vorgesehenen Einschiffungshäfen waren im Verlauf des Westfeldzuges stark beschädigt worden oder sonst nicht genügend leistungsfähig; für die Überfahrt war ein Gebiet gewählt worden, in dem durch Wetter, Gezeiten und schließlich durch Seegang große navigatorische Schwierigkeiten eintreten könnten; die erste Invasionswelle war an offener Küste zu landen, wozu wirklich geeignete Fahrzeuge fehlten; die für die Überführung vorgesehenen Gewässer konnten nicht mit Sicherheit von feindlichen Minen gesäubert werden; ehe auch nur die Transportfahrzeuge in den Einschiffungshäfen gesammelt werden konnten, mußte die absolute Luftherrschaft hergestellt sein. Als wichtigsten Punkt führte das Memorandum folgendes aus: Bisher war die englische Flotte noch nicht voll eingesetzt worden, aber eine deutsche Landung in England würde als eine Frage auf Leben und Tod den Gegner entschlossen finden, alle seine Seestreitkräfte rücksichtslos und entscheidend in die Schlacht zu werfen. Es ist nicht anzunehmen, daß unsere Luftwaffe allein die feindlichen Streitkräfte von unseren Transporten fernzuhalten vermag, schon weil ihre Operationen sehr vom Wetter abhängig sind. Die Marine will die Aktionen neben der unmittelbaren Geleitsicherung durch Auslegen von Minensperren und Ablenkung von feindlichen Streitkräften unterstützen, aber es muß bedacht werden, daß Minensperren keinen unbedingten Schutz gegen einen energischen Gegner bieten. Daher muß man mit der Möglichkeit rechnen, daß, selbst wenn die erste Anlandung mit Erfolg vor sich geht, der Gegner in der Lage sein wird, mit seinen Streitkräften sich zwischen die erste Landungswelle und die folgenden Transporte einzuschieben.

Für die Seekriegsleitung und für mich bestand kein Zweifel darüber, daß es höchst unwahrscheinlich war, die Voraussetzungen für eine auch nur einigermaßen sichere Transportbewegung über den Kanal zu schaffen. Bei der Norwegenunternehmung hatten die Verhältnisse völlig anders gelegen. Dort war die Überraschung die wichtigste Voraussetzung für einen Erfolg gewesen. Wenn sie auch nicht völlig gelungen war, so war doch der Umfang der Operation mit der großen Zahl der Häfen, die gleichzeitig besetzt wurden, vom Gegner nicht vorausgesehen worden. Jetzt lag auf der anderen Seite des Kanals ein Gegner, der wußte, daß er in einer tödlichen Gefahr war, wenn unser Unternehmen glückte. Er konnte ziemlich genau ausrechnen, an welchen Stellen eine Landung stattfinden mußte und konnte seine ganze Abwehrkraft hier konzentrieren. Wir besaßen keine geeigneten Transportmittel, um Truppen und Material schnell und sicher zu überführen und an einer offenen, vom Gegner verteidigten und navigatorisch besonders schwierigen Küste ohne größere Störungen auszuschiffen. Was uns an Transportfahrzeugen zur Verfügung stand, waren hauptsächlich Binnenfahrzeuge, die schon geringem Seegang nicht gewachsen waren und zum großen Teil keinen eigenen Antrieb hatten, sondern geschleppt werden mußten. Sie mußten termingerecht in den Einschiffungshäfen bereitgestellt werden, während zu gleicher Zeit die Landungstruppen sich dort versammelten. Die dadurch bedingten Bewegungen konnten weder der feindlichen Luftaufklärung noch dem im besetzten Gebiet sehr tätigen feindlichen Nachrichtendienst verborgen bleiben. Somit kam eine überraschende Landung nicht in Frage. Der Gegner konnte vielmehr alle Abwehrmittel rechtzeitig zur Verteidigung bereithalten. Daß demgegenüber unsere Luftwaffe auch nur zeitweise die fehlende Seeherrschaft ersetzen konnte, war kaum zu erwarten. Ohne Erfüllung dieser wichtigsten, aber auch der anderen Vorbedingungen stand die Marine vor einer unlösbaren Aufgabe.

Offensichtlich haben die von der Seekriegsleitung gemachten Ausführungen Hitler stark beeindruckt. In einer Ansprache an die Oberbefehlshaber der drei Wehrmachtteile am 21. Juli 1940 gab er zu, daß die Landung in England ein außerordentlich gewagtes Unternehmen sein würde. Eine Überraschung könne nicht erwartet werden; ein abwehrbereiter und zum Äußersten entschlossener Gegner stehe uns gegenüber und beherrsche das zu befahrende Seegebiet. Das Schwierigste sei der Nachschub für die auf etwa vierzig Divisionen geschätzte Landungsarmee. Voraussetzung sei die völlige Luftherrschaft, der Einsatz starker Artillerie an der Straße von Dover und die wirksame Sicherung durch Minensperren. Wegen der fortgeschrittenen Jahreszeit müsse die Hauptoperation bis zum 16. September abgeschlossen sein. Wenn es nicht sicher sei, daß die Vorbereitungen bis zum Beginn des Septembers beendet sein könnten, müßten andere Pläne erwogen werden. Mit diesen Ausführungen war Hitler von seiner anfänglichen Betrachtung merklich abgerückt. Es war ihm klar geworden, daß man mit einer Überraschung nicht rechnen konnte und die Vorbereitungen längere Zeit benötigten, als ursprünglich angesetzt war. Aber er hielt daran fest, daß die Frage geklärt werden müßte, ob eine direkte Operation England in die Knie zwingen würde.

Trotz meiner Auffassung, daß eine Invasion gegen England von kaum erfüllbaren Vorbedingungen abhängig war, hat die Marine selbstverständlich alles getan, um der ihr im Rahmen der Vorbereitung des »Seelöwen« — wie der Plan der Invasion genannt wurde — zufallenden Aufgabe gerecht zu werden. Vor allem mußte der erforderliche Schiffsraum — Dampfer, Prähme, Leichter, Schlepper, Fischdampfer, Motorboote und sogar Fischkutter — überall in den deutschen See- und Binnenhäfen erfaßt werden. Nach ihrer Herrichtung für die gedachte Transportaufgabe mußten die Fahrzeuge teils auf Kanälen, teils über See nach den vorgesehenen Absprunghäfen an der belgisch-französischen Kanalküste überführt werden. Die Marine hat schließlich in den Häfen von Antwerpen bis Le Havre 155 Transportschiffe mit 700 000 Tonnen, 1200 Prähme und Leichter, fast 500 Schlepper, über 1100 Motorboote und etwa 30 000 Minen, Wasserbomben und sonstiges Sperrmaterial bereitgestellt sowie mehrere schwere Küstenbatterien an der französischen Küste gegenüber Dover errichtet. An die Beendigung dieser Maßnahmen war aber bis zum 15. August nicht zu denken. Die Seekriegsleitung meldete am 30. Juli dem Oberkommando der Wehrmacht, daß ihre Vorbereitungen nicht vor dem 15. September fertig sein könnten. Daß es überhaupt gelang, die vielseitigen Arbeiten bis zu diesem Datum abzuschließen, ist eine organisatorische Leistung, um die sich die Werften wie auch zahlreiche Kommando- und Verwaltungsstellen der Marine verdient gemacht haben.

Ich hatte schon am 25. Juli bei Hitler auf diesen frühesten Termin hingewiesen und auf die starke Belastung der deutschen Binnenschiffahrt und eines Teiles der Seeschiffahrt sowie die weitgehende Inanspruchnahme der Werften aufmerksam gemacht. Dabei hatte ich betont, daß von einer Überlegenheit der deutschen Luftwaffe bisher nicht die Rede sein könne. Zwischen dem Oberkommando des Heeres und der Marine bestand außerdem noch eine große Differenz wegen der Stärke der Landungsarmee und der Ausdehnung des Landungsraumes. Das Heer forderte die Überführung von 13 Landungsdivisionen mit etwa 260 000 Mann. Diese Zahl war zwar schon bedeutend geringer als die ursprünglich genannten 25 bis 40 Divisionen. Die 13 Divisionen sollten aber auf einer sehr breiten Strecke gelandet werden. Für die Sicherung der vom Heer geforderten breiten Landungsfront reichten die Kräfte der Marine nicht entfernt aus. Die am östlichen und westlichen Flügel der gedachten Operation durchzuführenden Seetransporte mußten dabei ohne irgendwelchen wirksamen Schutz bleiben. Die Seekriegsleitung mußte daher ihrerseits fordern, daß die Landung an einer möglichst schmalen Küstenfront erfolgte. Hierfür war von uns die Küste beiderseits Dover in Aussicht genommen. Zu dieser entgegengesetzten Ansicht über das Landungsgebiet kamen noch weitere Meinungsverschiedenheiten über die Tageszeit, zu der die Landungen am besten durchzuführen wären. Die Forderungen des Heeres waren von dessen Standpunkt aus berechtigt. Aber die Marine konnte nachweisen, daß der verfügbare Transportraum für einen Übergang auf einer so breiten Basis nicht ausreichend war und in der Westhälfte die Entfernungen viel zu groß waren, um Transport und Nachschub wenigstens einigermaßen sicherzustellen.

Über diese Fragen hielt ich am 31. Juli bei Hitler Vortrag. Ich erläuterte in Gegenwart des Oberbefehlshabers des Heeres und des Chefs des Generalstabes den Standpunkt der Marine und schilderte die Schwierigkeiten, die besonders durch die Unsicherheit der Wetterlage im Herbst bedingt waren. Vor allem müsse mit dem Eingreifen der britischen Flotte gerechnet werden. Das Wichtigste ist, führte ich aus, daß überhaupt Truppen hinüberkommen. Die Luftwaffe kann auch nicht drei Brückenköpfe von etwa 100 Kilometer Ausdehnung wirksam schützen, sondern muß sich auf nur einen Landungsabschnitt beschränken. Daher sollten die Vorbereitungen des Heeres und der Luftwaffe sich auf diesen schmalen Raum konzentrieren. In Anbetracht all der vielen Schwierigkeiten ist es das beste, die ganze Operation auf den Mai 1941 zu verschieben. Hitler entschied, daß der Versuch gemacht werden sollte, die Operation für den 15. September vorzubereiten. Die endgültige Entscheidung über den Zeitpunkt sollte aber erst fallen, nachdem die Luftwaffe eine Woche lang zusammengefaßte Angriffe auf die englische Südküste gemacht hätte. Wenn hierbei eine gute Wirkung festzustellen wäre, würde die Operation ausgeführt, andernfalls bis zum Mai 1941 aufgeschoben. Jedoch sollten die Vorbereitungen für die

Landung trotz der Warnungen der Marine auf breiter Front fortgesetzt werden.

Der letzte Punkt hatte wieder heftige Auseinandersetzungen zwischen Heer und Marine zur Folge. Am 13. August erbat ich bei Hitler eine endgültige Entscheidung, ob die Operation in der vom Heer beabsichtigten Form oder auf der schmalen Front ausgeführt werden sollte, wie es die Marine vorgeschlagen hatte. Ich wies erneut darauf hin, daß die Operation »Seelöwe« nur als letzter Ausweg in Frage kommen dürfte, wenn England auf keinem anderen Wege friedensbereit gemacht werden könnte. Hitler stimmte meiner Auffassung zu, wollte aber mit dem Oberbefehlshaber des Heeres noch einmal sprechen. Die Breite des Landungsraumes war natürlich entscheidend für die Operationen an Land. Die Stärke der auf dem englischen Festland befindlichen militärischen Verbände wurde damals auf mehr als eineinhalb Millionen Mann geschätzt. Aus Dünkirchen waren über 300 000 Engländer, Kanadier und Franzosen sowie aus anderen festländischen Kanalhäfen etwa 150 000 Mann nach England abtransportiert worden, die neubewaffnet zur Verteidigung der Insel eingesetzt werden konnten. Die gegensätzliche Auffassung von Heer und Marine über die Breite des Landungsraumes wurde zunächst durch einen Kompromißvorschlag des Oberkommandos der Wehrmacht überbrückt und schließlich von Hitler dahingehend entschieden, daß das Heer bei der Anlage seiner Operationen sich nach den Möglichkeiten zu richten hätte, die die Marine glaube schaffen zu können.

Noch aber war völlig offen, ob es der Luftwaffe tatsächlich gelingen würde, die absolute Luftherrschaft zu erringen. Ende August schien es nach den Berichten der Luftwaffe, als ob Aussicht dafür bestand. Jedoch zeigte sich schon bald, daß in Wirklichkeit die Erfolge der Luftwaffe gegenüber der Royal Air Force bisher keine entscheidende Bedeutung erlangt hatten. Trotz einer merklichen Schwächung der feindlichen Verteidigung waren britische Jäger, Bomber und vor allem die Minenflugzeuge noch in voller Tätigkeit. Ebenso war die feindliche Luftaufklärung über den Kanalhäfen durch unsere Luftabwehr nicht genügend niedergehalten worden, so daß die Bewegungen der Fahrzeuge und die Versammlung der Landungstruppen erkannt und angegriffen wurden. Allein am 13. September verloren wir achtzig Transportprähme. Jedenfalls war der Zustand, den das Marineoberkommando als allerwichtigste Vorbedingung für das Vorhaben ansah, von der Luftwaffe nicht hergestellt worden. Aber statt einer systematischen Fortführung der Vorbereitungsangriffe für die Landung setzte Göring seine Kräfte verstärkt für die Schlacht über London an. Mitte September erkannten wir in der Seekriegsleitung, daß auch keinerlei Anstrengungen gemacht wurden, gegen die Einheiten der britischen Flotte, die im Kanal operierten, vorzugehen. Der Luftkrieg wurde als totaler Luftkrieg außerhalb der bisherigen Pläne für »Seelöwe« geführt. Er hatte also seine vorbereitende Aufgabe für die Landungsoperation bisher nicht erfüllt und ließ dies nach den eigenen schweren Verlusten über London auch nicht erwarten. Der Übergang über den Kanal kam daher nach Ansicht der Marine nicht mehr in Frage.

Die Umstellung der Angriffe der Luftwaffe war von Hitler gebilligt worden. Es war zu erkennen, daß er ebenso wie Göring die Hoffnung hegte, durch die Angriffe auf London zum Erfolg zu kommen, ohne das Risiko einer Invasion einzugehen. Ich hielt es für aussichtslos, ihn von dieser Einstellung abzubringen; ich hätte ihm dann raten müssen, stattdessen die Operation »Seelöwe« durchzuführen, an deren Gelingen ich von vornherein zweifelte und für die weder die Voraussetzungen schon vorhanden waren, noch in absehbarer Zeit erhofft werden konnten. Am 17. September erkannte Hitler an, daß die Invasion zunächst nicht durchführbar sei und daher aufgeschoben werden müsse. Aber er wollte die Drohung mit der Landung weiter aufrechterhalten, um zusammen mit den Luftangriffen auf London eine Gesamtwirkung zu erzielen. Außerdem sollte die Landung wegen der Rückwirkung auf die englische Öffentlichkeit nicht aufgegeben werden.

Diesen Gründen mußte ich zustimmen. Vor allem war ich einverstanden, daß die Landung noch hinausgeschoben wurde, denn dadurch wurde ihre Durchführung immer unwahrscheinlicher. Es hat noch bis zum 12. Oktober 1940 gedauert, bis eine Entscheidung Hitlers erfolgte, daß die Vorbereitungen während des Winters fortzusetzen wären, aber lediglich, um den militärischen und politischen Druck auf England weiter bestehen zu lassen. Für ein etwaiges Vorgehen im folgenden Jahr würde Hitler nötigenfalls noch Befehle erteilen. Damit war der Plan einer Invasion nach England endgültig begraben.

Die Seekriegsleitung hat in der Frage einer Landung in England stets den gleichen Standpunkt eingenommen. Sie sah das Risiko eines Überganges über den Kanal für so groß an, daß er nur als allerletzte Maßnahme in Betracht kommen konnte, wenn alle anderen Mittel, England zu bekämpfen, keinen Erfolg versprachen. Während der Wochen der Auseinandersetzungen um die Durchführung des »Seelöwen« habe ich keine Gelegenheit vorübergehen lassen, um auch hierbei immer wieder von Hitler eine Verschärfung unserer Kriegführung gegen die britische Zufuhr zu fordern und die Dringlichkeit des U-Bootbaues zu betonen. Eine Zersplitterung unserer Rüstungskapazität durch Vorbereitungsmaßnahmen für eine Landung konnte nur störend sein und unsere Aussichten im Zufuhrkrieg beeinträchtigen. Sofort nach der siegreichen Beendigung des Westfeldzuges mußte vielmehr die Kapazität unserer Rüstung in erster Linie und bevorzugt für den U-Bootbau eingesetzt werden.

Wir haben pflichtgemäß in der Seekriegsleitung alle Möglichkeiten einer Landung mit den vorhandenen Mitteln geprüft und nach Wegen zu ihrer Durchführung gesucht. Aber wie man das Problem auch anfaßte — es war nicht zu verantworten, ein derartig großes Wagnis zu unternehmen, solange die britische Flotte in der Lage war, entscheidend einzugreifen. Das Fehlen einer für den Gegner beachtlichen deutschen Flotte ist in keinem anderen Augenblick des Krieges gleich stark in Erscheinung getreten. Von der deutschen Luftwaffe war nicht zu erwarten, daß sie die vollkommene britische Überlegenheit zur See ausgleichen könnte. Ich betrachtete es daher als ein Glück, daß der Plan einer Invasion nicht ausgeführt wurde. Er hätte mit Sicherheit zu einem erheblichen Rückschlag geführt. Die Schwierigkeiten, die die Alliierten 1944 bei ihrer Landung in der Normandie gehabt haben, beweisen eindeutig, daß ein Landungsunternehmen großen Ausmaßes nicht improvisiert werden kann. Mehr als zwei Jahre haben die Alliierten zur Vorbereitung ihrer Invasion gebraucht. Sie stützten sich nicht nur auf die industrielle Kapazität der Vereinigten Staaten, sondern auch auf die Erfahrungen des pazifischen Krieges, in dem Landungen an der Küste zu einem erprobten System entwickelt worden waren. Trotzdem ist die Landung der Alliierten zeitweise in ein kritisches Stadium gekommen, obgleich sie über die unbestrittene See- und Luftherrschaft verfügten.

Hitler hat sich im Gegensatz zu anderen Operationen, bei denen er die treibende Kraft war, bei der Planung des Unternehmens »Seelöwe« sehr zurückgehalten. Er ist, wie man deutlich spürte, niemals mit vollem Herzen dabei gewesen. Es mag sein, daß die Vorbereitung der Invasion von ihm vor allem als ein moralischer und psychologischer Druck auf den Gegner angesehen wurde, der im Verein mit den Luftangriffen auf die britische Hauptstadt England friedensbereit machen sollte. Dafür sind auf unserer Seite militärische und wirtschaftliche Kräfte gebunden worden, die an anderer Stelle dringend benötigt wurden. Die für das geplante Unternehmen aufgewandten Energien sind nutzlos verbraucht worden.

Unternehmen Barbarossa
(Rußlandkrieg)

Es lag in der Natur der Sache, daß die Gedanken, die sich mit der Stellung Norwegens und mit einer Landung in England beschäftigten, zuerst bei der Seekriegsleitung entstanden und von ihr geprüft wurden, da beide Länder für uns, wenn überhaupt, nur auf dem Seeweg erreichbar waren. Genauso war es selbstverständlich, daß neu auftauchende Probleme des kontinentalen Landkrieges zunächst außerhalb der Überlegungen der Marine lagen. Von der Entwicklung, die schließlich zum Kriege gegen Rußland führte, hörte ich erst, als sie sich schon in einem vorgerückten Stadium befand. Dann aber wurde diese Frage wegen ihrer Rückwirkung auf die Seekriegführung auch für mich von entscheidender Bedeutung. Ich habe daher — über mein Ressort hinaus — grundsätzlich zu der Frage eines Feldzuges gegen Rußland Stellung genommen.

Die Vorteile, die der gewonnene Feldzug in Frankreich für die Marine gebracht hat, waren außerordentlich groß. Trotz Fehlens einer schlagkräftigen Flotte konnte nun der Zufuhrkrieg gegen England von unseren neuen Stützpunkten am Atlantik aus mit viel besseren Aussichten auf Erfolg geführt werden als bisher. Größere Unternehmungen unserer Schlachtschiffe im Atlantik waren möglich; vor allem konnten die U-Boote wegen der kürzeren An- und Rückmarschwege wesentlich längere Zeit in ihrem Operationsgebiet bleiben. Nachdem die Landfeldzüge abgeschlossen waren, schien nun endlich auch der Zeitpunkt gekommen, auf den Hitler mich mehrfach vertröstet hatte, den Schwerpunkt unserer Rüstung auf die Marine — und hier besonders auf den U-Bootbau — und die Luftwaffe zu legen. Anfang Juni 1940, als ich mich bei Hitler über die ungenügende Unterstützung des U-Bootbaues beschwerte, hatte er mir gesagt, daß er nach Beendigung des Frankreichfeldzuges das Heer durch Entlassung der älteren Leute und Facharbeiter verkleinern wolle; Luftwaffe und Marine würden dann den Vorrang haben. Insgesamt hatten wir Grund, im Besitz der norwegischen und französischen Stützpunkte unsere Aussichten im Seekrieg um vieles günstiger zu beurteilen als vorher.

Noch war allerdings die Frage einer Landung in England offen. Die notwendige Zusammenziehung von Truppen und Transportraum als Auftakt für einen etwaigen Übergang nach England war im Gange. Daher war ich überrascht, als ich etwa im August 1940 von einer Verlegung größerer Truppenteile an unsere Ostgrenze hörte. Ich fragte daraufhin Hitler nach den Gründen und erhielt von ihm die Antwort, daß dies geschähe, um die geplante Landung in England zu tarnen. An andere Absichten konnte ich dabei nicht denken. Für mich stand fest, daß die Sicherung unseres Reichsgebietes im Osten die unerläßliche Voraussetzung für unsere gesamte Kriegführung war. Daß wir zum ersten Male keinen Zweifrontenkrieg zu führen hatten, war als der besondere Vorteil unserer Lage gerade von Hitler selbst mehrmals betont worden. Mir war niemals ein Zweifel daran gekommen, daß die Rückenfreiheit im Osten, durch die sich unsere militärische Lage diesmal wesentlich von der des ersten Weltkrieges unterschied, unter allen Umständen, selbst vielleicht unter Opfern, aufrechterhalten werden mußte. Der Erfolg in Frankreich hatte auch nicht die westliche Front aufgehoben, sondern nach wie vor stand im Westen das von seinem Weltreich unterstützte England. Ich hielt es für selbstverständlich, daß alles getan wurde, um das Entstehen einer zweiten Front im Osten auch weiterhin auszuschließen.

Der kurz vor Kriegsausbruch 1939 erfolgte Abschluß des deutsch-russischen Paktes war für die Marine mit ihren schwachen Kräften besonders wichtig, weil sie nun von der Sorge um die Ostsee befreit wurde, sobald die polnischen Seestreitkräfte ausgeschaltet waren. Die Ostseeküste und die im Sommer laufende Erzzufuhr aus Schweden waren damit gesichert, ohne daß Seestreitkräfte aus der Nordsee abgezweigt werden mußten. Ferner wurde von den Russen die Benutzung des eisfreien Hafens von Polarnoje an der Murmanküste als Stützpunkt für deutsche Seestreitkräfte gestattet und ebenso die Durchfahrt durch die Eismeerpassage nach dem pazifischen Ozean freigegeben. Das Anlaufen des Hafens Polarnoje war von großem Wert für einen Teil der in den ersten Wochen und Monaten des Krieges noch aus Übersee zurückkehrenden deutschen Handelsschiffe, die meistens hoch im Norden an der Packeisgrenze bei schweren Stürmen die englischen Blockadelinien umgangen hatten und dort Proviant ergänzen und ihre Seeschäden beseitigen konnten. Eins dieser Schiffe war der Schnelldampfer »Bremen«, der hier, von Amerika kommend, einige Zeit gelegen und dann den Durchbruch nach der Heimat fortgesetzt hat. Der deutsche Hilfskreuzer »Schiff 45« hat von diesem Hafen aus im August 1940 die Durchfahrt nach dem Pazifik angetreten. Der einzige Tanker, der bei der Besetzung Norwegens rechtzeitig in Narvik eintraf, kam aus Polarnoje. Nach der Besetzung Norwegens wurde dieser Stützpunkt nicht mehr von uns benötigt; ich dankte dem russischen Admiralstabschef telegraphisch für die geleistete Hilfe.

Es ging nicht ganz ohne Gegensätze mit der russischen Marine ab, wie sie sich aus dem Vordringen der Russen in der

Ostsee durch die Besetzung von Stützpunkten in den baltischen Staaten ergaben. Aber seitens unserer politischen Führung wurde alles vermieden, was zu Auseinandersetzungen führen konnte. Die im Pakt verabredeten Materiallieferungen an die russische Marine wurden von uns ohne größere Schwierigkeiten geleistet. Die Vertragsbedingungen wurden von der deutschen und der russischen Marine eingehalten; im allgemeinen kamen dabei keine größeren Reibungen vor.

Zwischen Hitler und mir ist zum ersten Male von Rußland kurz die Rede gewesen, als es sich am 9. März 1940 bei einer Vorbesprechung für das Norwegenunternehmen um die Frage der Besetzung von Tromsö handelte. Hierzu reichten unsere Kräfte nicht aus, und ich schlug vor, den Russen bei Beginn des Unternehmens zu erklären, daß Tromsö von uns nicht besetzt werden würde. Die Sowjets würden das vielleicht als eine Rücksichtnahme auf ihre Interessen ansehen. Tromsö in russischer Hand wäre immer noch besser als ein englischer Stützpunkt dort. Tatsächlich hat auch die Besetzung von Tromsö in Verbindung mit Narvik auf alliierter Seite zur Diskussion gestanden. Sie war von Admiral Darlan, dem Oberbefehlshaber der französischen Marine, der uns dies später mitteilte, im Dezember 1939 angeregt worden. Hitler verlangte jedoch die Besetzung von Tromsö durch deutsche Streitkräfte mit der Begründung, daß er die Russen nicht so nahe haben wollte. Ich habe damals der Antwort Hitlers keine grundsätzliche Bedeutung beigelegt, weil es sich für mich nur darum handelte, zu verhindern, daß die Engländer dort Fuß faßten und so das Ziel unseres Norwegenunternehmens zum Teil illusorisch machten. Nachträglich allerdings möchte ich nicht für ausgeschlossen halten, daß Hitler bereits an die spätere Entwicklung des Verhältnisses zu Rußland gedacht hat.

Wann Hitler begonnen hat, sich im einzelnen und ernsthaft mit dem Gedanken eines Feldzuges gegen die Sowjetunion zu beschäftigen, vermag ich nicht zu sagen, da er offensichtlich gerade in dieser Frage mir gegenüber sehr zurückhaltend war — wohl aus dem Gefühl heraus, daß ich von vornherein gegen ein Vorgehen im Osten eingestellt sein müßte. In einer Besprechung mit den Oberbefehlshabern der Wehrmachtteile am 21. Juli 1940 hatte er zwar erwähnt, daß England vielleicht eine Änderung der Gesamtlage durch einen Wechsel der amerikanischen Politik oder durch den Eintritt Rußlands in den Krieg erhoffte. Die letztere Möglichkeit stellte er aber als höchst unwahrscheinlich und nicht in unserem Interesse liegend dar.

Wenige Wochen darauf, am 6. September, war ich bei Hitler zu einem längeren Vortrag über die Gesamtkriegslage. Ich versuchte bei dieser Gelegenheit, seine Gedanken auf das Mittelmeer hinzulenken und wies auf die Bedeutung von Gibraltar und Suez für die englische Kriegführung sowie auf die Wichtigkeit hin, die der Hafen Dakar in Französisch-Westafrika für uns bekommen könnte. Auch bei dieser Unterredung war noch nicht von Rußland die Rede. Aber etwa Mitte September gab Hitler zu, daß er gewisse Absichten gegen Rußland habe.

Ich hielt es gegenüber derartigen Plänen, die anscheinend bis dahin keine feste Gestalt angenommen hatten, für angebracht, meinen Standpunkt dazu und meine Auffassung über die Kriegslage noch einmal in nachdrücklicher Form bei Hitler zum Ausdruck zu bringen. Das tat ich bei einer längeren Unterredung mit ihm unter vier Augen, die am 26. September stattfand. Eine solche persönliche Aussprache erbat ich immer dann, wenn ich etwas besonders Wichtiges vorzutragen hatte und auf Hitler einwirken wollte. Er war dann leichter zugänglich und hörte sich Darlegungen und Einwände sorgfältiger an, als wenn noch weitere Personen zugegen waren. Ich hatte eine eingehende Denkschrift in der Seekriegsleitung ausarbeiten lassen und trug ihm in Anlehnung an diese Unterlage meine Betrachtung über das augenblickliche Stadium des Krieges vor: Das Mittelmeer sei von den Engländern immer als der Angelpunkt ihrer Weltstellung angesehen worden. Auch jetzt hätten sie starke Seestreitkräfte und ebenso Truppen aus entfernteren Teilen ihres Reiches dort versammelt. Italien könnte leicht in eine schwierige Lage kommen. Wir müßten daher unsere Kampfführung gegen England mit allen Mitteln verstärken und zwar schnell, bevor die Vereinigten Staaten eines Tages aktiv in den Krieg eingreifen würden. Ich wies dabei nochmals auf Gibraltar und Suez sowie den Nahen Osten und die Kanarischen Inseln hin. Eine Schwächung der englischen Machtstellung könnte entscheidend werden. Wir dürften keinesfalls den mit Rußland abgeschlossenen Pakt brechen, da er uns vor dem Zweifrontenkrieg bewahrte. Ich habe Hitler gesagt, daß er doch unmöglich einen Zweifrontenkrieg entfesseln könne, nachdem er bisher immer betont habe, daß er die Dummheit der Regierung von 1914 nicht wiederholen würde; dies sei nach meiner Ansicht unter gar keinen Umständen zu verantworten. Vielmehr müßten wir alle Kräfte auf die Niederwerfung Englands als der Seele des Widerstandes konzentrieren. Dazu müßten wir den Seekrieg von den Atlantikhäfen aus mit größter Energie führen, in Zusammenarbeit mit den Franzosen die Stützpunkte auf die Westküste Afrikas ausdehnen und mit Hilfe Italiens und Frankreichs die Seeherrschaft im Mittelmeer und über das afrikanische Küstengebiet bis zum Suezkanal erringen. Damit würde England der Mittelmeerweg nach Indien abgeschnitten und Nordafrika an das europäische Wirtschaftssystem angeschlossen, was für die Versorgung Europas wichtig wäre; das Problem der Ernährung Europas aus dem Osten würde so von selbst ausgeschaltet. Ich versuchte Hitler davon zu überzeugen, daß mit einem Vorgehen im Mittelmeer gleichzeitig ein Druck auf Rußland ausgeübt würde und damit die Veranlassung entfiele, weiter nördlich etwas gegen Rußland zu unternehmen. Dringend riet ich ab, die Sowjetunion anzugreifen. Unmöglich könne man den Rußlandpakt brechen, weil es unmoralisch wäre. Ein solches Vorgehen wäre auch unzweckmäßig, da wir aus dem Vertrage große Vorteile hätten; es würde sich erübrigen, wenn wir in der von mir vorgeschlagenen Weise den Stoß auf den Mittelmeerraum richten würden. Ein Krieg mit Rußland wäre zwar eine Sache des Heeres und der Luftwaffe. Aber die Marine würde doch ebenfalls davon betroffen werden. Sie dürfe jedoch bei den ungeheueren Anforderungen, die der für die Kriegsentscheidung ausschlaggebende Kampf mit England an sie stelle, nicht mit weiteren Aufgaben belastet werden, wie sie sich aus einem etwaigen Krieg in der Ostsee ergeben würden. An leichteren Seestreitkräften — Minensuchern, Minenlegern, Schnellbooten, Räumbooten — herrsche durch die notwendige vermehrte Ausrüstung der neugewonnenen Atlantikstützpunkte großer Mangel. Ein Abzug von Seestreitkräften nach der Ostsee würde eine fühlbare Schwächung der Atlantikstützpunkte zur Folge haben.

Ich hatte das Gefühl, daß Hitler von meinen Ausführungen stark beeindruckt war. Wie ich hörte, äußerte er zu seinem Stabe seine Genugtuung darüber, daß er bei solchen Gelegenheiten seine Auffassungen an den meinigen ausrichten könne, so daß er wisse, ob er »richtig liege«. Meine Hoffnung, Hitler den ganzen Rußlandplan ausgeredet zu haben, schien sich zu bestätigen, als einige Zeit hindurch nichts mehr darüber verlautete. Auch glaubte ich zu erkennen, daß das Verhältnis zu Sowjetrußland nach einigen Reibungen und Zwischenfällen trotz der Interessengegensätze auf verschiedenen Gebieten sich nicht weiter verschärfte. Anfang November kam der sowjetische Außenminister Molotow für mehrere Tage zu Besprechungen nach Berlin. Am Tage seiner Abfahrt habe ich erneut bei Hitler darauf gedrungen, eine etwa für notwendig gehaltene Auseinandersetzung mit Rußland zum mindesten zu verschieben; ich hätte den Eindruck, daß sie von russischer Seite im Augenblick nicht angestrebt würde.

Alle meine Mahnungen und Warnungen bei Hitler führten jedoch zu keinem Erfolg. Am 18. Dezember 1940 eröffnete Hitler den Oberbefehlshabern, daß sein Entschluß, Rußland im Jahre 1941 anzugreifen, um es als möglichen Gegner auf dem Kontinent auszuschalten, unwiderruflich feststehe. Mit der Abgabe einer solchen Erklärung pflegte Hitler den Zeitpunkt festzulegen, von dem ab ein Widerspruch gegen seine Pläne durch die Oberbefehlshaber zwecklos war. Die am 18. Dezember herausgegebene Direktive über den Fall »Barbarossa«, wie der Angriff gegen Rußland genannt wurde, war allerdings noch kein endgültiger Ausführungsbefehl, sondern lediglich eine vorbereitende Weisung. Aber die Aussicht, Hitler jetzt noch von seinem Entschluß abzubringen, war sehr gering geworden.

Für die Marine war diese Hinwendung auf den Landkrieg und die Errichtung einer zweiten Front im Osten von entscheidender Bedeutung. Wenn es wirklich dazu kam, bestand kaum eine Möglichkeit, in absehbarer Zeit den Krieg gegen England zu intensivieren. Zwar wurde öfter von einem kurzen, schnellen Feldzug geredet; wieweit aber solche Berechnungen wirklich stichhaltig waren, war immerhin sehr fraglich. Ende Dezember habe ich noch einmal in langen Ausführungen bei Hitler meine Betrachtung der Kriegslage vorgetragen und zum Ausdruck gebracht, daß die Entwicklung im östlichen Mittelmeer nicht unseren Wünschen entspräche. Infolgedessen wäre erneut die Notwendigkeit bewiesen, unsere gesamte Kriegsmacht gegen England als unseren Hauptgegner zu konzentrieren. England habe durch die unglückliche italienische Kriegführung im östlichen Mittelmeer und durch die wachsende amerikanische Unterstützung an Stärke gewonnen. Nach wie vor aber könne England durch die bereits wirksam werdende Abschnürung seines Seeverkehrs ent-

249

scheidend getroffen werden. Für U-Bootbau und Aufbau der Seeluftwaffe geschehe viel zu wenig. Unser gesamtes Kriegspotential müsse für die Stärkung der Kriegführung gegen England, also für Marine und Luftwaffe arbeiten; jede Kräftezersplitterung sei kriegsverlängernd und gefährde den Enderfolg. Ich äußerte wiederum meine schwersten Bedenken gegen einen Rußlandfeldzug, bevor wir England niedergerungen hätten. Hitler erwiderte, daß er eine möglichst weitgehende Förderung des U-Bootbaues wünsche, die bisherigen Bauzahlen seien zu gering. Aber allgemein müsse bei der jetzigen politischen Entwicklung und der Neigung Rußlands, sich in Balkanangelegenheiten einzumischen, der letzte kontinentale Gegner beseitigt werden, ehe er sich mit England »zusammentun« könnte. Daher müsse zunächst das Heer die nötige Stärke erhalten. Erst dann werde die volle Konzentration auf Luftwaffe und Marine folgen können.

Die im Balkanraum wegen des erfolglosen italienischen Feldzuges in Griechenland notwendig gewordene Operation gegen Griechenland und Jugoslawien verzögerte die Ausführung des Angriffs auf Rußland. Anfang April 1941 befahl Hitler, daß alle Maßnahmen, die auf offensives Vorgehen schließen ließen, zurückzustellen wären. Am 20. April bin ich bei Hitler gewesen und habe mich nach dem Ergebnis des kurz vorher erfolgten Besuches des japanischen Außenministers Matsuoka erkundigt, von dem mir bekannt war, daß er Bedenken wegen der Entwicklung des Verhältnisses zu Rußland hatte. Ich fragte weiter, welche Auffassung Hitler von der erneuten russischen Sinnesänderung in bewußt prodeutschem Sinne habe. Hitler antwortete, wie er es auch dem japanischen Außenminister mitgeteilt hätte, daß »Rußland nicht angefaßt wird, wenn es sich gemäß Vertrag freundschaftlich verhält«.

Als der Angriff gegen Rußland am 22. Juni 1941 begann, war die Entscheidung endgültig zugunsten des Landkrieges gefallen entgegen der von mir immer wieder vorgeschlagenen Sammlung aller Kräfte für den Kampf gegen England. Für die Notwendigkeit des Feldzuges gegen Rußland hat Hitler viele Gründe vorgebracht, die er in einer großen Ansprache am 15. Juni in Anwesenheit aller höheren Wehrmachtführer darstellte. Der Eindruck dieser Rede war auf die Teilnehmer wohl ziemlich einheitlich der, daß der Ostfeldzug unvermeidlich sei und daß wir ihn vorbeugend und offensiv führen müßten, damit die Russen nicht zu einem späteren Zeitpunkt mit besserer Vorbereitung über uns herfallen könnten, wenn wir an anderer Stelle gebunden wären.

Da ich die Argumentierung Hitlers kannte, wurde ich von seiner Rede nicht in gleichem Maße beeindruckt wie andere Angehörige meines Stabes. Ich wußte, daß die vielleicht wichtigste Entscheidung des Krieges gefallen war und daß sie gegen meinen Rat und meine Auffassung erfolgt war, über die ich Hitler durch meine eingehenden Vorträge nicht im Unklaren gelassen hatte.

Für die Durchführung des Rußlandkrieges hatte die Marine die Weisung bekommen: »Der Schwerpunkt des Einsatzes der Kriegsmarine bleibt auch während eines Ostfeldzuges eindeutig gegen England gerichtet.« Diese Linie entsprach meiner Auffassung. Da ich nach wie vor England als Hauptgegner ansah, mußte ich darauf bedacht sein, keinesfalls mehr Streitkräfte aus dem Krieg gegen England abzuziehen, als unbedingt erforderlich war, sondern den Kampf gegen die britischen Seeverbindungen mit Nachdruck weiterzuführen. Eine besondere Unterstützung des Heeres durch die Kriegsmarine war nicht erbeten worden. Sie schien auch nicht in Betracht zu kommen, da bei Beginn des Rußlandfeldzuges mit einem kurzen Krieg gerechnet wurde. Die erwähnte Führeranweisung begann mit den Worten: »Die deutsche Wehrmacht muß darauf vorbereitet sein, noch vor Beendigung des Krieges gegen England Sowjetrußland in einem schnellen Feldzug niederzuwerfen.« Die Kriegsmarine erhielt den Auftrag, unter Sicherung der eigenen Küste ein Ausbrechen feindlicher Streitkräfte aus der Ostsee zu verhindern. »Da nach dem Erreichen von Leningrad der russischen Ostseeflotte der letzte Stützpunkt genommen und diese dann in hoffnungsloser Lage sein wird, sind vorher größere Seeoperationen zu vermeiden. Nach dem Ausschalten der russischen Flotte wird es darauf ankommen, den vollen Seeverkehr in der Ostsee, dabei auch den Nachschub für den nördlichen Heeresflügel über See sicherzustellen (Minenräumung!)«.

Gleich bei Eröffnung des Rußlandfeldzuges begannen wir mit dem Legen von zahlreichen dichten Minensperren in erster Linie im Westteil des Finnischen Meerbusens, um das Auslaufen der russischen Streitkräfte aus ihren Kriegshäfen nach der Ostsee zu verhindern. Die sowjetischen Schiffe zogen sich sehr bald von Hangö und Reval, wo sie sich zum größeren Teil befunden hatten, unter Verlusten nach Kronstadt und Leningrad zurück. Das bedeutete für uns eine große Erleichterung. Die russischen Überwasserstreitkräfte hätten für uns durch energisches Vorgehen gegen unseren Ostseehandel, besonders gegen den vom schwedischen Hafen Lulea ausgehenden Erzverkehr, sehr unangenehm werden können. Nach kurzer Zeit wurden die sowjetischen Schlachtschiffe in schwerbeschädigtem Zustand in Leningrad festgestellt. Es erübrigte sich daher, stärkere Überwasserstreitkräfte zu ihrer Bekämpfung heranzuziehen. Die russischen U-Boote hatten offenbar durch unsere Minen große Verluste erlitten und konnten später auch nur in vereinzelten Fällen in die Ostsee durchbrechen, ohne nennenswerte Erfolge zu erzielen. Das Ziel der deutschen Seekriegführung — Sicherung der Ostseeküste und des Ostseehandels — wurde durch einen oft mühseligen Kleinkrieg der leichten Streitkräfte in vollem Umfang erreicht. Bei der Eroberung der baltischen Inseln Ösel, Moon und Dagö waren auch die Kreuzer »Leipzig«, »Emden« und »Köln« neben zahlreichen

Sicherungsstreitkräften beteiligt. Erst im Herbst 1944 änderte sich die Lage durch das Ausscheiden von Finnland aus dem Krieg und unseren Rückzug an Land.

Neben der Ostsee hatte die Marine durch den Rußlandkrieg noch zwei weitere Kriegsschauplätze bekommen: das Schwarze Meer und das nördliche Eismeer. Im Schwarzen Meer waren die russischen Seestreitkräfte wenig aktiv, obwohl sich dort ein Schlachtschiff, mehrere Kreuzer und eine größere Anzahl von Zerstörern und Torpedobooten befanden. Da die rumänischen Streitkräfte ihnen gegenüber sehr schwach waren, war eine Unterstützung durch die deutsche Marine dringend notwendig. An wichtigen Punkten wurden Küstenbatterien zur Verteidigung aufgestellt. Vor allem aber wurden kleine U-Boote, Schnellboote und Minenräumboote auf dem Landweg nach dem Schwarzen Meer transportiert, was unter Benutzung der Reichsautobahnen und der Donau bewerkstelligt wurde — eine völlig improvisierte Maßnahme, die dank der vorzüglichen Zusammenarbeit mit den zuständigen Ministerien, Behörden und zivilen Stellen mit großem Erfolg durchgeführt wurde.

Den dritten Schauplatz des Seekrieges gegen Rußland bildeten die Gewässer der nördlichen Nordsee und des Eismeeres. Hier gewannen die deutschen Stützpunkte in Norwegen eine große Bedeutung. Ich hatte von vornherein vorgeschlagen und beantragt, daß wir durch eine Operation den Hafen Polarnoje an der Murmanküste besetzen sollten. Wir hätten damit einen wichtigen Stützpunkt in der Nähe des Hafens Murmansk gehabt, der als Ausschiffungsplatz für die Alliierten nun besonders wichtig werden mußte. Jedoch standen die dazu benötigten Kräfte nicht zur Verfügung. Die alliierten Dampfer und Geleitzüge, die mit Kriegsmaterial nach Murmansk gingen, sowie die russischen Seestreitkräfte konnten daher nur von unseren in Nordnorwegen gelegenen Stützpunkten aus angegriffen werden. Aber auch so übten unsere

See- und Luftstreitkräfte einen ständigen Druck auf die feindliche Kriegführung aus.

Auf drei Wegen floß die materielle Unterstützung der Alliierten dem russischen Bundesgenossen zu. Ein Teil ging von den Industriegebieten im Osten der USA mit der Bahn durch den nordamerikanischen Kontinent und dann mit Schiffen über den Pazifik nach den russischen Häfen in Sibirien. Dieser Weg war weit und nicht sehr leistungsfähig, aber er war sicher, da wir ihn nicht angreifen konnten. Ein weiterer Teil des Kriegsmaterials wurde ebenfalls auf dem Seewege nach persischen Häfen überführt. Im Iran waren im August 1941 britische und sowjetische Truppen unter Bruch der Neutralität einmarschiert, hatten den Schah zur Abdankung und eine neue willfährige Regierung zum Abbruch der diplomatischen Beziehungen mit Deutschland gezwungen. Nach der Besetzung des Landes hatten die Alliierten das persische Verkehrsnetz ausgebaut und sich so einen zweiten Nachschubweg nach Rußland geöffnet, der durch uns ebenfalls nicht gefährdet war.

Außerdem bestand noch eine dritte Verbindungsmöglichkeit von den atlantischen Häfen der USA durch den Nordatlantik und das Polarmeer nach dem russischen Hafen Murmansk, dem Endpunkt der nach Leningrad führenden innerrussischen Murmanbahn. Die Strecke war bedeutend kürzer und leistungsfähiger als die anderen beiden Verbindungswege, sie hatte aber für die Alliierten den Nachteil, daß sie durch den Bereich unserer Seekriegführung ging. Wir hatten dauernd eine Anzahl von U-Booten in Norwegen stationiert; dazu kamen Überwasserstreitkräfte von wechselnder Stärke und Luftstreitkräfte. Der Gegner war daher gezwungen, seine Transporte in möglichst großer Entfernung von unseren Stützpunkten hoch im Norden durchzuführen und dadurch einen zeitraubenden Umweg zu machen. Als er seine Nachschubdampfer auf dieser Route zum besseren Schutz in

Geleitzügen zusammenfaßte, mußte er diese wegen der Nähe von schweren deutschen Streitkräften durch starke Flottenteile sichern und die dazu erforderlichen Schiffe aus dem Atlantik abziehen. Trotzdem mußte er erhebliche Verluste hinnehmen. Wenn an unserer Stelle die Alliierten im Besitz der norwegischen Stützpunkte gewesen wären, so wäre der Nachschubverkehr nach Murmansk wesentlich weniger gefährdet gewesen. Dann wäre das für den sowjetischen Verbündeten unentbehrliche Kriegsmaterial schneller, mit einem kleineren militärischen Aufwand und mit sehr viel geringeren Ausfällen durch Versenkungen ans Ziel gekommen. Aber infolge der Wirkung unserer See- und Luftstreitkräfte in Norwegen und ihrer immer wieder durchgeführten Angriffe floß nicht ein starker Strom von Nachschub an die russische Front, sondern die alliierten Transporte trafen nur mit weiten Zwischenräumen und nach fühlbaren, großen Verlusten ein.

Die Geleitzugkämpfe im Polarmeer spielten sich unter außergewöhnlichen Verhältnissen ab. War es im Sommer die lange Tageshelle, die unseren Angriffen zugute kam und beträchtliche Erfolge ermöglichte, so waren es während der Wintermonate die fast ununterbrochene Dunkelheit, die bittere Kälte und die heftigen Stürme, die an unsere See- und Luftstreitkräfte — aber auch ebenso an die Sicherungsverbände des Gegners — höchste Anforderungen stellten. Die Hartnäckigkeit, mit der die Kämpfe durchgeführt wurden, zeigte die Wichtigkeit dieses Zufuhrweges für die Alliierten zur Aufrechterhaltung der Kampfkraft der russischen Front, zugleich aber auch die Bedeutung, die unsere Stellung in Nordnorwegen für uns besaß. Es ist eine der vielen Merkwürdigkeiten des Krieges, daß gerade die Frage des Einsatzes unserer schweren Streitkräfte im hohen Norden der Anlaß zur entscheidenden Auseinandersetzung zwischen Hitler und mir wurde.

Der Seekrieg 1941 und 1942

Die Besetzung Norwegens im April 1940 hatte nicht nur die Streitkräfte der Kriegsmarine, vor allem die Zerstörer, geschwächt, sondern auch längere Reparaturzeiten für die großen Schiffe zur Folge gehabt. Die U-Boote waren der ozeanischen Kriegführung während dieser Periode teilweise entzogen gewesen. Die Seekriegsleitung ließ jedoch nicht ihre Hauptaufgabe aus dem Auge, auf die rückwärtigen Überseeverbindungen des britischen Weltreiches störend einzuwirken und den Gegner durch alle erdenklichen Maßnahmen zu zwingen, seine Seestreitkräfte zu zersplittern und durch ihre Beanspruchung abzunutzen. Dadurch sollte er daran gehindert werden, sie gesammelt an einzelnen Schwerpunkten gegen uns zu verwenden.

Wenn wir mit unseren zahlenmäßig schwachen Kräften etwas erreichen wollten, mußten sie mit immer neuer Initiative und neuen Ideen eingesetzt werden. Dies erforderte Kühnheit und Verantwortungsfreudigkeit seitens der Seekriegsleitung wie im besonderen eine operativ verständnisvolle Führung durch die Seebefehlshaber und Kommandanten. Das Ziel aller Operationen war die Störung der Seeverbindungen durch Versenkung von möglichst viel gegnerischer Handelsschiffstonnage, wodurch eine Knappheit vor allem an Kriegsmaterial und an Zufuhr für die Rüstungsindustrie erreicht werden sollte. Der Erfolg der einzelnen Unternehmungen mußte sich nicht allein in der Höhe der vernichteten feindlichen Tonnage zeigen, sondern zugleich in dem Einfluß auf die Gesamtkriegführung des Gegners durch Bindung seiner Streitkräfte und durch sonstige Störung des Seeverkehrs. Diese Auswirkungen waren für uns nicht immer sofort zu erkennen; aber schon die Notwendigkeit für den Gegner, die weiten Seegebiete des Atlantik unter eine Luftkontrolle zu nehmen und diese ständig auszudehnen und zu verstärken, bedeutete eine weitgehende Inanspruchnahme der gegnerischen Luftwaffe. Die zur Überwachung eingesetzten, meist sehr großen Flugzeuge wurden auf diese Weise anderen Aufgaben, wie zum Beispiel dem Angriff auf deutsche Städte, entzogen. Gerade die U-Boote haben durch ihren Einsatz im Atlantik eine erhebliche Bindung der feindlichen Luftstreitkräfte bewirkt und damit der Heimatfront eine nicht hoch genug einzuschätzende Entlastung gebracht.

Für alle Seestreitkräfte galt die grundsätzliche Weisung, daß das Ziel die feindliche Zufuhr und nicht die feindliche Flotte sein sollte und daher durch kluges taktisches Verhalten Zusammenstöße mit überlegenen gegnerischen Kriegsschiffen zu vermeiden waren. Die Auseinandersetzung mit Hitler nach dem Ende des Panzerschiffs »Admiral Graf Spee« hatte mich veranlaßt, die Frage noch einmal nach allen Seiten hin durchzuprüfen. Aber nach wie vor ergab sich für mich die Richtigkeit dieser Auffassung.

Um ein erfolgreiches Zusammenwirken aller Mittel im Ozeankrieg zu erreichen, mußte die Führung von einer zentralen Stelle aus erfolgen und zwar von der Seekriegsleitung unmittelbar. Sie verfügte über die notwendigen Nachrichtenquellen, Unterlagen, politischen Informationen, Erkenntnisse aus dem feindlichen Funkverkehr und besaß den erforderlichen Apparat, um die umfangreiche Nachschuborganisation zweckentsprechend zu steuern. Der Nachschub war für die

Überseekriegführung von entscheidender Bedeutung. Eine Anzahl von Schiffen, wie schnelle Troßschiffe, Öltanker, Nachschubschiffe mit Munition und Proviant, wurden hierbei eingesetzt. Auch mußte der Abtransport der Besatzungen der aufgebrachten Handelsschiffe laufend geregelt werden, um tragbare und hygienische Unterbringungsverhältnisse auf den eigenen Schiffen zu behalten. Wie groß die Aussichten auf Erfolge bei dieser Art von Kriegführung sein würden, konnten wir natürlich nicht voraussehen. Es kam aber darauf an, sich nicht vom Gegner das Gesetz des Handelns vorschreiben zu lassen, sondern ihn zu immer neuen Gegenmaßnahmen zu zwingen. So lange wie möglich mußte unsere eigene Entschlußfreiheit erhalten werden. Von vornherein allerdings habe ich mir mit meinem Stab keinerlei Illusionen darüber gemacht, daß die ungeheure Überlegenheit des Gegners und die Anstrengungen, die er zur Abwehr unserer Angriffe machen mußte, mit Sicherheit eines Tages ein Ende der atlantischen Seekriegführung mit Überwasserstreitkräften herbeiführen würden. Es war damit zu rechnen, daß diese in absehbarer Zeit abgenutzt und aufgebraucht sein und ihr Einfluß auf den Zufuhrkrieg zurückgehen würde. Bis dahin würde, so hoffte ich, die U-Bootwaffe so stark geworden sein, daß sie dann mit größter Wirkung auf den Gegner zum Tragen kommen könnte.

Wir mußten also die Kriegführung mit den Überwasserstreitkräften möglichst intensiv gestalten, solange die Voraussetzungen dazu noch gegeben erschienen. Daß die Aussichten dafür sich in Zukunft verschlechtern würden, war schon deswegen anzunehmen, weil nach Ansicht sowohl der politischen Führung wie der Seekriegsleitung der Eintritt der Vereinigten Staaten von Amerika in den Krieg mit größter Wahrscheinlichkeit nur eine Frage der Zeit und einer günstigen Gelegenheit war. Der Präsident der Vereinigten Staaten, Roosevelt, war ein Gegner des damaligen Deutschlands; sein Wunsch, die Alliierten gegen uns zu unterstützen, war unverkennbar. Die deutsche Politik hatte es im Frieden nicht vermocht, ein erträgliches Verhältnis zu den USA zu erhalten. Wenn auch die amerikanische Neutralitätsgesetzgebung ein offizielles Eingreifen noch verhinderte, war doch sehr bald aus dem Verhalten der amerikanischen Seestreitkräfte eindeutig eine Unterstützung unserer Gegner zu erkennen. Die Deklaration der nord- und südamerikanischen Staaten auf der Konferenz von Panama, die Ende September 1939 zusammentrat, hatte den Begriff von »Sicherheitszonen« geschaffen, die sich je nach der geographischen Lage in 300 bis 1000 Seemeilen Breite um die amerikanischen Kontinente erstreckten; ihre Wirkung kam lediglich unseren Gegnern zugute, indem die für unseren Kreuzerkrieg in Frage kommenden Gebiete räumlich eingeschränkt wurden. Da in der Sicherheitszone »Neutralitätspatrouillen« gebildet wurden, war den nach der Heimat durchbrechenden deutschen Handelsschiffen die ungesehene Passage dieses Seeraumes fast unmöglich gemacht. Dies führte zum Verlust einer Reihe von deutschen Handelsschiffen, deren Standorte durch amerikanische Kriegsschiffe den Gegnern gemeldet worden waren. Im September 1940 überließ die USA-Regierung der britischen Admiralität fünfzig ältere amerikanische Zerstörer zur Verstärkung des Geleitdienstes im Atlantik, eine Maßnahme, die für die an Geleitfahrzeugen knappe britische Marine eine große Unterstützung bedeutete. Britische Kriegsschiffe wurden in amerikanischen Häfen repariert. Von April 1941 ab meldeten die amerikanischen See- und Luftstreitkräfte die gesichteten deutschen und italienischen Schiffe durch offenen Funkspruch.

Die deutsche politische Führung und die Seekriegsleitung haben von Anfang an in Erkenntnis dieser Entwicklung die schärfsten Anordnungen erlassen, jegliche Zwischenfälle mit amerikanischen Schiffen zu vermeiden; die panamerikanische Sicherheitszone wurde zwar offiziell von uns nicht anerkannt, in der Praxis jedoch erhielten sämtliche im Ozeankrieg eingesetzten Schiffe und U-Boote den strikten Befehl, sie zu meiden. Allen Kommandanten war klar, daß ein Zwischenfall, auch wenn er nicht von ihnen verschuldet war, nur zu politischen Verwicklungen mit den Vereinigten Staaten führen konnte. Jedem war bewußt, daß es darauf ankam, den Kriegseintritt Amerikas, wenn nicht überhaupt zu vermeiden, dann wenigstens möglichst lange hinauszuschieben. Trotzdem gab es eine Reihe von Zwischenfällen.

Es war verständlich, daß wir in der Seekriegsleitung mit gewisser Besorgnis einem Kriegseintritt der USA entgegensahen. Die Wahrscheinlichkeit, daß sich dann die Möglichkeiten unserer Kriegführung im Atlantik verschlechtern würden, blieb nicht ohne Einfluß auf unsere Entscheidungen; es war wichtig, Erfolge zu erreichen, ehe das ganze Gewicht der amerikanischen Seemacht dem Gegner zugute kam. Unsere Aussichten für die atlantische Kriegführung hatten sich im Laufe des Jahres 1940 nach der Gewinnung der Stützpunkte in Norwegen und in Frankreich wesentlich gebessert. Zu gleicher Zeit etwa wurden auch die ersten deutschen Hilfskreuzer fertig, die unter Ausnutzung der Erfahrungen des letzten Krieges aus Handelsschiffen umgebaut worden waren. Sie waren die ersten Schiffe, die nunmehr für die größeren Planungen der Seekriegsleitung eingesetzt werden konnten.

Für die Führung von Hilfskreuzern, die in weit entfernten Seegebieten auf sich allein gestellt auftreten sollten, mußten Offiziere ausgesucht werden, die über eine umfassende Kenntnis auf allen Gebieten der Seefahrt verfügten, Klugheit und Angriffsgeist miteinander vereinten, operativ denken konnten und vor allem auch in langen Monaten der Abgeschlossenheit des Schiffes eine vielhundertköpfige Besatzung unter schwierigen Umständen zu führen vermochten. Ich darf es als einen besonderen Erfolg unserer Personalauswahl ansehen, daß es ohne eine einzige Ausnahme gelungen ist, solche Offiziere zu Kommandanten zu ernennen, die dienstlich und menschlich ihrer Aufgabe hervorragend gewachsen waren. Ihnen wurde ein großer Einfluß auf die Zusammenstellung ihrer Besatzungen eingeräumt, die sich dann ebenfalls glänzend bewähren sollten. Erfahrene Offiziere der Handelsmarine wurden an Bord kommandiert und waren ihren Kommandanten unentbehrliche Berater. Die Versenkungserfolge der Hilfskreuzer haben in den Jahren 1940 bis 1942 fast eine Million Tonnen betragen. Dazu kamen die erheblichen Störungen der feindlichen Schiffahrt und die Beanspruchung der zahlreichen zum Schutz der Seeverbindungen eingesetzten gegnerischen Streitkräfte. Die Tätigkeit unserer Hilfskreuzer ist ein ruhmreiches Kapitel des Seekrieges. Neben ihren Kommandanten und Besatzungen haben die Kapitäne und Bemannungen der Nachschubdampfer und Ölfahrzeuge, die Konstrukteure, die die Schiffe für ihre Aufgabe herrichteten, und ebenso zahlreiche Mitarbeiter und Spezialisten in der Marineleitung ihren Anteil an den Erfolgen.

Der Gewinn der atlantischen Stützpunkte in Westfrankreich brachte für unsere Kriegführung noch eine neue Möglichkeit: die französischen Häfen konnten als Ziel und als Ausgangspunkt für die Fahrten von Handelsschiffen als Blokkadebrecher ausgenutzt werden. Auf Veranlassung der Seekriegsleitung war schon im Jahre 1940 der Transport von Kautschuk und anderen Rohstoffen aus Japan auf geeigneten, in japanischen Häfen liegenden deutschen Schiffen in die Wege geleitet worden. Ende Dezember 1940 war das Motorschiff »Weserland« unter Führung von Kapitän Krage von Kobe ausgelaufen und hatte am 4. April 1941 Bordeaux erreicht. Während wir bis zum Beginn des Rußlandkrieges auch auf dem Landweg durch Rußland die wichtigen Rohstoffe eingeführt hatten, blieb nach diesem Zeitpunkt nur der Seeweg übrig. In ähnlicher Weise wie beim schwedischen Erz konnte der völlige Ausfall des Nachschubs an Kautschuk unsere Rüstungswirtschaft entscheidend schädigen. Die Seekriegsleitung setzte daher alle in Häfen des Pazifik liegenden und in Frage kommenden deutschen und italienischen Handelsschiffe für den Transport von Kautschuk nach Westfrankreich ein und ließ weitere Schiffe von französischen Häfen aus nach Ostasien auslaufen. Trotz mancher Verluste gelang es einer immerhin beachtlichen Anzahl von deutschen und italienischen Handelsschiffen, mit ihren wertvollen Ladungen die französische Westküste zu erreichen. Im Jahre 1941 waren es vier deutsche, im folgenden Jahr acht deutsche und vier italienische Frachtschiffe — eine hervorragende Leistung der Kapitäne und Besatzungen auf den Blockadebrechern.

Die erste Unternehmung eines größeren Kriegsschiffes im Atlantik nach der Vernichtung des Panzerschiffes »Admiral Graf Spee« führte das Panzerschiff »Admiral Scheer« durch. Nachdem es durch die Passage nördlich von Island ausgelaufen war, operierte es unter dem Kommando von Kapitän zur See Krancke von Oktober 1940 bis März 1941 kühn und erfolgreich im Atlantischen und Indischen Ozean. Der Typ des Panzerschiffs bewährte sich dabei außerordentlich gut. Dagegen machte sich bei den in dieser Zeit stattfindenden Unternehmungen des Schweren Kreuzers »Admiral Hipper« die Schwäche dieses Kreuzertyps — der hohe Brennstoffverbrauch — sehr störend bemerkbar. Der Kreuzer war Ende November 1940 ebenfalls durch die Dänemarkstraße zwischen Island und Grönland in den Atlantik gegangen und hatte nach Beendigung der ersten Unternehmung Ende Dezember Brest angelaufen.

Noch während »Admiral Scheer« in See war, liefen die Schlachtschiffe »Gneisenau« und »Scharnhorst« unter dem Kommando des Flottenchefs, Admiral Lütjens, Ende Januar 1941 aus Kiel aus. Obgleich die Schiffe noch östlich von Island auf feindliche Bewachung stießen, gelang ihnen durch ein geschicktes Manöver der Durchstoß nach dem Atlantik. Die Führung des Verbandes im Atlantik durch Admiral Lütjens war in jeder Beziehung überlegen. Er beurteilte die Lage immer richtig und hatte entsprechende Erfolge. Nach Beendigung der Unternehmung, die vom Marinegruppenkommando West sehr gut geleitet worden war, liefen die beiden Schiffe am 22. März 1941 in den Kriegshafen von Brest ein. Leider stellte sich heraus, daß die Verteidigungsmöglichkeiten von Brest gegen feindliche Luftangriffe nicht den Anforderungen entsprachen, so daß immer wieder Schäden auf den Schiffen eintraten und ausgedehnte Reparaturen notwendig wurden. Auch die Verlegung des Schlachtschiffes »Scharnhorst« nach dem Hafen La Pallice an der Biskaya brachte keine Änderung. Es war selbstverständlich, daß die Gruppe der beiden Schlachtschiffe eins der wichtigsten Angriffsziele für die Engländer bildete. Hierauf mußte die deutsche Luftabwehr eingestellt sein. Soweit dies im Rahmen der Marine möglich war, geschah es durch die Aufstellung zahlreicher Flakbatterien, Bau von Nebelanlagen und Tarnungen. Jedoch fehlte eine ausreichende Sicherung durch eigene Jäger. Gerade hier zeigte sich wieder, wie richtig es gewesen wäre, unter Verzicht auf den Angriff auf Rußland auch das Gewicht der Luftwaffe in erster Linie für den Kampf gegen unseren Hauptgegner England einzusetzen.

Im operativen Zusammenhang mit der Atlantikunternehmung der beiden Schlachtschiffe war Kreuzer »Admiral Hipper« Mitte Februar 1941 erneut von Brest ausgelaufen und hatte, von Kapitän zur See Meisel geschickt und überlegen geführt, in der Nähe der Azoren sieben Dampfer eines Geleitzuges vernichtet. Nach seinem Erfolg lief er zunächst wieder in Brest ein und kehrte, vom Gegner unbemerkt, durch die Dänemarkstraße im April 1941 nach Kiel zurück. Insgesamt ließ die Lage auf dem Atlantik erkennen, daß gute Aussichten bestanden, mit richtig angesetzten Überwasserstreitkräften zusammen mit den U-Booten dem Gegner beträchtliche Schäden zuzufügen und ihn laufend zum Einsatz des größten Teils seiner Streitkräfte und zu umfangreichen Abwehrmaßnahmen zu zwingen.

Inzwischen wurde das am 24. August 1940 neu in Dienst gestellte Schlachtschiff »Bismarck« gefechts- und verwendungsbereit. Es konnte nunmehr in die seestrategischen Planungen einbezogen werden. Wegen seiner außerordentlichen Kampfstärke und seiner großen Widerstandsfähigkeit und Sinksicherheit war es fast allen feindlichen Streitkräften — jedenfalls im Kampf Schiff gegen Schiff — überlegen. Einen Nachteil gegenüber dem Gegner teilte es allerdings mit allen unseren Seestreitkräften: seine Verwendung konnte nicht durch eigene Luftstreitkräfte unterstützt werden, während der Gegner mit seinen zahlreichen Flugzeugträgern und Landstützpunkten in der Lage war, gegen unser Schlachtschiff starke Luftstreitkräfte einzusetzen. Dies war zweifellos ein Schwächepunkt. Es bestand aber keine Möglichkeit, ihn zu beseitigen, da wir keine Flugzeugträger hatten, die das Schiff begleiten konnten. Eine gewisse Unterstützung des Schiffes aus der Luft konnte nur in der Nähe der französischen Küste erwartet werden, soweit sich eine taktische Zusammenarbeit mit den dort stationierten deutschen Luftstreitkräften durchführen ließ. Es zeigte sich erneut, daß es in den kurzen Friedensjahren unmöglich gewesen war, eine Flotte aufzubauen, die wenigstens in kleinem Umfange alle Kampfmittel besaß, die zu einer modernen Marine gehören. Wir hatten uns zwar schon seit 1935 mit der Konstruktion eines Flugzeugträgers beschäftigt und ihn in Bau gegeben, aber er war zu Kriegsbeginn noch nicht fertiggestellt; auch verfügte die Luftwaffe nicht über geeignete Trägerflugzeuge, so daß wir auf seinen Weiterbau verzichten mußten.

Bei den Vorüberlegungen für die Verwendung der »Bismarck« war es also als ein unabänderliches Faktum anzusehen, daß es dieser Schwäche nur seine eigene, wenn auch sehr große Kampfkraft entgegensetzen konnte. Aber diese Erkenntnis durfte nicht dazu führen, nun auf die offensive Verwendung dieses Schiffes zu verzichten. Die Frage war vielmehr die, ob es richtig sein würde, den operativen Einsatz des neuen Schlachtschiffes so lange zurückzustellen, bis auch das Schwesterschiff »Tirpitz« einsatzbereit wäre. Der Zeitpunkt hierfür war der Spätherbst oder Winter 1941/42. Unsere Erfahrungen mit der ozeanischen Kriegführung — zuletzt mit den Unternehmungen von Kreuzer »Admiral Hipper« und Panzerschiff »Admiral Scheer« — hatten aber gezeigt, daß die Aussichten für die Verwendung auch eines einzelnen schweren Schiffes im Atlantik nicht ungünstig waren. Sie verminderten sich aber allmählich durch die Verbesserung der feindlichen Abwehr, vor allem infolge der Verstärkung der feindlichen Luftüberwachung. Dazu kam als wichtiger Gesichtspunkt, daß der mit größter Wahrscheinlichkeit erwartete Kriegseintritt von Amerika immer näher rückte, durch den die Seekriegslage sich für uns erheblich verschlechtern mußte. Diese Gründe sprachen dafür, den Einsatz des Schiffes nicht in eine unsichere Zukunft zu verschieben, sondern die augenblicklich bestehende Lage auszunutzen und das Schiff zusammen mit dem neuen Kreuzer »Prinz Eugen« möglichst bald zu einer großen Unternehmung in den Atlantik zu entsenden. Hierbei war eine gleichzeitige Operation der in Brest liegenden Schlachtschiffe »Scharnhorst« und »Gneisenau« und der Einsatz von U-Booten beabsichtigt. Eine sorgfältig durchdachte Versorgungsorganisation mit Troßschiffen und Tankern war vorgesehen. »Bismarck« sollte die Operation möglichst lange ausdehnen und nach Beendigung nicht nach einem französischen Stützpunkt gehen, sondern in einen Heimathafen zurückkehren.

Diese Absichten wurden durchkreuzt durch eine Maschinenstörung auf Schlachtschiff »Scharnhorst«, die das Schiff auf mehrere Monate lahmlegte. Am 6. April 1941 erhielt dann »Gneisenau« durch feindliche Torpedoflugzeuge einen Treffer und wenige Tage später noch vier Bombentreffer, so daß auch

265

dieses Schiff durch die notwendige Reparatur für längere Zeit nicht verwendungsbereit war.

Trotz des Ausfalls der beiden Schlachtschiffe in Brest hielt ich aber doch die Durchführung der Operation für notwendig, um nicht wertvolle — wahrscheinlich sogar unwiederbringliche — Zeit zu verlieren. Eine Verschiebung der Unternehmung auf Mitte Mai ergab sich, als »Prinz Eugen« durch eine Mine leicht beschädigt wurde und den Schaden erst beseitigen mußte. Am 25. April hatte ich eine eingehende Aussprache mit Admiral Lütjens, der den »Bismarck«-Verband führen sollte. Dabei wurde auch die Frage berührt, ob es unter den eingetretenen Umständen richtig oder gar erforderlich sein würde, das Auslaufen von »Bismarck« und »Prinz Eugen« vorläufig noch hinauszuschieben. Admiral Lütjens hat mir zum Ausdruck gebracht, daß nach seiner Meinung sehr vieles dafür spräche, mit der Operation zu warten, bis wenigstens »Scharnhorst« wieder kriegsbereit sein würde, oder sogar bis zum Zeitpunkt der Frontbereitschaft des Schlachtschiffes »Tirpitz«. Es ehrt Lütjens menschlich sehr, daß er diese seine Auffassung mir gegenüber so offen aussprach. Ich habe versucht, ihm meine anderen Gründe darzulegen, die gegen einen Aufschub sprachen. Wenn Lütjens vielleicht auch nicht ganz von meiner Ansicht durchdrungen war, so endete die Besprechung mit einem vollen gegenseitigen Verstehen.

Mit der Entscheidung über die Entsendung der »Bismarck« stand ich vor einem außerordentlich schweren Entschluß. Die Voraussetzungen, von denen die Seekriegsleitung ursprünglich ausgegangen war, waren zum Teil nicht mehr gegeben. Der Vorstoß von »Bismarck«, der zuerst im Rahmen eines großen operativen Planes gedacht war, wurde jetzt zu einer isolierten Einzelunternehmung, bei der der Gegner die Möglichkeit hatte, seine gesamten Kampfmittel auf diese eine Gruppe zu konzentrieren. Das Risiko stieg dadurch erheblich. Dem aber stand gegenüber, daß die Kriegslage ein Zurückhalten und be-

266

wußtes Schonen einer so starken Kampfeinheit nicht gestattete. Wenn man mit der Durchführung der Unternehmung warten wollte, bis die Schlachtschiffe »Scharnhorst« und »Gneisenau« wieder fahrbereit waren, konnte das unter Umständen den völligen Verzicht auf die offensive Atlantikverwendung des neuen Schlachtschiffes bedeuten. Nachdem »Scharnhorst« und »Gneisenau« in den nordfranzösischen Häfen den immer wiederholten Angriffen der britischen Luftwaffe ausgesetzt waren, bestand nur geringe Wahrscheinlichkeit, einen Zeitpunkt erfassen zu können, zu dem diese beiden Schiffe voll aktionsbereit sein würden. Tatsächlich sind auch beide Schiffe bis zu ihrer Rückverlegung im Februar 1942 nicht mehr zum Einsatz in See gekommen. Falls aber die Durchführung des Unternehmens noch weiter hinausgeschoben wurde, bis »Tirpitz« einsatzbereit war, hatte dies mindestens ein halbes Jahr der Inaktivität zur Folge — eine Zeit, in der der Gegner nicht untätig sein und die Lage auf dem Atlantik sich schon durch die Haltung der USA wahrscheinlich verschlechtern würde.

Ein überaus starkes psychologisches Moment für meine Entscheidung war das große Vertrauen, das ich zu der Führung durch Admiral Lütjens hatte. Admiral Lütjens war ein Offizier, der den Seekrieg und seine Taktik genauestens kannte. Bereits als junger Offizier hatte er im ersten Weltkrieg von Flandern aus eine Torpedobootshalbflottille geführt. Er war später Flottillenchef, Kreuzerkommandant und Führer der Torpedoboote gewesen und war lange Zeit in Stäben verwendet worden. Als mein Personalchef hatte er sich in den Jahren der Zusammenarbeit mein besonderes Vertrauen erworben. Während eines Teils der Norwegenunternehmung hatte er in Vertretung des erkrankten Flottenchefs die schweren Streitkräfte geführt und schließlich bei der Atlantikoperation von »Scharnhorst« und »Gneisenau« sein großes Können bewiesen.

Der Entschluß, den endgültigen Befehl zur Durchführung der Unternehmung zu geben, wurde mir durch Hitlers Einstellung sehr erschwert. Als ich ihn von meinen Plänen unterrichtete, war er zwar nicht ablehnend, doch war ihm anzumerken, daß er damit nicht voll einverstanden war. Aber er überließ mir die Entscheidung. Anfang Mai hatte Hitler in Gotenhafen eine längere Aussprache mit Admiral Lütjens, der ihm über seine Erfahrungen bei der Atlantikfahrt der Schlachtschiffe »Scharnhorst« und »Gneisenau« vortrug und seine Ansichten über den taktischen Einsatz von »Bismarck« erläuterte. Der Flottenchef hat hierbei auch von der Gefährdung gesprochen, der das Schlachtschiff durch die feindlichen Flugzeugträger ausgesetzt sein könnte.

Nach sorgfältigster Abwägung aller Umstände befahl ich die Durchführung. Die Unternehmung der »Bismarck«-Gruppe, die am 21. Mai 1941 begann, nahm einen dramatischen und erschütternden Verlauf. Es gelang dem Schlachtschiff »Bismarck«, Kommandant Kapitän zur See Lindemann, und dem Kreuzer »Prinz Eugen«, Kommandant Kapitän zur See Brinkmann, den Atlantik ungefährdet zu erreichen, den größten englischen Schlachtkreuzer »Hood« in einem kurzen Artilleriegefecht zu vernichten und das neue englische Schlachtschiff »Prince of Wales« schwer zu beschädigen. Alle erreichbaren britischen Seestreitkräfte waren zur Verfolgung des deutschen Schlachtschiffes angesetzt worden. In einer durchaus nicht hoffnungslosen Situation wurde »Bismarck« nach wenigen Tagen, als der britische Flottenchef bereits vor dem Entschluß stand, die weitere Verfolgung aufzugeben, durch den Torpedo eines englischen Torpedoflugzeuges in der Ruderanlage getroffen. Das Schlachtschiff wurde dadurch manövrierunfähig und erlag schließlich nach Aufbrauch seiner gesamten Munition am 27. Mai 1941 der zahlenmäßigen Überlegenheit des Gegners. »Prinz Eugen« war schon vorher vom Flottenchef entlassen worden und erreichte unbeschädigt Brest.

Für den Einsatz des neuesten deutschen Schlachtschiffes trage ich ebenso die Verantwortung wie für alle militärischen Einsätze während der Zeit meiner Tätigkeit als Oberbefehlshaber der Kriegsmarine. Ich trage sie allein. Von niemandem bin ich gezwungen worden, die Unternehmung durchzuführen. Einzig die Notwendigkeit, den Gegner im Kriege mit jedem Mittel und nach allen Regeln der Kriegskunst zu bekämpfen und dafür die eigenen Kräfte einzusetzen, hat meinen Entschluß bestimmt.

Bei meinem Vortrag am 22. Mai 1941, in dem ich das Auslaufen der »Bismarck«-Gruppe meldete, äußerte Hitler erhebliche Bedenken und Sorgen. Ich habe demgegenüber versucht, seine Befürchtungen zu entkräften und habe ihn auf die Erwartungen der Seekriegsleitung hingewiesen und dabei erreicht, daß die Unternehmung fortgesetzt wurde. Es schien auch zuerst so, als ob die Ereignisse meinem Entschluß Recht geben würden. Die Meldung der »Bismarck« von der Vernichtung der »Hood« löste bei der Seekriegsleitung und bei mir große Befriedigung aus und verfehlte auch ihren Eindruck auf Hitler nicht, der mir sehr erfreut noch persönlich zu dem Erfolg gratulierte. Freilich waren wir damit nicht der Sorge enthoben, denn aus den Meldungen der »Bismarck« war zu entnehmen, daß das Schiff im Gefecht durch Artillerietreffer Beschädigungen erlitten hatte, die seine Operationsfreiheit einschränkten.

Wiederum stand ich vor einem schweren Entschluß. Sollte die Seekriegsleitung nach dem Erfolg gegen die »Hood« nun die »Bismarck«-Gruppe zurückrufen oder die Entscheidung über die weitere Durchführung dem Flottenchef überlassen? Ich habe damals den ersten Durchbruch durch das Seegebiet des Nordatlantik nördlich Islands für den zunächst schwierigsten Teil der ganzen Operation angesehen und konnte daher unmöglich den bindenden Befehl an den Flottenchef erteilen, die Unternehmung abzubrechen, zurückzukehren und dabei

269

erneut den Durchbruch durch die Engen um Island zu machen. Diese Entscheidung mußte vielmehr dem Flottenchef überlassen bleiben, der die eigenen Beschädigungen, ihren Einfluß auf die weiteren Operationen des Schiffes und die taktische Situation als einziger voll übersehen konnte. Ich konnte dies um so beruhigter tun, als ich wußte, daß Admiral Lütjens die durch die Verhältnisse gebotene, richtige Entscheidung fällen würde.

Nachdem der »Bismarck«-Gruppe der Durchbruch durch die Dänemarkstraße gelungen war und die ihr entgegengetretenen feindlichen schweren Streitkräfte teils vernichtet waren, teils abgedreht hatten, war für Admiral Lütjens der Weg nach dem Atlantik frei. Wieweit die im Gefecht erlittenen Schäden von Einfluß auf die Absichten des Flottenchefs sein würden, konnte in der Seekriegsleitung nicht beurteilt werden. Wir stellten durch Beobachtung des feindlichen Funkverkehrs fest, daß die regelmäßig abgegebenen Fühlungshaltersignale der englischen Kreuzer aufhörten, und schlossen daraus, daß der Gegner die Fühlung verloren und Admiral Lütjens somit wieder volle Handlungsfreiheit im freien Seeraum gewonnen hatte. Inzwischen hatte sich der Flottenchef wegen des Brennstoffverlustes, der auf »Bismarck« infolge eines Treffers während des Gefechtes eingetreten war, entschlossen, den kürzesten Weg zu einem Reparaturhafen zu wählen. Dies war der französische Biskayahafen St. Nazaire. Nur noch rund fünfhundert Seemeilen vom Ziel entfernt wurde »Bismarck« dann von dem verhängnisvollen Flugzeugtorpedo getroffen, der das Schiff manövrierunfähig machte und zu seiner Vernichtung führte.

Die äußeren Vorgänge des ganzen Kampfes der »Bismarck« sind durch Untersuchungen und Veröffentlichungen von deutscher und britischer Seite heute völlig klargestellt. Aber die Gründe für die Entscheidungen des deutschen Flottenchefs sind nicht bekannt. Ich konnte selbstverständlich

270

Hitler gegenüber, der nach seiner großen Freude über die Versenkung des britischen Schlachtkreuzers »Hood« von dem Ende unseres stärksten Schlachtschiffes erschüttert und sehr ungehalten war, auch nur meine Vermutungen darüber aussprechen, da Flottenchef und Kommandant mit ihren Stäben vollzählig gefallen waren. Ich bin überzeugt, daß Admiral Lütjens, der sich durch Klugheit und Kühnheit gleichzeitig auszeichnete und meine Absichten und Auffassungen genau kannte, nach sorgfältigen Überlegungen zu den Entschlüssen gekommen ist, die durch den Zustand des Schiffes und die taktische Lage geboten waren. Nachdem ich mich entschieden hatte, die Unternehmung der »Bismarck«-Gruppe durchzuführen, habe ich auch für alles, was dann geschah, die volle Verantwortung zu tragen.

Die Folgen des Untergangs der »Bismarck« waren für die Führung des Seekrieges einschneidend. Auch das Verhalten Hitlers auf die von mir vorgeschlagenen Maßnahmen für den Seekrieg wurde jetzt anders. Während er mir bis dahin im allgemeinen freie Hand gelassen hatte, soweit sich nicht Rückwirkungen auf die anderen Wehrmachtteile oder die Politik ergaben, wurde er jetzt sehr viel kritischer und bestand mehr auf seinen eigenen Ansichten als vorher. Schon früher hatte er um die großen Schiffe immer besondere Sorge gehabt und war im Grunde zufrieden, wenn ich ihm das Inseesein von großen Schiffen erst nachträglich meldete, wodurch ihm unruhige Stunden und Nächte erspart wurden. Nun schränkte er durch seine Anweisungen an mich die Verwendung der großen Schiffe erheblich ein. Das Entsenden weiterer Überwasserstreitkräfte nach dem Atlantik wurde als erstes von ihm untersagt. Hierdurch mußte der Seekrieg, der bisher auf der Grundlage einer kühnen Initiative aufgebaut war und beträchtliche Erfolge gehabt hatte, wie sie bei der Unterlegenheit unserer Streitkräfte kaum zu erwarten waren, ein anderes Gesicht erhalten.

Auch stellten sich die Befürchtungen der Seekriegsleitung, daß die Aussichten der ozeanischen Kriegführung laufend geringer werden mußten, als berechtigt heraus. Gleich nach der Versenkung der »Bismarck« leitete die britische Admiralität eine umfangreiche Suchaktion ein, um unsere Versorgungsorganisation, die wir im Atlantik aufgebaut hatten, zu zerschlagen. Die Engländer hatten dabei Erfolg; nicht weniger als sechs deutsche Nachschubdampfer wurden erfaßt und versenkt. Bei der zunehmenden Dichte der Flugzeugaufklärung über dem Atlantik war es nicht möglich, unser Versorgungssystem noch einmal in der alten Form und Wirkung aufzubauen oder gar für längere Zeit aufrechtzuerhalten. Damit kamen größere und länger dauernde Operationen im Atlantik nicht mehr in Frage. Trotzdem gaben wir in der Seekriegsleitung den Gedanken an kürzere Ozeanoperationen noch nicht endgültig auf. Schon im Juni 1941 sollte das Panzerschiff »Lützow« nach Norwegen gehen mit dem Ziel, von dort aus in den Atlantik vorzustoßen. Aber bereits in der Nordsee erhielt es bei einem Angriff feindlicher Torpedoflugzeuge einen Treffer, der zu einer langen Werftliegezeit führte.

Die neue Lage auf dem Atlantik konnte nicht ohne Rückwirkung auf die Schlachtschiffe »Scharnhorst« und »Gneisenau« bleiben, die zur Durchführung von Reparaturen noch immer in dem nordfranzösischen Hafen Brest lagen. Die Aussichten, sie von dort aus zu weiteren atlantischen Unternehmungen mit Erfolg einzusetzen, hatten sich verschlechtert. Laufend waren die Schiffe feindlichen Luftangriffen ausgesetzt, und ihre Fertigstellung verschob sich wiederholt. Ihre Rückkehr in einen deutschen Hafen war auf die Dauer nicht zu umgehen. In diese Zeit hinein spielte die immer größer werdende Befürchtung Hitlers, daß die Engländer einen Angriff auf Norwegen planten. Eine Reihe von kleineren Überfällen auf Küstenstationen in Norwegen durch englische Sonderkommandos ließen bei ihm — im Gegensatz zur Seekriegsleitung und zu mir — die Gefahr eines britischen Vorgehens vor allem gegen Narvik groß erscheinen. Jedenfalls sah er Norwegen als nicht genügend gesichert gegen einen englischen Angriff an und forderte, daß alle verfügbaren Schiffe nach Norwegen verlegt werden sollten, um dort unsere Stellung zu verstärken. Dies galt auch für die Schlachtschiffe »Scharnhorst« und »Gneisenau«.

Über die Möglichkeiten der Atlantikkriegführung, die uns noch geblieben waren, trug ich Hitler Mitte November 1941 meine Ansichten vor. Eine Entsendung des neuen Schlachtschiffs »Tirpitz«, das im Dezember 1941 frontbereit sein würde, könnte ich schon wegen des inzwischen eingetretenen Mangels an Heizöl für die großen Schiffe nicht befürworten. Auch sonst schienen mir im Atlantik die Voraussetzungen für einen Vorstoß des Schlachtschiffes »Tirpitz« nicht mehr gegeben. Die Schlachtschiffe in Brest würden etwa im Februar 1942 wieder fahrbereit sein und auch für kürzere Atlantikoperationen, zum Beispiel gegen die Geleitzüge von Gibraltar, in Frage kommen. Eine Hauptschwierigkeit sei die Durchführung der nach der langen Werftzeit notwendigen Ausbildung der Besatzungen von »Scharnhorst« und »Gneisenau«. Dazu müßten die beiden Schiffe kurze Übungsfahrten in See durchführen, wobei sie starken Luftangriffen vor allem durch Torpedoflugzeuge ausgesetzt sein würden. Die Rückverlegung der Schiffe in einen deutschen oder norwegischen Hafen würde zwar schwierig und mit Gefahren verbunden sein, aber unter günstigen Wetterbedingungen durch die Passage bei Island ausgeführt werden können. Der Kreuzer »Prinz Eugen« könne vielleicht durch den englischen Kanal zurückmarschieren. Hitler fragte daraufhin nach den Aussichten für einen überraschenden Rückzug auch der beiden Schlachtschiffe durch den Kanal. Ich antwortete, daß ich diesen für äußerst unsicher und höchst riskant hielte und nur dringend von einer solchen Absicht abraten könnte.

273

Das Problem eines überraschenden Kanaldurchbruchs der Schlachtschiffe hat die Seekriegsleitung stark bewegt. Ich war von Anfang an gegen eine Rückkehr der schweren Schiffe auf diesem Wege. Der Gegner konnte sich auf Grund seiner Agentennachrichten über den Bereitschaftsgrad der Schiffe den Zeitpunkt ziemlich genau errechnen und rechtzeitig See- und Luftstreitkräfte zu ihrer Bekämpfung bereitstellen. Dazu kam die Minengefahr in den engen Gewässern. Hitler dagegen bestand auf der Rückverlegung der Schiffe durch den englischen Kanal. Da die Überraschung die Voraussetzung für das Gelingen eines solchen Unternehmens bildete, wollte er auch den wenig gefechtsbereiten Zustand der Schiffe in Kauf nehmen und keinesfalls durch Übungen in See den Gegner auf bevorstehende Aktionen hinweisen. Ich hatte inzwischen Pläne ausarbeiten lassen, die den Durchbruch der Schiffe durch den Kanal und das Passieren der Enge bei Dover am Tage vorsahen. Die Pläne wurden in einer größeren Sitzung bei Hitler in Gegenwart der beteiligten Befehlshaber vorgetragen. Es waren Vizeadmiral Ciliax als Befehlshaber der Schlachtschiffe, Kommodore Ruge als Führer der Minensuchboote und Oberst Galland, der die Luftsicherung mit seinen Jägern übernehmen sollte. Hitler war mit den Absichten einverstanden.

Die Entscheidung für den Kanaldurchbruch ist durchaus gegen meine Auffassung erfolgt. Ich konnte mir das Gelingen bei genügender Aufmerksamkeit und Bereitschaft des Gegners nicht vorstellen. Hitler aber war in diesem Punkte ganz fest und erklärte mir eindeutig, daß er die Schiffe in Brest außer Dienst stellen und die Geschütze von Bord nehmen würde, wenn ich den Kanaldurchbruch ablehnte. Der Rückmarsch der Schiffe durch den Kanal wurde mit aller Gründlichkeit und Sorgfalt vorbereitet. Er fand am 11. und 12. Februar 1942 unter Führung von Vizeadmiral Ciliax statt. Die Überraschung gelang vollkommen. Dabei kamen uns außerordentlich günstige Umstände zugute — Versagen der englischen Aufklärung, Befehlsschwierigkeiten, Wetterlage und Einsatz der englischen Luftwaffe für andere Zwecke. Die Befriedigung auf deutscher Seite war groß, besonders Hitler war von seiner Sorge um die beiden Schiffe befreit. Der Erfolg der ganzen Aktion wurde jedoch dadurch beeinträchtigt, daß das Schlachtschiff »Gneisenau« in der Kieler Werft, wo es wegen eines auf der Fahrt erlittenen Minentreffers lag, bei einem Nachtangriff britischer Bomber so schwer beschädigt wurde, daß es für den Rest des Krieges ausfiel.

Mochte der Marsch durch den Kanal auch ein taktischer Erfolg gewesen sein — die Verlegung der Schlachtschiffe war eindeutig ein strategischer Rückzug. Mit der Überführung des größeren Teiles der Flotte in die norwegischen Gewässer zum Schutz Norwegens war die Periode der »Schlacht im Atlantik«, in der wir auch die Überwasserstreitkräfte offensiv verwendeten, im wesentlichen abgeschlossen. Wenn es auch nicht mehr möglich erschien, den Gegner durch Vorstöße mit Überwasserstreitkräften in den Atlantik zu stören und zu schädigen, so beabsichtigte die Seekriegsleitung nicht, zu einer völligen Zurückhaltung der Schiffe überzugehen. Die in größerem Umfang einsetzenden Transporte von alliiertem Kriegsmaterial nach den nordrussischen Häfen boten Angriffsgelegenheiten für unsere in Nordnorwegen liegenden Schiffe. Im Januar 1942 war Schlachtschiff »Tirpitz«, einige Wochen später die Panzerschiffe »Admiral Scheer« und »Lützow« sowie die Kreuzer »Admiral Hipper« und »Köln« nebst einer Zerstörerflottille zur Abwehr etwaiger feindlicher Landungen in die nordnorwegischen Fjorde verlegt worden. Die Anwesenheit der deutschen Schiffe dort war eine ständige Bedrohung der alliierten Geleite nach Murmansk. Außerdem waren stärkere Luftstreitkräfte nach Nordnorwegen übergeführt worden, so daß es möglich war, die gegnerischen Geleitzüge festzustellen und anzugreifen. Den größten Anteil an den dabei erzielten Versenkungen hatten die Unterseeboote.

Während nach dem Untergang der »Bismarck« und dem Rückzug der Schlachtschiffe aus Brest die Bedrohung des Atlantikverkehrs durch unsere Überwasserstreitkräfte weggefallen war, traten im Jahre 1942 die Erfolge unserer U-Boote um so mehr in Erscheinung. Die Zahl der Front-U-Boote war stark angewachsen, obgleich der Zuwachs an Neubauten hinter dem vorgesehenen Bauprogramm zurückblieb. Alle meine Bemühungen, für den U-Bootbau in erhöhtem Maße Arbeitskräfte und Material zu erhalten, hatten in den vergangenen Jahren nicht zu dem gewünschten durchgreifenden Ergebnis geführt. Auch innerhalb der Marine war die Förderung der U-Bootreparaturen und des U-Bootbaues nicht so intensiv erfolgt, wie es an sich in meiner Absicht lag. Die Fertigstellung von »Bismarck«, »Tirpitz« und »Prinz Eugen« sowie die umfangreichen Reparaturen der Schlachtschiffe und Kreuzer nach ihren Gefechten hatten die Kräfte der Werften stärker beansprucht und sich nachteilig auf die Reparaturzeiten und auch auf den Neubau von U-Booten ausgewirkt. Wenn die Gesamterfolge der eingesetzten U-Boote trotzdem sehr stark in die Höhe gegangen waren, so war das dem Angriffsgeist der Besatzungen und der Führung der Unterseebootswaffe durch den Befehlshaber der U-Boote, Admiral Dönitz, zu verdanken. Es zeigte sich, daß die Friedensausbildung gründlich und richtig gewesen war. Organisatorisch erwies es sich als günstig, daß dem Befehlshaber der U-Boote nicht nur die im Fronteinsatz befindlichen Boote unterstanden, sondern daß in seiner Hand auch die gesamte Ausbildung lag. Die Schulung der neu hinzutretenden U-Boote wurde unter Leitung des 2. Admirals der U-Boote, Konteradmiral von Friedeburg, durch bewährte Frontkommandanten vorgenommen, so daß eine sofortige und unmittelbare Ausnutzung der Kriegserfahrungen für die neuen Boote sichergestellt wurde. Die größten Erfolge wurden durch Ansatz von ganzen U-Bootgruppen in den oft tagelangen Geleitzugschlachten erzielt, die von den Kommandanten und ihren Besatzungen das Letzte forderten. Die dabei bewiesene Tapferkeit und Zähigkeit in schwierigsten Lagen sind über jedes Lob erhaben.

Zwischen Dönitz und mir bestand durchaus Übereinstimmung in der Auffassung, daß in diesem Krieg ein entscheidender Erfolg auf die Dauer nur durch die U-Bootwaffe erzielt werden könnte. Über die Frage, wieweit daneben der Einsatz der Überwasserstreitkräfte von Bedeutung war, gingen unsere Ansichten gelegentlich auseinander. Ferner erhoffte Dönitz viel für den U-Bootbau, wenn auch die Marinerüstung dem Rüstungsminister Speer übertragen würde — ein Standpunkt, dem von meinen technischen Sachverständigen stark entgegengetreten wurde. Trotz dieser Meinungsverschiedenheiten hat Dönitz aber niemals andere als wohlüberlegte, sachliche Gesichtspunkte vertreten. Es war für Hitler nach dem Bruch mit mir zweifellos überraschend, daß Dönitz entgegen der Einstellung Hitlers dafür eintrat, die letzten großen Schiffe nicht außer Dienst zu stellen. Die Forderungen, die Dönitz als Befehlshaber der U-Boote mit Recht und guten Gründen unermüdlich bei mir erhob, waren leider häufig nicht in vollem Umfang zu erfüllen, so daß er sich oft genug über die ungenügende Berücksichtigung seiner Anträge beklagen mußte — genau so, wie ich es Hitler gegenüber tat. Dies hat aber weder unsere sachliche Zusammenarbeit noch meine hohe Einschätzung seiner Fähigkeiten und Leistungen als Führer der Unterseebootswaffe beeinträchtigt. Zur vollen Würdigung seiner Persönlichkeit auch in menschlicher Beziehung bin ich während unseres gemeinsamen Kampfes in Nürnberg und der langen Jahre in Spandau gekommen.

Während die Seekriegsleitung mit der Führung des Atlantikkrieges beschäftigt war, hatte sie gleichzeitig die anderen Kriegsschauplätze im Auge. Der Eintritt Japans in den Krieg durch den Überfall auf die amerikanische Flotte in Pearl Harbor war hierbei von großer Bedeutung. Von diesem An-

277

griff war der Seekriegsleitung und mir vorher nichts bekannt gewesen. Die Nachricht von dem Angriff der Japaner am 7. Dezember 1941 war für uns völlig überraschend. Über die Möglichkeit eines Kriegseintritts von Japan auf unserer Seite war am 5. März 1941 eine Weisung des Oberkommandos der Wehrmacht erlassen worden, in der gesagt war, daß die Wegnahme von Singapur als Schlüsselstellung Englands im Fernen Osten ein entscheidender Erfolg für die Gesamtkriegführung sein würde. Ich habe mich dann verschiedentlich dafür eingesetzt, daß Japan bei einem etwaigen Kriegseintritt seinen Vorstoß gegen Singapur richtete, weil es auch Kreise gab, die der Ansicht waren, daß Japan besser gegen Wladiwostok vorginge. Dies wäre ein grober Fehler gewesen. Das Ziel mußte selbstverständlich das Machtzentrum Englands in Ostasien sein. Zugleich hoffte ich, daß durch die Wegnahme von Singapur die USA von einem Kriege abgeschreckt würden. Irgendwelche näheren Besprechungen über die japanische Kriegführung haben vor dem japanischen Kriegseintritt nicht stattgefunden, auch später ist eine wirkungsvolle Zusammenarbeit nicht zustande gekommen.

Auf weitere Sicht und in einem großen Rahmen hätte die Ausnutzung der japanischen Erfolge in Südostasien und ein energisches Vorgehen unsererseits im Mittelmeer sowie die Sicherung von Nordafrika mit Hilfe der Franzosen eine wesentliche Stärkung unserer Stellung bewirken können. Aber die Bindung unserer Kräfte durch den Feldzug in Rußland, der sich entgegen den Voraussagen zu einem langwierigen Krieg entwickelt hatte, machte derartige Pläne undurchführbar.

Im Mittelmeer brachte das Jahr 1942 einen entscheidenden Umschwung. Dort hatte sich die Lage im Frühjahr 1942 zunächst durch die Verlegung eines deutschen Fliegerkorps nach Sizilien sowie die Entsendung von U-Booten in das Mittelmeer wesentlich gebessert. Die Insel Malta war der Hauptstützpunkt der Engländer für die Bekämpfung der nach Nordafrika gehenden italienisch-deutschen Nachschubtransporte. Durch laufende Luftangriffe auf die Insel und durch erfolgreiche See- und Luftangriffe auf die nach Malta gehenden britischen Geleite war die Kampfkraft des britischen Stützpunktes stark geschwächt worden. Der vorher sehr verlustreiche Nachschubverkehr für die Panzerarmee des Feldmarschalls Rommel in Nordafrika lief daher fast störungslos. Eine endgültige Sicherung dieses Weges war aber nur dann möglich, wenn es uns gelang, Malta zu nehmen und als englische Basis auszuschalten. Hierbei befand ich mich mit Generalfeldmarschall Kesselring, dem Oberbefehlshaber Süd, und mit der italienischen Führung in Übereinstimmung. Die Voraussetzungen für einen Erfolg waren nach dem Urteil der Seekriegsleitung und ebenso nach Ansicht des deutschen Admirals bei der italienischen Marine, Vizeadmiral Weichold, gegeben. In wiederholten Vorträgen habe ich Hitler die Besetzung von Malta vorgeschlagen. Es wurde auch ein gemeinsamer deutsch-italienischer Stab eingesetzt, um die nötigen Pläne aufzustellen. Zur Vorbereitung des Angriffs sollte die Panzerarmee eine Landoffensive durchführen mit dem Ziel, die englischen Luftstützpunkte in Nordafrika so weit zurückzudrängen, daß die englische Luftwaffe nicht in den bevorstehenden Kampf um Malta eingreifen konnte. Die Offensive Rommels war jedoch zunächst so erfolgreich, daß das eigentliche Ziel aller Unternehmungen in Nordafrika, die Besetzung von Suez, in greifbare Nähe gerückt schien und Feldmarschall Rommel die Ermächtigung erhielt, seine Offensive bis dorthin fortzusetzen. Damit war der ursprüngliche Plan aufgegeben, nach dem erst Malta genommen und dann der Vorstoß auf Suez begonnen werden sollte — ein Fehler, der sich bald als entscheidend herausstellte. Die Offensive nach Suez blieb stecken, und die für den Angriff auf Malta vorgesehenen Luftstreitkräfte — einschließlich einer italienischen Fallschirmjägerdivision — mußten zur Unterstützung unserer Panzerarmee in Nordafrika eingesetzt werden. Gleichzeitig gelang es den Engländern, Malta durch Materialnachschub über See, wenn auch unter beträchtlichen Verlusten, wieder neu zu stärken. Hierdurch waren die Voraussetzungen für ein erfolgversprechendes Vorgehen gegen Malta wieder entfallen.

Die Seekriegsleitung hatte sich während der ganzen Zeit für den Angriff auf Malta als den wichtigsten strategischen Punkt im Mittelmeer eingesetzt. Zuletzt hatten wir allerdings auch gehofft, daß Rommels Offensive uns nach Suez bringen würde. Ich hatte aber mehrmals feststellen können, daß Hitler den Plänen für eine Aktion gegen Malta ebenso wie den sonstigen Problemen des Mittelmeeres nicht so viel Interesse entgegenbrachte, wie ich für erforderlich hielt. Für ihn war das Mittelmeer nur ein Nebenkriegsschauplatz, auf dem er den Italienern die Führung überließ; über eine Unterstützung ihrer Kriegführung durch Entsendung von schwächeren Kräften wollte er nicht hinausgehen. Bei der großen Inanspruchnahme von Heer und Luftwaffe durch den Rußlandkrieg war es wahrscheinlich auch kaum möglich, genügend starke Luft- und Landstreitkräfte für das Mittelmeer aus der Ostfront herauszuziehen. Gerade das war es, was ich seit langem befürchtet und was mich dazu veranlaßt hatte, von einem Feldzug im Osten abzuraten.

Das Mittelmeer ist für England immer das Meer der Entscheidungen gewesen. Die Aufrechterhaltung seiner Stellungen in Gibraltar, Malta und Suez war für das Schicksal des Empire von ausschlaggebender Bedeutung. Ich habe daher auch bei Hitler wiederholt in diesem Zusammenhang auf die Bedeutung Frankreichs hingewiesen, die es für uns mit seiner Lage an beiden Seiten des Mittelmeeres und mit seinem afrikanischen Kolonialreich besaß. Ich hielt gegenüber Frankreich — ebenso wie gegenüber Norwegen — eine positive und erkennbare Friedenspolitik für notwendig und auch für möglich.

Ansatzpunkte dafür waren durchaus vorhanden. Das vor dem französischen Stützpunkt Oran in Nordafrika liegende französische Geschwader war am 3. Juli 1940 durch britische Kriegsschiffe angegriffen und zum größten Teil vernichtet worden, wobei zahlreiche Besatzungsangehörige den Tod gefunden hatten. Dieses Vorgehen ihrer bisherigen Verbündeten hatte viele Franzosen einige Zeit lang in ihrer Einstellung gegen Großbritannien stark beeinflußt. Es gab in Frankreich Kreise, die zu einem Zusammengehen mit uns neigten und bereit waren, uns in unserem Kampf gegen England zu unterstützen. Zu ihnen gehörte als eine der stärksten Persönlichkeiten der Oberbefehlshaber der französischen Marine, Admiral Darlan. Er war Mitglied der Vichy-Regierung und besaß großen persönlichen Einfluß. Ich habe mit ihm am 28. Januar 1942 in Paris eine lange und eingehende Unterredung ohne Zeugen gehabt. Diese Besprechung war durch den deutschen Kommandierenden Admiral in Frankreich, Generaladmiral Schultze, vorbereitet worden. Die Haltung von Admiral Darlan war die eines überzeugten französischen Patrioten. Gegenüber den Engländern war er sehr ablehnend, wie er mir unzweideutig zu verstehen gab. Er sprach sich für ein loyales Zusammengehen zwischen Frankreich und Deutschland aus. Es war selbstverständlich, daß er dabei die Interessen seines Landes im Auge hatte; sein Ziel war die Herstellung des Friedenszustandes und die Sicherung des französischen Kolonialreiches. Über das Gespräch habe ich Hitler eingehend berichtet. Ich kann nur bedauern, daß die deutsche Politik keinen Weg gefunden hat, um eine tragfähige Grundlage der Verständigung herzustellen. Wir waren auf eine wohlwollende Haltung des französischen Kolonialreiches schon deswegen angewiesen, weil die Gefahr eines alliierten Angriffs über Französisch-Nordwestafrika bestand.

Die Befürchtungen, die die Seekriegsleitung nach dem Verzicht auf die Besetzung von Malta für das Mittelmeer gehabt hatte, sollten sich leider bald bestätigen. Ende Oktober 1942 brach die große britische Offensive unter Führung von Feldmarschall Montgomery gegen die Panzerarmee Rommels los. Rommel wurde infolge der immer unzureichender werdenden Versorgung gezwungen, sich bis nach Tunis zurückzuziehen. Damit war Italienisch-Nordafrika verloren. Am 8. November 1942 landeten englische und amerikanische Truppen unter Führung von General Eisenhower in Marokko und Algerien. Die Seekriegsleitung hatte auf die ersten Nachrichten vom Sichten der Transportschiffe zunächst mit einem Angriff weiter östlich gerechnet, so daß die Gegenmaßnahmen zu spät zur Wirkung kamen. Trotz beträchtlicher Versenkungserfolge unserer U-Boote und Flugzeuge konnte die feindliche Landungsaktion nicht mehr zum Scheitern gebracht werden. Der Gegner hatte seine große Offensive gegen die »Festung Europa« von Süden aus begonnen und einen wichtigen Anfangserfolg erzielt. Das nahe Ende der deutsch-italienischen Operationen in Nordafrika kündigte sich an. Malta, der Schlüsselpunkt des mittleren Mittelmeeres, hätte im Frühjahr 1942 dem immer wieder vorgeschlagenen Zugriff der Achsenmächte nicht widerstehen können. Die Gunst der Stunde war versäumt worden. Die erfolgversprechende Lage im Mittelmeer hatte sich in ihr Gegenteil verkehrt.

Meine letzte Auseinandersetzung mit Hitler

Die in Nordnorwegen versammelten deutschen Streitkräfte wurden, soweit sich die Gelegenheit bot, für Operationen zur Schädigung des Gegners eingesetzt. Schlachtschiff »Tirpitz« war im März 1942 zu einem Angriff gegen ein alliiertes Geleit in See gewesen, ohne daß es bei dem herrschenden Sturm und Nebel zu einem Zusammentreffen gekommen war. Die Anwesenheit der »Tirpitz« in Nordnorwegen hatte die Alliierten unter anderem veranlaßt, zwei amerikanische Schlachtschiffe zur Verstärkung der Geleitsicherung einzusetzen. Mehrere gemeinsame Unternehmungen von U-Booten, Flugzeugen und Zerstörern führten in den nächsten Monaten zu Erfolgen. Am 30. April 1942 wurde der englische Kreuzer »Edinburgh« durch ein U-Boot, Kommandant Kapitänleutnant Teichert, torpediert und zwei Tage später von deutschen Zerstörern unter Kapitän zur See Schulze-Hinrichs versenkt. Im Juli 1942 wurde sogar ein Geleitzug von der englischen Admiralität nördlich des Nordkaps aufgelöst, als das Inseesein von »Tirpitz«, »Scheer« und acht Zerstörern gemeldet war, obgleich dieser Geleitzug von zwei Schlachtschiffen, einem Flugzeugträger, sieben Kreuzern und etwa zwanzig Zerstörern außer der üblichen Nahsicherung gesichert war. Durch die laufenden Luft- und U-Bootangriffe konnten nicht weniger als zweiundzwanzig englische Schiffe versenkt werden. Dies war ein bemerkenswerter Erfolg gewesen; er zeigte die Möglichkeiten, die für einen gemeinsamen Einsatz unserer Streitkräfte bestanden, und zugleich die Wirkung, die unsere großen Schiffe ausübten. Das Ergebnis hätte vielleicht noch größer sein können, wenn die deutschen schweren Streitkräfte nicht befehlsgemäß wieder in den Stützpunkt zurückgekehrt wären; sie durften sich nach den Einschränkungen, die Hitler nach dem Ende der »Bismarck« angeordnet hatte, nur dann auf Kämpfe mit feindlichen Seestreitkräften einlassen, wenn die Flugzeugträger des Gegners außer Gefecht gesetzt waren. Die starken Verluste, die der Geleitzug erlitten hatte, führten dazu, daß der gesamte Verkehr nach Murmansk von den Alliierten während der folgenden Sommermonate unterbrochen wurde.

Im Herbst begann der Nachschubverkehr wieder, der oft nur durch Einzelschiffe durchgeführt wurde. Ein größerer Geleitzug lief in den letzten Dezembertagen 1942 nach Murmansk, auf den eine deutsche Kampfgruppe unter Führung des Befehlshabers der Kreuzer, Vizeadmiral Kummetz, bestehend aus Kreuzer »Admiral Hipper«, Panzerschiff »Lützow« und vier Zerstörern angesetzt wurde. Als der Verband in die Nähe des Geleitzuges gekommen war, konnte für den ersten Angriff noch die kurze Dämmerung, die in jenen Breiten den Tag darstellt, ausgenutzt werden, dann aber brach die lange Dunkelheit der arktischen Winternacht an. In den Gefechten mit den Zerstörern und Kreuzern der Geleitsicherung wurden mehrere feindliche Zerstörer beschädigt, zwei sanken später. Kreuzer »Admiral Hipper« erhielt einen Treffer in den Kesselraum, der seine Geschwindigkeit stark herabsetzte, ein deutscher Zerstörer wurde versenkt. Da der Geleitzug von vielen leichten Streitkräften gesichert war, faßte der Befehlshaber den richtigen Entschluß, sich mit seinen schweren Streitkräften aus dem Bereich der zahlreichen britischen Zerstörer herauszuziehen, um seine Schiffe — den erhaltenen An-

weisungen entsprechend — nicht unter Verhältnissen zu ge-
fährden, die für ihn besonders ungünstig lagen. Bei der völlig
unübersichtlichen Lage, der Überlegenheit der gegnerischen
Funkmessung und der Beschädigung seines Flaggschiffes brach
Vizeadmiral Kummetz die Unternehmung ab und lief in den
Altafjord zurück.

Dieses Gefecht hatte unvorhergesehene Folgen. Nach den
aufgefangenen kurzen Funksprüchen des Befehlshabers ließ
sich während des Gefechtes kein einwandfreies Bild gewinnen.
Aber aus den stichwortartigen Meldungen eines in der Nähe
stehenden deutschen U-Bootes konnten die Seekriegsleitung
und das Führerhauptquartier schließen, daß der Geleitzug
unter dem Feuer der deutschen Streitkräfte lag. Hitler sah nun
in freudiger Ungeduld der Meldung über die Vernichtung des
Geleitzuges entgegen. Der Befehlshaber aber hatte während
des Rückmarsches nach dem Altafjord keine Funkmeldungen
abgegeben, um seinen Standort nicht zu verraten. Dann war
gerade zu diesem Zeitpunkt eine Störung der nach Nordnorwegen führenden Fernschreibverbindungen eingetreten. Hierdurch wurde die Übermittlung des ausführlichen Gefechts-
berichtes, der sonst gleich nach Rückkehr aus See erstattet
wird, zunächst verhindert. Statt einer Erfolgsmeldung, auf
die er fiebernd wartete, erhielt Hitler zuerst aus englischen
Veröffentlichungen Kenntnis von dem erfolglos abgebroche-
nen Vorstoß der deutschen Schiffe und dem verlustlosen
Durchkommen des Geleitzuges. In der durchaus unberechtigten Vermutung, absichtlich nicht unterrichtet zu werden,
geriet er in eine hochgradige Erregung, die keine Grenzen
kannte, forderte die Außerdienststellung der großen Schiffe
und ließ sich auch auf die Erklärungen meines ständigen Ver-
treters im Führerhauptquartier, Vizeadmiral Krancke, nicht
ein. Es dauerte noch längere Zeit, bis es in der Seekriegsleitung
überhaupt möglich war, eine Übersicht über die Ereignisse zu
bekommen und sich daraus ein Urteil zu bilden. Hitler hatte

sogleich in der ersten Aufwallung seine Ansicht über die Nutzlosigkeit der großen Schiffe im Kriegstagebuch zu Protokoll gebracht, um sich in dieser Frage genau festzulegen. Ich erhielt telephonisch Befehl, sofort ins Hauptquartier zu kommen, bat aber darum, erst noch die nötigen einwandfreien Unterlagen beschaffen zu können.

Am 6. Januar 1943 begab ich mich zu Hitler. Seine äußere Erregung hatte sich bis dahin etwas gelegt. Aber mir war klar, daß eine erhebliche Auseinandersetzung bevorstand, die Hitler vielleicht benutzen würde, um meinen Abgang zu erreichen. Jedenfalls rechnete ich mit dieser Möglichkeit. Hitler hielt mir in Gegenwart von Feldmarschall Keitel einen etwa einstündigen wohlüberlegten Vortrag. Nachdem er sich anfangs über die schlechte Unterrichtung beklagt hatte, griff er in geradezu gehässiger und völlig unsachlicher Weise die Marine an. Er begann mit ihrer Gründung, schilderte die unbedeutende Rolle, die sie seit 1864 gespielt hätte, und ließ mit Ausnahme der U-Boote nichts Gutes an der gesamten Geschichte der deutschen Flotte. Die von ihm angeführten Begründungen ließen Einflüsse von Göring erkennen. Die großen Schiffe, denen immer das persönliche Interesse Hitlers gehört hatte und auf die er besonders stolz gewesen war, wären zu nichts nutze. Sie benötigten dauernden Schutz durch die Luftwaffe und durch kleinere Fahrzeuge. Bei einem etwaigen alliierten Angriff auf Norwegen würde die Luftwaffe von sehr viel größerem Wert sein, wenn sie eine Invasionsflotte angreifen würde, als wenn sie unsere Flotte schützen müßte. Die großen Schiffe hätten keine Aufgabe mehr und müßten infolgedessen nach Abgabe ihrer Geschütze außer Dienst gestellt werden. Die Geschütze würden an Land dringend gebraucht. Er kritisierte sogar die Versenkung der deutschen Flotte in Scapa Flow und griff den Geist in der Marine an, über den er sich bisher immer lobend ausgesprochen hatte. Es war zu merken, daß das Ganze eine Herabsetzung der von mir geführten Marine und eine Verletzung meiner Person bezweckte. Ich hielt es unter meiner Würde, die durchweg unsachlichen Darstellungen im einzelnen zu widerlegen. Unter starker Selbstbeherrschung wartete ich die Beendigung seiner Ausführungen ab. Zuletzt forderte er mich auf, eine Denkschrift einzureichen, in der ich meine abweichende Ansicht über die Rolle der schweren Schiffe nochmals erläutern könne. Nachdem Hitler geendet hatte, bat ich, ihn allein sprechen zu können, worauf Feldmarschall Keitel und die beiden anwesenden Stenographen den Raum verließen.

Hitler war während seiner Ausführungen äußerst erregt und scharf gewesen und ließ sich zeitweise so gehen, wie er es sonst mir gegenüber noch nie getan hatte. Daß er diesmal in meiner Gegenwart seine Haltung verlor, zeigte mir, daß er die Auseinandersetzung nicht nur als eine sachliche Differenz empfand. Ich hatte ihn zehn Jahre lang in den Angelegenheiten der Marine beraten. Sein großes Interesse für alles, was mit Kriegsschiffen zusammenhing, war nicht etwa oberflächlich gewesen, sondern er hatte sich mit vielen Problemen auch selber eingehend beschäftigt. Die Einheitlichkeit der Marine, ihre Führung und ihre Leistungen hatte er oft genug anerkannt. Aber mein Amt hatte es mit sich gebracht, daß ich ihn in den Friedensjahren immer wieder vor einer Politik warnen mußte, die die Gefahr einer kriegerischen Verwicklung mit der Seemacht England hervorrufen konnte. Hitler hat mir bei jeder dieser Gelegenheiten ausdrücklich versichert, daß er unbedingt einen solchen Konflikt vermeiden würde. Als dann entgegen dieser Erwartung der Krieg mit England und Frankreich doch ausgebrochen war, habe ich Hitler laufend darauf hingewiesen, daß er nunmehr England als den wichtigsten Gegner erkennen und seine ganze Strategie und Politik darauf abstimmen müßte. Meine wiederholten Vorschläge, das Schwergewicht aller Anstrengungen auf den Kampf gegen England zu legen, hat er wohl gehört und sich ihnen nicht völlig verschlossen, doch ist er andere Wege gegangen. Ich war in den zurückliegenden Jahren ein unablässiger, aber darum wahrscheinlich unbequem gewordener Mahner gewesen.

Trotz dieser grundsätzlichen Meinungsverschiedenheiten hatte ich in den Angelegenheiten, die die Marine im einzelnen betrafen, lange Zeit einen großen Einfluß auf Hitlers Entscheidungen besessen. Allmählich jedoch war meine Einwirkungsmöglichkeit auf Hitler geringer geworden. Es mag sein, daß meine Art, mit ihm umzugehen, nicht mehr so erfolgreich war wie früher. Aber schließlich handelte es sich bei den Besprechungen stets um sachliche Fragen, bei denen das Persönliche zurückzutreten hatte. Meinen Vorschlägen zu einer Regelung der innerpolitischen Verhältnisse in Norwegen war er nicht gefolgt; er hatte es nicht über sich gebracht, den Reichskommissar Terboven, einen alten Parteigenossen, dessen Schädlichkeit ihm nicht verborgen geblieben war, aus seinem Amte zu entfernen. Der Feldzug im Osten war gegen mein heftiges Widerstreben begonnen worden. In der Bereitstellung von Arbeitskräften und Material für die Marine und insbesondere für den U-Bootbau war ich laufend von ihm vertröstet worden. Die Führung der großen Schiffe war Hitler einmal zu kühn und dann wieder nicht genügend einsatzfreudig gewesen. Die Punkte, in denen wir übereinstimmten, waren immer weniger und die Differenzen zahlreicher geworden. Ich fühlte, daß der Augenblick gekommen war, in dem ich mich von Hitler trennen mußte. Inzwischen waren jüngere Admirale herangewachsen, die die nötige Kriegserfahrung gewonnen und sich als Befehlshaber bewährt hatten. Ich konnte nunmehr die Entlassung aus dem Dienst erbitten, ohne nachteilige Folgen für die Marine befürchten zu müssen. Wahrscheinlich war es sogar notwendig, die Führung der Marine in jüngere Hände zu legen und einer Persönlichkeit zu übergeben, die sich Hitler gegenüber vielleicht mehr durchsetzen konnte, als es mir in der letzten Zeit möglich gewesen war.

In dem nun folgenden Gespräch mit Hitler unter vier
Augen bat ich ihn als erstes, mich von meiner Stellung als
Oberbefehlshaber der Kriegsmarine zu entheben, da er mir
mit seinen Ausführungen seine Unzufriedenheit über meine
Kommandoführung und ihre Erfolge bekanntgegeben habe;
ohne sein Vertrauen könne ich meinen Dienst nicht weiter
versehen. Im übrigen sei ich fast 67 Jahre alt und meine Gesundheit nicht mehr auf der Höhe. Ein Ersatz durch einen
jüngeren Admiral sei daher jetzt am Platze. Wie stets, wenn
man Hitler fest entgegentrat, versuchte er einzulenken und
seine Äußerungen abzuschwächen. Er habe keineswegs die
Marine insgesamt verurteilen wollen, sondern nur die großen
Schiffe kritisiert. Das Alter seiner Mitarbeiter spiele für ihn
keine Rolle, wie er in der Praxis oft genug bewiesen habe.
Ferner bäte er mich, zu bedenken, daß in diesem Zeitpunkt
der verlustreichen Kämpfe in Rußland — es war kurz vor dem
Fall von Stalingrad — mein Rücktritt eine weitere schwere
persönliche Belastung für ihn bedeute. Ihm würde schon immer vorgeworfen, daß er zu viele Generale entlassen hätte. Ich
erwiderte, daß mir nach dem heutigen Vortrag ein Verbleiben
keinesfalls möglich wäre, da meine Autorität erschüttert sei.
Aber ich würde damit einverstanden sein, daß mein Abgang
im allseitigen Interesse nach außen hin in solcher Form erfolge, daß weder Hitler belastet noch Erschütterungen innerhalb der Marine eintreten würden. Wenn er den Eindruck
vermeiden wolle, ich wäre im Unfrieden von ihm geschieden,
so könne er mich offiziell mit einem Titel versehen und damit
zum Ausdruck bringen, daß ich noch zur Marine gehöre und
mein Name mit der Marine verbunden bliebe. Mein offizieller
Abgang würde zweckmäßig am 30. Januar 1943 erfolgen,
nachdem ich dann während seiner Staatsführung zehn Jahre
an der Spitze der Marine gestanden hätte. Dies würde allgemein verständlich sein und ließe im Volke nicht den Gedanken
an Differenzen aufkommen. Die Fassung seines Abschieds-

erlasses würde dabei ausschlaggebend sein. Hitler entnahm meinen Worten, daß mein Entschluß zum Rücktritt unwiderruflich feststand, und stimmte schließlich zu. Am Ende der Unterredung forderte er mich auf, ihm zwei als Nachfolger geeignete Offiziere schriftlich namhaft zu machen.

In meinem Vorschlag für einen Nachfolger nannte ich zunächst Generaladmiral Carls als den Älteren, der Marinegruppenbefehlshaber Nord war und den ich wegen seines Charakters und seines Überblicks über alle Fragen der Kriegführung und Organisation für besonders geeignet hielt. Gleichzeitig schlug ich Admiral Dönitz vor, den Befehlshaber der U-Boote, dem ich seit 1935 die Führung der Unterseeboote anvertraut hatte und der die größte Autorität auf diesem Gebiet war. Wolle Hitler betonen, daß die U-Bootwaffe für ihn jetzt in den Vordergrund träte, so wäre die Wahl von Dönitz durchaus gerechtfertigt. Hitler entschied sich für Admiral Dönitz.

Die von Hitler am Schluß der Auseinandersetzung vom 6. Januar 1943 geforderte Denkschrift über die Notwendigkeit und die Aufgaben der Schlachtschiffe und Kreuzer legte ich am 15. Januar vor. Das lange Memorandum war in sorgfältiger Arbeit von der Seekriegsleitung aufgestellt und in seiner endgültigen Fassung von mir in allen Einzelheiten durchgeprüft worden. Es ließ keine Unklarheiten. In ihm war zum Ausdruck gebracht, daß die von Hitler beabsichtigte Verschrottung der deutschen Kriegsschiffe einen Sieg unserer Gegner bedeuten würde, den sie ohne die geringsten Anstrengungen erreichen würden. Sie würde als ein Zeichen der Schwäche und als völlige Verständnislosigkeit gegenüber der überragenden Bedeutung der Seekriegführung in dem nahenden Endstadium des Krieges angesehen werden. »England, dessen ganze Kriegführung mit der Beherrschung der Seewege steht und fällt, wird den Krieg so gut wie gewonnen ansehen, wenn Deutschland seine Schiffe zerstört.«

Am 30. Januar 1943 wurde ich zur Verabschiedung von Hitler empfangen. Der Abschiedserlaß war sehr wohlwollend abgefaßt und ließ nach außen hin die bestehenden Gegensätze nicht erkennen. Ich erhielt den Titel eines Admiralinspekteurs der Kriegsmarine. Eine aktive Tätigkeit war damit nicht verbunden. Sie wäre für mich auch nicht in Frage gekommen, da ich unter keinen Umständen die Stellung meines Nachfolgers erschweren wollte. Daß Großadmiral Dönitz bereits Ende Februar 1943 die weitere Indiensthaltung der großen Schiffe bei Hitler durchsetzte, die dieser mir gegenüber am 6. Januar 1943 als völlig überflüssig dargestellt hatte, geschah ganz ohne mein Zutun. Es war ein großer persönlicher Erfolg für Dönitz und eine Bestätigung meiner stets vertretenen Auffassung über die Aufgaben der in Dienst befindlichen großen Schiffe — eine Tatsache, die mich tief befriedigte.

Bei meiner Verabschiedung hatte Hitler in Aussicht gestellt, meinen fachmännischen Rat auch in Zukunft in Anspruch nehmen zu wollen. Dies geschah in keinem Falle; ich erhielt nur zweimal einen repräsentativen Auftrag. Ende August 1943 führte ich die Regierungsabordnung zur Beisetzung des verstorbenen Königs Boris von Bulgarien nach Sofia, und einige Wochen später hatte ich dem Reichsverweser von Ungarn, Admiral von Horthy, in Budapest ein Motorboot als Geschenk Hitlers zu überbringen. Bei beiden Gelegenheiten war ich vorher für kurze Zeit im Führerhauptquartier, um die nötigen Anweisungen entgegenzunehmen.

Hitler legte offensichtlich Wert darauf, daß sein Verhältnis zu mir normal und gut erschien. Etwa alle drei bis fünf Wochen wurde ich über die Gesamtkriegslage durch je einen Offizier der drei Wehrmachtteile unterrichtet. Ein Offizier des Oberkommandos der Kriegsmarine war nebenamtlich als mein Adjutant tätig. Meine kameradschaftlichen Verbindungen zur Marine blieben bestehen. Ich führte in Babelsberg ein zurückgezogenes Leben.

Während ich nach den hinter mir liegenden, anstrengenden und belastenden Jahren bemüht war, meine angegriffene Gesundheit wiederherzustellen, und mich von allen Veranstaltungen und jedem öffentlichen Auftreten fernhielt, geriet ich in eine kritische Lage zur Zeit des Attentats auf Hitler am 20. Juli 1944. Meine Frau und ich hatten zufällig am 20. Juli nicht den Rundfunk gehört und erfuhren von den Ereignissen erst am nächsten Morgen aus der Presse. Am Vormittag bereits fragte mich ein Bekannter, ob ich wüßte, daß ich an dem Attentat beteiligt wäre. Von den Vorgängen und Vorbereitungen hatte ich nicht die geringste Ahnung und konnte nur annehmen, daß Gerüchte über eine Beteiligung meinerseits von irgendeiner Seite in die Welt gesetzt wurden. Ich hielt es nicht für ausgeschlossen, daß solche Nachrichten von mir nicht wohlgesinnten Kreisen um Göring oder Himmler ausgingen und für mich die unangenehmsten Folgen haben konnten. Daher rief ich sofort bei Konteradmiral Wagner im Führerhauptquartier an und bat ihn, mir die Erlaubnis zu erwirken, daß ich am 22. Juli Hitler besuchen könne. Am Abend kam die zusagende Antwort. Ich flog am 22. Juli vormittags ins Führerhauptquartier, wo ich zunächst Generaloberst Guderian sprach, der gerade seinen Dienst als Chef des Generalstabes übernommen hatte. Hitler selbst konnte ich vor Beginn der üblichen Lagebesprechung, an der ich teilzunehmen hatte, in größerem Kreise begrüßen.

Die Lage an der Ostfront war durchweg trostlos. Diese war weithin aufgerissen, und genügende Reserven waren nicht zur Verfügung. Das Verhalten Görings bei der Besprechung war kläglich. Er suchte sich den Anschein zu geben, als ob er ein gewichtiges Wort mitzusprechen habe, und saß nahe bei Hitler, der aber ihn und seine Ausführungen gar nicht beachtete. Das Hauptinteresse Görings schien ein günstiger Einsatz seiner »Division Hermann Göring« zu sein. Nach der Besprechung aß ich mit Hitler zu Mittag. Er erzählte mir den Ver-

292

lauf des Attentats und zeigte mir später auch den Tatort. Die Wirkung der Bombe muß ungeheuer gewesen sein; es war ein Zufall, daß nicht sämtliche Anwesenden bei der Explosion ums Leben gekommen sind. Hitler selbst war nur leicht verletzt, während andere sehr schwer getroffen waren. Dem Stenographen Berger waren beide Beine abgerissen worden, ebenso wurden General Korten, der Chef des Generalstabes der Luftwaffe, und Oberst Brand tödlich verletzt. Generaloberst Jodl, Konteradmiral von Puttkamer und Kapitän zur See Assmann hatten Verbrennungen und andere Verletzungen erlitten; bei General Schmundt war eine Blutzersetzung eingetreten, an der er schließlich starb.

Als ich mich von Hitler verabschiedete und er aus meinen Worten meine große Besorgnis um die gegenwärtige Kriegslage entnahm, äußerte er seine Zuversicht, daß er die Lage im Osten schon bald wieder in Ordnung bringen werde. Ich hatte übrigens während der ganzen Zeit im Hauptquartier zu meiner eigenen Sicherheit eine geladene Pistole in der Tasche. Mein Erscheinen im Führerhauptquartier hat offenbar bei meinen Gegnern so große Überraschung hervorgerufen, daß sie ihre Versuche, mich mit der Vorbereitung oder Ausführung des Attentats in Verbindung zu bringen, aufgaben. Jedenfalls habe ich keine derartigen Gerüchte mehr gehört. Im übrigen besagte eine Aufzeichnung von Dr. Goerdeler, die Hitler vorgelegt wurde, daß ich »politisch uninteressiert sei«.

Das Attentat auf Hitler und das nun bekanntwerdende Bestehen einer organisierten Opposition, zu der auch militärische Führer gehörten, waren für mich völlig überraschend. Niemals war in den zurückliegenden Jahren jemand an mich herangetreten, um mich in der Richtung einer Stellungnahme gegen den Staat zu beeinflussen oder auch nur, um bei mir zu sondieren. Ebensowenig hatte mich die von Admiral Canaris geleitete Abwehrabteilung des Oberkommandos der Wehrmacht über einen etwaigen Verdacht des Bestehens einer getarnten Oppositionsgruppe unterrichtet. Ich wußte natürlich, daß viele, darunter militärische Stellen, mit der Politik und der Kriegführung Hitlers nicht einverstanden waren. Schließlich gehörte ich selber zu den verantwortlichen Personen, die oft genug von Hitler abweichende Ansichten hatten. Aber nie war mir der Gedanke gekommen, meinen Auffassungen auf anderem Wege Geltung zu verschaffen als durch eine offene Aussprache von Mann zu Mann. In der Zeit meiner Kommandoführung hat es daher von meiner Seite nicht an Ratschlägen, Warnungen und Vorstellungen bei Hitler gefehlt.

Auch für mich bestand eine Grenze, über die hinaus ich Hitler nicht zu folgen beabsichtigte. Im Frieden hatte ich ihm dies mehrfach gezeigt, und Anfang 1943 hatte ich mich von ihm getrennt, als er für die Marine Anordnungen erließ, die gegen meine grundsätzliche Auffassung gingen. Wahrscheinlich hätte ich Ende 1939 oder spätestens 1940 um meinen Abschied gebeten, wenn der Frieden erhalten geblieben wäre. Im Krieg jedoch sah ich es wie jeder wehrfähige Deutsche als meine selbstverständliche — aber auch einzige — Pflicht an, an meiner Stelle, solange ich von Nutzen sein konnte, gegen den äußeren Feind zu kämpfen. Das ist die natürliche Aufgabe eines jeden Mannes in jedem Volke. Der Gedanke, mich zu gleicher Zeit mit einer Verschwörung oder Plänen für einen Staatsstreich zu beschäftigen, ist niemals bei mir aufgetaucht und lag außerhalb meiner Natur.

Ich habe von niemandem verlangt, daß er die nationalsozialistischen Auffassungen bedingungslos anerkennen sollte, ich habe im Gegenteil immer die Aufrechterhaltung unserer alten soldatischen Tradition und Werte gefordert. Aber ich hätte, solange ich an der Spitze der Marine stand, nicht geduldet, daß jemand durch Agitation oder Verschwörung die Disziplin der Marine und ihre seit 1921 anerzogene und gefestigte loyale Haltung gegenüber dem Staat gefährdete.

Ihre daraus entstandene Einheitlichkeit und Geschlossenheit waren die Vorbedingungen, um unerwünschte, von außen kommende Einflüsse abzuwehren und einen gesunden Geist zu erhalten. Die Marine hat bis zuletzt in Erfüllung ihrer soldatischen Pflicht fest gefügt gestanden. Damit hat sie der Forderung entsprochen, die jedes Volk als erste an seine Soldaten stellt. Zur Übernahme einer innenpolitischen Aufgabe, wie sie ein Staatsstreich darstellt, besaß sie aber weder die inneren Vorbedingungen noch die Möglichkeit. Ich konnte — und mit mir die Marine — keinen anderen Weg gehen als den gleichen, den wir in der Weimarer Republik unter den Reichspräsidenten Ebert und Hindenburg gegangen waren, nämlich den rein soldatischen.

Aus den Veröffentlichungen und Reden nach dem Attentat und aus allem, was sonst den Berichten und Erzählungen zu entnehmen war, zeigte sich, daß sich durch das deutsche Volk ein tiefer Riß hindurchzog. Die freudige Anteilnahme der überwiegenden Mehrheit des Volkes an den ersten außenpolitischen Erfolgen Hitlers in der Friedenszeit hatte sich im Kriege gewandelt; neben dem verständlichen Wunsch nach einem baldigen Kriegsende bestand in manchen Kreisen eine erhebliche Unzufriedenheit mit der Führung Hitlers. Hierzu trug im besonderen bei, daß die führende militärische Schicht der Generale in den zurückliegenden Kriegsjahren von Hitler durch Eingriffe, Verabschiedungen, Kriegsgerichtsverfahren und andere Maßnahmen in ihrem Ansehen herabgesetzt worden war. Es kam hinzu, daß die Kriegslage, die zuerst in Überschätzung unserer Siege an Land wohl den meisten als besonders günstig erschienen war, sich sichtlich verschlechtert hatte; die ursprünglich vorhandene feste Hoffnung auf einen guten Ausgang des Krieges hatte sich fühlbar verringert. Das deutsche Volk hat zu seiner Wehrmacht stets ein großes Vertrauen gehabt. Daß nun neben dem Heer Sonderformationen wie die Waffen-SS und die »Division Hermann Göring«

gegründet wurden, wurde weithin nicht gebilligt. Ganz gewiß haben die Angehörigen dieser Verbände ihre soldatische Pflicht jederzeit getan; aber die Sonderrolle, die ihre Führung in politischer Hinsicht spielte, erschien vielen recht bedenklich.

Im Heer, das in Deutschland immer als der erste Wehrmachtteil gegolten hat, ist es vielfach als sehr bitter empfunden worden, daß nach dem Rücktritt des Generalfeldmarschalls von Brauchitsch im Frühjahr 1942 nicht einer der vorhandenen befähigten Generale, die in zahlreichen Schlachten ihr überragendes militärisches Können bewiesen hatten, an die Spitze des Heeres berufen wurde, sondern Hitler selbst die Führung übernahm. Schon daß Hitler neben seinem Amt als Staatsführer gleichzeitig den Oberbefehl über die Wehrmacht ausübte, war nachteilig. Aber daß die Armee von der Tradition und dem Ansehen der deutschen und mit einer Anzahl von bekannten, hervorragenden Generalen nicht von einem militärischen Fachmann geführt, sondern von einem überlasteten Politiker und militärischen Laien bis in alle Einzelheiten kommandiert wurde, blieb nicht ohne Rückwirkungen.

Anders als bei der Marine stand an der Spitze des Heeres und als ihr Vertreter gegenüber dem Oberbefehlshaber der Wehrmacht und dem Staatsoberhaupt nicht eine einzelne, allein verantwortliche Persönlichkeit. Vielmehr hatte Hitler selbst mit einer ganzen Reihe von Generalen zu tun. Er wurde dadurch auch mit Einzelfragen der Operationen belastet und kam in Auseinandersetzungen und Diskussionen hinein, von denen er sich hätte fernhalten müssen, um für die größeren Probleme den Kopf frei zu behalten. Es war ein völlig unnatürlicher Zustand in der obersten Führung des Heeres eingetreten, der das Vertrauen zu dieser Spitze und ihren Maßnahmen untergrub. Die häufig unausführbaren Befehle, die die höheren Befehlshaber des Heeres bekamen, brachten sie in schwierige Lagen und führten zu Konflikten, die auf Kosten einer einheitlichen und wirkungsvollen Kriegführung gingen.

Ich habe die Übernahme der Stellung des Oberbefehlshabers des Heeres durch Hitler immer für einen verhängnisvollen Fehler gehalten und habe mir auch Überlegungen gemacht, ob ich von meiner Seite eine Änderung herbeiführen
könnte. Dazu aber wäre es notwendig gewesen, Hitler eine
bestimmte Persönlichkeit vorzuschlagen und mit ausführlichen
Argumenten zu empfehlen. Mir standen dabei in erster Linie
die Generalfeldmarschälle von Rundstedt und von Manstein
vor Augen. Wenn Feldmarschall von Rundstedt vielleicht
wegen seines Alters nicht in Frage kam, so hielt ich Feldmarschall von Manstein für die geeignete Persönlichkeit; er schien
mir, soweit ich das beurteilen konnte, der fähigste unter den
höheren militärischen Führern zu sein. Aber zwischen Hitler
und Manstein bestand ein gespanntes Verhältnis, das ein er-
sprießliches Zusammenwirken nicht erwarten ließ. Ich habe
auch einmal darüber dringlich mit General Schmundt gesprochen, der das Vertrauen Hitlers besaß, und habe bei ihm angeregt, daß die Ost- und Westfront von je einem Feldmarschall geführt werden und einer von ihnen gleichzeitig der
Oberbefehlshaber des ganzen Heeres sein sollte. Aber alle
meine Überlegungen führten schon deswegen zu keinem Ergebnis, weil nach meiner Kenntnis im Heer selbst die Ansichten
über den am meisten geeigneten General stark auseinan-
dergingen.

Eine Reihe von Persönlichkeiten, darunter hohe militärische Führer, hat, von bestem Willen und Idealismus beseelt,
geglaubt, keinen anderen Ausweg aus der Lage, in der Deutschland sich im zweiten Teil des Krieges befand, finden zu können
als den des Staatsstreiches unter Beseitigung des Staatsober-
hauptes. Ich fühle mich nicht berufen und berechtigt, über
Männer zu urteilen, die einen anderen Weg als ich gegangen
sind. Die Entwicklung, die Deutschland in der Zeit Hitlers
durchgemacht hat, ist gewiß ohne geschichtlichen Vorgang.
Wenn ein Mann in verantwortlicher Stellung, der die Gesamt-

situation übersehen konnte, sich aus der Not des Gewissens und allein im Interesse des Vaterlandes, das schließlich über jeder Regierung steht, entschlossen hat, zu außergewöhnlichen Mitteln zu greifen, so ist dies eine Handlung, die er mit seinem Gewissen allein abzumachen hat. Sind seine Motive einwandfrei gewesen, und hat er aus tiefer Sorge um die Zukunft Deutschlands es für notwendig, richtig und auch für möglich gehalten, durch einen Staatsstreich im Kriege die seinem Volke drohende Gefahr abzuwenden, so kann ich ihm meine menschliche Achtung nicht versagen. Ich habe nur wenige von den Männern des 20. Juli gekannt. Von Generaloberst Beck, der mir aus der früheren Zeit her bekannt war, weiß ich, daß er eine solche unantastbare Persönlichkeit gewesen ist. Auch bin ich überzeugt, daß es viele andere gab, die ehrlichen Herzens und aus unangreifbaren Motiven sich zu ihren Handlungen gezwungen und verpflichtet fühlten. Ich respektiere ihre Gewissensentscheidung. Sie tragen dafür ihre Verantwortung vor der Geschichte und dem deutschen Volke, wie ich die meine trage.

Ich bin überzeugt, daß keiner der Männer, von denen ich sprach, andere Absichten gehabt hat als die, eine schlechte Regierung durch eine bessere zu ersetzen und den Krieg zu einem erträglichen Ende zu bringen. Ob letzteres möglich gewesen wäre, ist eine kaum zu beantwortende Frage, da der Aufstand keinen Erfolg gehabt hat. Mit großer Wahrscheinlichkeit wären unsere Gegner nicht von der Forderung der bedingungslosen Kapitulation Deutschlands abgegangen, die sie im Januar 1943 auf der Konferenz in Casablanca als ihr Kriegsziel aufgestellt hatten.

Nachträglich ist bekannt geworden, daß von einzelnen Persönlichkeiten aus dem Kreise der Opposition Nachrichten über beabsichtigte militärische Unternehmungen an unsere Kriegsgegner übermittelt und letztere dadurch unterstützt worden sind. Mit diesen Männern kann ich nichts Gemeinsames finden. Wer im Kriege dem äußeren Feind Vorschub leistet und die Kriegführung des eigenen Landes bewußt schädigt, steht auf einem anderen Boden als ich.

Die Ereignisse, die dem Aufstandsversuch folgten, stellen für mich ein besonders unerfreuliches Kapitel dar. Trotz meiner erwähnten grundsätzlichen Einstellung konnte ich kein Verständnis für die Form aufbringen, in der nun gegen die Teilnehmer und Mitwisser vorgegangen wurde. Daß eine Regierung nach einem mißlungenen Staatsstreich scharf durchgreift, ist natürlich. Es leuchtet ein, daß nach den Quellen, aber auch nach den Ursachen der Verschwörung mit aller Gründlichkeit geforscht werden muß. Ein Schauprozeß jedoch, wie der vom Volksgerichtshof unter dem Vorsitz von Dr. Freisler durchgeführte, war kein geeignetes Mittel hierzu. Er wirkte in seiner Durchführung nur abstoßend und konnte unmöglich dazu dienen, das Recht zur Geltung zu bringen. Ich bekam außerdem einen tiefen Einblick in die Methoden, mit denen gegen Verdächtige vorgegangen wurde, durch meine Beschäftigung mit dem Fall des früheren langjährigen Reichswehrministers Dr. Geßler.

Geßler hatte die Stellung des Reichswehrministers von 1920 bis 1928 innegehabt. Er kam aus der Deutschen Demokratischen Partei. Ich hatte seine politischen Fähigkeiten wie auch seine aufrechte und aufgeschlossene Gesinnung in diesen Jahren schätzen gelernt. Seitdem hatte ich stets in freundschaftlichen Beziehungen mit ihm gestanden. Er bewohnte einen kleinen Hof im Allgäu und hatte 1943 zu mir den Wunsch geäußert, einmal mit einem höheren Parteiführer sprechen zu können, um seine Erfahrungen mit der Stimmung der Bevölkerung in Bayern und Württemberg, die ihm Sorge mache, mitzuteilen und Vorschläge für eine Änderung der Propaganda in jenen Gebieten zu machen. Ich benutzte die Gelegenheit meiner Abmeldung bei Hitler zur Reise nach Ungarn im Herbst 1943, um diesem den Wunsch Geßlers zu übermitteln und ihn zu bitten, eine politische Persönlichkeit zu bestimmen, die sich mit Dr. Geßler in Verbindung setzen sollte, da es sich um politische Dinge handelte. Hitler sagte mir bei dieser Gelegenheit, daß er Geßler als einen einwandfreien und zuverlässigen Menschen schätze. Über Himmler kam dann auch im November 1943 ein durchaus befriedigendes Gespräch zwischen Dr. Geßler und einem höheren Polizeigeneral aus München zustande. Diesem teilte Geßler seine Besorgnisse wegen der Unzufriedenheit der bayrischen Bevölkerung, Auflebens von partikularistischen Bestrebungen in Bayern und falscher Handhabung der Propaganda mit — von Geßlers Seite eine durchaus loyale Handlung.

Einige Zeit nach dem 20. Juli 1944 erhielt ich von Dr. Geßler einen Brief aus einem Lager bei Fürstenberg in Mecklenburg, worin er mir schrieb, daß ihm vorgeworfen würde, im Zusammenhang mit dem versuchten Staatsstreich zu stehen. Dabei hatte gerade sein geschildertes Verhalten im Spätherbst 1943 seine einwandfreie und offene Einstellung bewiesen. Jetzt wurde ihm ein gemeinsamer Ausflug mit dem ehemaligen Zentrumsminister Fehr und ein Zusammentreffen mit dem früheren Zentrumsminister Hermes zur Zeit des Attentates als Zeichen seiner Beteiligung vorgeworfen. Geßler bat mich, bei Hitler zu erwirken, daß er sofort vernommen würde, dann würde sich sogleich seine Unschuld herausstellen, wie ich das wüßte und wie es ja auch Hitler bekannt wäre.

Die Bitte Geßlers übermittelte ich umgehend telephonisch durch Konteradmiral Wagner an Hitler, der seine Zustimmung erteilte und eine Anweisung auf sofortige Vernehmung von Dr. Geßler erließ. Ich teilte dies Geßler sowie seiner Frau brieflich mit. Jedoch hörte ich später, daß die Briefe nicht ankamen. Nach etwa vierzehn Tagen erkundigte ich mich bei Konteradmiral Wagner, wie es mit der Vernehmung von Dr. Geßler stünde. Hierbei vernahm ich von ihm mit Erstaunen, daß er von dem Vertreter der SS im Führerhauptquartier unterrichtet worden sei, Geßler habe bei den Vernehmungen gestanden, daß er von dem Attentat gewußt und an ihm beteiligt gewesen sei. Ich nahm natürlich an, daß die mit den Untersuchungen beauftragte amtliche Stelle eine richtige Auskunft gegeben hätte, und sah mich daher gezwungen, meine nunmehr aussichtslos erscheinenden Bemühungen einzustellen und davon auch Dr. Geßler und seiner Frau Mitteilung zu machen. Auch diese Briefe sind, wie ich sehr viel später erfuhr, nicht angekommen.

Diese Vorgänge hatten sich im Herbst 1944 abgespielt. Im März 1945 erhielt ich von Direktor Schmidt der Maschinenfabrik Augsburg-Nürnberg die telephonische Nachricht, Dr. Geßler sei aus dem Lager entlassen und befinde sich im Hedwigskrankenhaus in Berlin, um seine Gesundheit wiederherzustellen, bevor er in seinen Heimatort zurückführe. Sofort suchte ich Dr. Geßler im Krankenhaus auf und fand ihn im Bett liegend, körperlich und seelisch gebrochen. Ich bat ihn, mir seine Erlebnisse mitzuteilen. Meine Briefe hatte er nicht erhalten, vor allem den ersten nicht, in dem ich als Beweis für seine einwandfreie Einstellung gegenüber Hitler sein Verhalten im November 1943 zu seiner Entlastung dargestellt hatte. Seine Behandlung im Lager sei anfangs sehr schlecht gewesen, sie habe sich aber plötzlich etwas gebessert, offenbar als der Befehl Hitlers für seine sofortige Vernehmung eingetroffen sei. Schon bei der ersten Vernehmung sei bei ihm ein Folterapparat angewandt worden, durch den scharfe Holzkeile zwischen die Fingerwurzeln unter entsetzlichen Schmerzen getrieben wurden. Er habe eine Einspritzung erhalten, um die Schmerzen überhaupt ertragen zu können. Ich sah selbst die Narben zwischen den Fingern Geßlers. Auf seine Fragen und Vorstellungen habe er zur Antwort bekommen, die Folterung geschehe auf Befehl Hitlers. Einige Zeit vor seiner Entlassung seien seine Akten an den Volksgerichtshof in Berlin gesandt worden. Man habe nichts Strafbares oder Belastendes darin gefunden, worauf seine Entlassung erfolgt sei, nachdem er länger als ein halbes Jahr unschuldig in Haft gesessen hätte. Ich unterrichtete telephonisch seine Frau über seine Freilassung und sorgte zusammen mit Direktor Schmidt dafür, daß er in seine Heimat transportiert wurde. Dr. Geßler machte mir seine Mitteilungen nur sehr widerwillig und wollte sie auch sonst nicht weitergeben, weil »er sich für Deutschland schäme«. Mein erster Gedanke war, die Angelegenheit Hitler vorzutragen, aber Dr. Geßler bat mich dringend, es zu unterlassen, da er bei seiner Entlassung einen Revers hatte unterschreiben müssen, nichts über die Zeit seines Aufenthaltes im Vernehmungslager auszusagen.

Die Mitteilungen Geßlers haben mich auf das tiefste empört und erschüttert. Noch am gleichen Tage legte ich das goldene Parteiabzeichen ab, das mir Hitler 1937 verliehen hatte, und vernichtete es. Ich war niemals Mitglied der NSDAP gewesen, was den aktiven Soldaten allgemein untersagt war. Die Verleihung des goldenen Parteiabzeichens sollte eine Ehrung sein, die Hitler mir damals hatte zukommen lassen. Sie hatte nun endgültig ihren Sinn für mich verloren. Wie Dr. Geßler habe ich mich geschämt, daß derartige Vorgänge in Deutschland möglich waren.

Kriegsende und Nürnberger Prozeß

Zum Zeitpunkt der Kapitulation befand ich mich im Krankenhaus Babelsberg, aus dem ich am 16. Mai 1945 entlassen wurde. In Potsdam war inzwischen eine russische Kommandantur errichtet worden. Der Kommandant, Oberst Pimenow, bei dem ich noch am gleichen Tage persönlich vorsprach, sagte mir den notwendigen Schutz in meinem Hause zu. Bevor dieser jedoch eintraf, wurde ich am 17. Mai auf einem Lastkraftwagen nach Caputh bei Potsdam entführt, wo offenbar eine russische Nachrichtenkommandantur lag, und erst abends auf das Eingreifen von Oberst Pimenow hin mit einem persönlichen Schutz nach Hause entlassen. Drei Tage später erhielt ich Besuch von Oberst Pimenow mit einem General aus dem Stabe von Marschall Schukow. Auf die Frage, was ich weiter beabsichtigte, antwortete ich, daß ich meine Erlebnisse und Erfahrungen in einem Buch niederlegen wollte, ähnlich wie ich seinerzeit nach dem ersten Weltkrieg über den Kreuzerkrieg geschrieben hätte. Am gleichen Abend hatte ich erneut einen schweren gesundheitlichen Zusammenbruch mit einer Herzattacke, wahrscheinlich eine Folge der anstrengenden Lastkraftwagenfahrt, wobei ich dem Zugwind und den Erschütterungen ausgesetzt gewesen war. Ich befand mich mehrere Tage in Lebensgefahr und war von da ab längere Wochen bettlägerig. Oberst Pimenow schickte mir mehrmals Lebensmittel, um meine Heilung zu beschleunigen. Am 23. Juni ließ er mich bitten, zur Dienststelle eines Generals zu fahren, wo eine Besprechung stattfinden sollte, von der ich in etwa eineinhalb Stunden zurück sein könnte; voraussichtlich würde auch bald eine Fahrt nach Moskau erfolgen. Statt zu einer Besprechung wurde ich in das Gefängnis Lichtenberg in ein Einzelzimmer unter Aufsicht eines offenbar zur GPU gehörenden Generals gebracht, der mir erklärte, ich sei kriegsgefangen, würde noch etwa ein bis zwei Wochen in Lichtenberg bleiben und dann nach Moskau kommen. Ich könne meine schriftlichen Arbeiten, die ich zu Hause begonnen hätte, dort weiter fortführen. Einige Tage später setzte meine Frau es durch, bei mir zu wohnen, da es mir wieder gesundheitlich viel schlechter ging. Unser Haus war inzwischen fast völlig ausgeplündert worden. Ich wurde mit meiner Frau am 8. oder 9. Juli 1945 nach Moskau geflogen. Die Begleitumstände waren sehr unfreundlich. Vierundzwanzig Stunden lang erhielten wir keine Verpflegung. Erst nach dem Empfang durch die beiden obersten Generale des Innenkommissariats besserte sich unsere Lage. Nach einigen Tagen wurden wir in einem gut eingerichteten Landhaus in der Nähe Moskaus untergebracht und blieben unter Bewachung durch ein oder zwei Offiziere. Die beiden erwähnten Generale besuchten uns wiederholt und unterhielten sich längere Zeit mit mir, ohne eine ausgesprochene Vernehmung zu veranstalten. Sie erkundigten sich nach dem Stand meiner Aufzeichnungen.

Mein Aufenthalt in Moskau dauerte drei Monate. In dieser Zeit habe ich, teils auf russische Anregung, teils aus eigenem Entschluß, eine Reihe von Niederschriften gemacht. Ich selbst war in einer schlechten gesundheitlichen Verfassung, die sich aber allmählich besserte, da Verpflegung und ärztliche Behandlung gut waren. Zugleich befand ich mich nach dem unglücklichen Ausgang des Krieges und den Erlebnissen der letz-

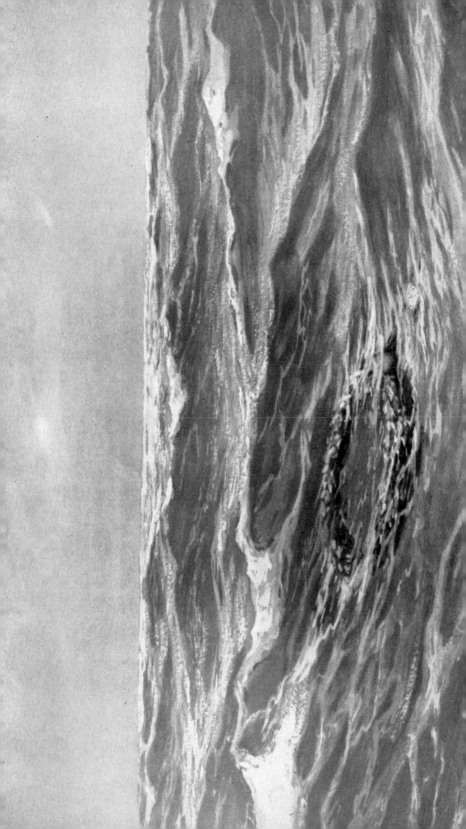

ten Jahre — und vor allem der letzten Monate — in einem Zustand tiefer Niedergeschlagenheit. Meine Aufzeichnungen, die ich ganz ohne Unterlagen und nur aus dem Gedächtnis machen konnte, wurden natürlich hierdurch stark beeinflußt. Zum Teil habe ich darin, wie es meiner Gewohnheit entsprach, mich bemüht, durch schriftliche Niederlegung Klarheit über manche Probleme der Vergangenheit zu gewinnen. Man hat mir die Aufzeichnungen später weggenommen und versucht, sie im Nürnberger Prozeß gegen mich auszuspielen. Sie waren aber keineswegs für die Öffentlichkeit bestimmt und stellen weder abgeschlossene Urteile dar, noch können sie in allen Punkten als meine endgültige Auffassung gewertet werden; insbesondere gilt das für die Charakteristiken einzelner Persönlichkeiten.

Am 17. Oktober 1945 um 6 Uhr morgens wurde ich völlig überraschend aus dem Haus geholt; dabei wurde mir mitgeteilt, ich hätte sofort zu einer Besprechung nach Berlin zu fliegen, von der ich aber nach einigen Tagen wiederkommen würde. Gegenüber meiner Frau, die zurückblieb, wurde sogar nur von einer Rücksprache in Moskau für wenige Stunden gesprochen. Ein mir unbekannter General brachte mich zum Innenkommissariat und zum Flugplatz. Auf dem Fluge und in Berlin stand ich unter der Obhut eines russischen Oberstleutnants und seines Begleiters. Ich wohnte mit diesen vorübergehend in einem Haus in Babelsberg, das auch als Unterkunft für den Publizisten Hans Fritzsche mit seiner Bewachung diente. Er war im Lubjanka-Gefängnis in Haft gewesen und mit mir aus Moskau gekommen. Man übergab uns die Anklageschrift des Internationalen Militärgerichtshofes, wobei ich das erste Mal von einer Kriegsverbrecherschaft hörte. Ich bat um Zustellung meiner Moskauer Aufzeichnungen, da ich sie zur Verteidigung brauchte. Nach einigen Tagen wurde mir zusammen mit meinen Niederschriften ein Protokoll zur Unterschrift vorgelegt, dessen Unterzeichnung ich aber ablehnte. Es war eine Zusammenstellung teilweise falsch übertragener, teilweise mißverstandener Stellen meiner Aufzeichnungen, die durch willkürliche Verstellung zu »Geständnissen« umgearbeitet waren. Ich schrieb eine entsprechende Erklärung an den Generalsekretär des Internationalen Militärgerichtshofes, ohne daß ich jedoch hörte, was daraus geworden ist. Meine Aufzeichnungen wurden mir aber wieder weggenommen. Nach wenigen Tagen wurden Fritzsche und ich von Berlin nach Nürnberg transportiert, wo wir nach langer Autofahrt in einer Novembernacht ankamen. Wir wurden, wie auch die anderen Angeklagten, in Einzelzellen des Nürnberger Gerichtsgefängnisses gelegt, in denen die Gefangenen während der Nächte von grellen Lampen angestrahlt wurden.

Am 20. November 1945 begann der Prozeß in Nürnberg. Für den Bereich der Marine war ich zusammen mit Großadmiral Dönitz als Kriegsverbrecher angeklagt. Die Zeit zur Vorbereitung der Verteidigung war nur sehr kurz gewesen. Ich hatte den bekannten Hamburger Rechtsanwalt Dr. Siemers gebeten, meine persönliche Verteidigung zu übernehmen, während Flottenrichter Kranzbühler neben der Vertretung von Dönitz gemeinsam für uns beide die deutsche Seekriegführung verteidigte. Dr. Siemers war mir vorher persönlich nicht bekannt gewesen. Für meine Vertretung war dies nach meiner Ansicht günstig, da er sich mit der ganzen Materie völlig unvoreingenommen beschäftigen konnte und somit in der Lage war, die einzelnen Punkte der Anklage von einer allgemeinen Warte aus zu behandeln. Ich bin Dr. Siemers zu großem Dank verpflichtet. Er hat meine Sache mit Würde und Festigkeit, mit Beharrlichkeit und gleichbleibender Ruhe vertreten. Die Zusammenarbeit mit ihm war ausgezeichnet. In Nürnberg ging es um mehr als nur um Vorwürfe gegen einzelne Personen; gerade dafür hat Dr. Siemers großes Verständnis gezeigt. Für die Darlegung der Verhältnisse auf See und für die Verteidigung der deutschen Seekriegführung war eine bessere Vertretung als durch Flottenrichter Kranzbühler nicht denkbar. Er galt schon während seiner Marinezeit als ein außergewöhnlich befähigter und charaktervoller Marinerichter. Genaue Kenntnis der Zusammenhänge, großes Sachverständnis und eine gewinnende Art des Auftretens zeichneten ihn aus.

Ein Gerichtsverfahren wie das Nürnberger, bei dem die Partei der Siegerstaaten über den besiegten Gegner zu Gericht saß und bei dem nur die Handlungen des Unterlegenen zur Aburteilung standen, dagegen diejenigen des Siegers außerhalb der Betrachtungen blieben, mußte bei der Feststellung von Tatbeständen in stärkster Weise gehemmt sein und daher zu unbefriedigenden Ergebnissen kommen. Unmöglich kann man das Verhalten des besiegten Gegners nach zum Teil neuen rechtlichen Gesichtspunkten anklagen und aburteilen, während man gleichzeitig die Maßnahmen der siegreichen Seite als unantastbar ansieht. Denn in jedem Kriege werden die Handlungen der einzelnen Parteien wesentlich beeinflußt durch das Verhalten des Gegners. Das gerichtliche Urteil des Siegers über den Besiegten muß Bedeutung und Glaubwürdigkeit verlieren, wenn sein eigenes Tun und Lassen nicht derselben Beurteilung unterliegt. Das Gericht ließ grundsätzlich keine Erwähnung von alliierten Vergehen oder Verbrechen zu. Der Versailler Vertrag wurde nur herangezogen, wenn es sich um angebliche deutsche Verstöße gegen ihn handelte. Aber seine entscheidenden Auswirkungen auf die deutsche Entwicklung seit 1920 durften nicht erörtert werden.

Sehr bald stellte sich heraus, daß es sich auch sonst beim Nürnberger Prozeß nicht um ein Gerichtsverfahren im üblichen Sinne handelte. Das Tribunal war vielmehr aus politischen Erwägungen unserer Gegner entstanden und diente einem politischen Zweck. Es war nicht zu verkennen, daß das deutsche Volk in seiner Gesamtheit — nicht allein nur die nationalsozialistische Regierung — mit der Alleinschuld für die Führung von böswilligen Angriffskriegen belastet werden sollte. Damit sollten die Kriegführung der Alliierten gegen Deutschland und die Härte der Besatzungspolitik als berechtigt und notwendig bewiesen werden. Dieser spezielle Zweck ging schon daraus hervor, daß derartige Tribunale nur gegenüber Deutschland und Japan aufgestellt wurden, jedoch nicht gegen Italien.

In den Versailler Vertrag war die Kriegsschuld Deutschlands als ein Teil des Vertrages aufgenommen worden, die durch die Unterschrift der deutschen Regierung anerkannt werden mußte. Später ist dann diese Frage erneut aufgegriffen worden, und durch ihre Erörterung ist die Grundlage des Versailler Vertrages ins Wanken gekommen. Diesmal sollte von vornherein einer derartigen Entwicklung vorgebeugt werden. An die Stelle einer erzwungenen Erklärung durch die deutsche Regierung sollte nunmehr das Ergebnis eines umfangreichen Prozesses treten, um die Ansicht über die Alleinschuld Deutschlands am Ausbruch des Krieges und an seinen Folgen zu bestätigen.

Ich glaube, man kann es als ein positives Ergebnis des Prozesses betrachten, daß die Theorie von einer Verschwörung des deutschen Volkes gegen den Frieden und damit von einer einseitigen Schuld, soweit sie unser Volk betraf, nicht mehr aufrechterhalten werden kann. Besonders in dem militärischen Bereich ist die These der Anklagebehörde von dem Bestehen einer Gruppe von führenden Soldaten, die nur auf die Herbeiführung eines Angriffskrieges hingearbeitet hätten, völlig widerlegt worden. Selbst bei den sogenannten »verbrecherischen« Gruppen hat das Gericht entschieden, daß die Zugehörigkeit zu einer solchen Gruppe nicht bereits ein Anlaß wäre, um ein Mitglied zu verfolgen, sondern daß in jedem Einzelfalle auch eine persönliche Schuld nachgewiesen werden müßte. Überhaupt sind die sehr allgemein gehaltenen und umfangreichen Anklagepunkte im Laufe des Verfahrens und durch die gefällten Urteile so wesentlich eingeschränkt worden, daß von der Feststellung einer Kollektivschuld des deutschen Volkes nicht mehr die Rede war.

Wenn dieses Ergebnis auch sehr hoch zu werten ist und zeigt, daß das Gericht nicht immer willens war, lediglich nach politischen Gesichtspunkten zu urteilen, so darf doch darüber nicht vergessen werden, daß in dem Verfahren zahlreiche von nationalsozialistischer Seite verübte Verbrechen eindeutig festgestellt worden sind, die in ihrem entsetzlichen Ausmaß von niemand in Deutschland — von den Beteiligten abgesehen — auch nur entfernt geahnt worden sind. Für mich ist diese Erkenntnis die schwerste seelische Belastung in dem ganzen Prozeß gewesen. Es stellte sich heraus, daß die Zone des Schweigens, die um die Verbrechen dieser Zeit gelegt worden war, so gut wie undurchdringlich gewesen ist. Insbesondere ging aus allen Aussagen und Zeugnissen der vielen im Prozeß vernommenen militärischen Führer wie auch des früheren preußischen Innenministers Severing hervor, daß wohl gelegentlich Einzelfälle bekannt geworden waren, aber der tatsächliche Umfang ihnen wie dem allergrößten Teil des deutschen Volkes völlig unbekannt geblieben war. Die Verbrechen waren so ungeheuerlich, daß ihre Aufdeckung im Laufe des Prozesses in höchstem Maße erschütternd für alle anwesenden Deutschen war. Dabei ergab sich, daß die Verbrechen nicht nur durch eine Schicht von verbrecherischen politischen Elementen verübt waren, sondern Hitler selbst in vielen Fällen Mitwisser und sogar Anstifter gewesen war. Das wahre Gesicht Hitlers trat hierbei zu Tage.

So entwickelten sich eigentlich zwei verschiedene Seiten des Prozesses: die politische, deren man sich als Deutscher nur schämen konnte, und die militärische Seite. Letztere ergab insgesamt ein wesentlich anderes Bild, als es die Anklagebehörde zu Anfang dargestellt hatte. Daß die Ergebnisse auf dem militärischen Gebiet trotzdem einseitig bleiben mußten, lag aber nicht nur an der politischen Ausgangsbasis, sondern auch daran, daß die prozessualen Voraussetzungen, unter denen die Anklagebehörde und die Verteidigung arbeiteten, von Grund auf verschieden waren. Das angelsächsische Gerichtsverfahren sieht einen Prozeß als den Kampf zweier Parteien gegeneinander an, nach dem schließlich das Gericht ein Urteil fällt. Der Ankläger ist nicht — wie bei uns in Deutschland der Staatsanwalt — bestrebt, auch seinerseits die unbedingte Wahrheit zu erforschen, sondern er kämpft gegen den Angeklagten ganz einseitig und mit allen Mitteln. Die Verteidigung dagegen ist bemüht, in entsprechender Weise den Angriff der Anklagebehörde zu zerschlagen. Ein solches Verfahren war für die deutschen Verteidiger und Angeklagten neu und ungewohnt und erschwerte die Stellung der Verteidigung erheblich. Ich muß anerkennen, daß unsere Verteidiger sich trotzdem ausgezeichnet den angelsächsischen Methoden angepaßt haben und mit dem ungewohnten Verhandlungssystem gut fertig geworden sind.

Das angelsächsische Prozeßverfahren hat sich in einer langen Geschichte bewährt. Jedoch kann es nur dann zu gerechten Ergebnissen kommen, wenn dem Ankläger wie dem Verteidiger die gleichen Möglichkeiten gegeben sind. Diese selbstverständliche Voraussetzung war aber in dem Nürnberger Prozeß nicht erfüllt. Die Anklagevertretung hatte lange Monate hindurch Zeit gehabt, ihre Anklage vorzubereiten. Sie hatte sämtliche Archive und Dokumente, die irgendwie bekannt geworden waren, beschlagnahmt und durch eine große Zahl von Prüfungsbeamten auf Belastungsmaterial durchsucht. Da die deutschen Archive in Feindeshand gefallen waren, standen ihr Akten und Dokumente so gut wie unbegrenzt zur Verfügung, aus denen einseitig belastende Unterlagen ausgewählt und — oft aus dem Zusammenhang gerissen — gegen die Angeklagten verwendet wurden. Die Verteidiger dagegen konnten die in alliierter Hand befindlichen deutschen Archive nicht benutzen. Nur dasjenige Material wurde ihnen zugänglich gemacht, das die Anklagebehörde herausgab. Sonstige Unterlagen für die Entlastung der Angeklagten waren nur auf Umwegen mit größter Mühe und höchst unvollständig zu beschaffen. Des weiteren kam hinzu, daß auf diese Weise für die Verteidigung nur deutsche Quellen zur Verfügung standen. Zur Feststellung bestimmter Fragen wie zum Beispiel der alliierten Angriffsabsicht gegen Norwegen wäre es notwendig gewesen, in die ausländischen Archive Einblick zu nehmen. Das war aber nicht möglich. Damit war die Verteidigung gegenüber der Anklagebehörde entscheidend benachteiligt. Auch die äußeren Umstände waren für die Verteidiger denkbar schwierig. Sie waren aus verschiedenen Teilen Deutschlands nach dem zerbombten Nürnberg gekommen und konnten sich nur in primitivster Form eine Arbeitsstätte schaffen. Ihr Verkehr mit den Angeklagten, die sie verteidigten, war durch zahllose Kontrollen und Bestimmungen erschwert. Die Atmosphäre, in der sie auftraten und arbeiten mußten, war ausgesprochen feindselig; Presse und Rundfunk — damals noch von den Alliierten gesteuert — waren gegen sie eingestellt. Trotz aller Benachteiligungen haben es die Verteidiger, insbesondere auch in meinem Fall, fertiggebracht, sich wirkungsvoll durchzusetzen. Aber die Beschränkungen, denen sie bei der Durchführung ihrer Aufgabe unterlagen, waren gegenüber den reichen Möglichkeiten der Anklagebehörde so erheblich, daß letztere sämtliche Vorteile für sich hatte und die Verteidigung mit allen Nachteilen belastet war.

Als meine Hauptzeugen hatte ich meinen langjährigen Adjutanten und späteren Chef des Stabes, Vizeadmiral Schulte Mönting, und den früheren sozialdemokratischen Innenminister Severing benannt. Das Auftreten von Severing war zweifellos sehr eindrucksvoll. Seine ruhige, ausgeglichene Art und sein sicheres Urteil vor dem internationalen Gremium waren besonders bemerkenswert. Er verzichtete auf irgendwelche propagandistische und polemische Äußerungen, sondern sagte rein sachlich zu den für ihn in Frage kommenden Gebieten aus, vor allem über die frühere Aufrüstung der Marine. Die guten Worte, die er für mich gefunden hat, haben mich stark berührt. Er erklärte, daß die Überschreitungen des Versailler Vertrages durch die Marine seit 1928 von der Reichsregierung gedeckt wurden. Ferner sagte er aus, daß auch er von den Massenmorden erst nach dem Zusammenbruch des Hitlerregimes gehört hätte. Besonders offen und mutig war die Antwort Severings auf die Frage meines Verteidigers, ob er und seine Parteifreunde während des nationalsozialistischen Systems von ausländischer Seite unterstützt wurden. Seine Antwort war: »Wenn Sie mich fragen, ob meine politischen Freunde in ihren Bemühungen, das Hitlerregime wenigstens propagandistisch zu bekämpfen, Unterstützung gefunden hatten durch ausländische Persönlichkeiten, die man auch als Antifaschisten hätte ansprechen können, so muß ich Ihnen sagen: leider nein! Wir haben mit großem Schmerz recht oft bemerkt, daß Angehörige der englischen Arbeiterpartei, nicht beamtete Herren, als Privatpersonen bei Hitler zu Gast waren und, nach England zurückgekehrt, den damaligen Reichskanzler Hitler priesen als einen Freund des Friedens. Ich nenne da Philip Snowden und den Seniorchef der Arbeiterpartei Lansbury.« Weitere Ausführungen Severings zu diesem Punkte wurden vom Vorsitzenden des Gerichts nicht zugelassen; sie waren nicht erwünscht.

Vizeadmiral Schulte Mönting wurde sehr eingehend und lange sowohl vom Verteidiger wie vom Vertreter der Anklage im Kreuzverhör vernommen. Sein ausgezeichnetes Gedächtnis, die Klarheit seiner Antworten und die souveräne Art, wie er die einzelnen Probleme der Marine aus Frieden und Krieg darstellte, haben ihre Wirkung nicht verfehlt. Von großer Bedeutung waren auch die Aussagen des früheren Staatssekretärs im Auswärtigen Amt, Freiherr von Weizsäcker. Er gab unumwunden zu, daß meine Beurteilung der alliierten Absichten gegen Norwegen richtig gewesen war, obwohl er persönlich damals eine andere Auffassung gehabt hatte. Ferner bestätigte er, daß die deutsche Marine in Norwegen einen »guten, oder sogar sehr guten Ruf« genossen habe, wie ihm von norwegischen Freunden während des Krieges wiederholt bestätigt worden sei. Ich bin allen Zeugen, aber auch den zahlreichen Kameraden, Freunden und Bekannten, die sich in schriftlichen Aussagen geäußert haben, dankbar für ihre Offenheit und ihr mannhaftes Eintreten. Überhaupt haben sämtliche Zeugen, die von Dönitz oder mir benannt waren, durch ihr Auftreten ein sehr gutes Bild der deutschen Kriegsmarine vermittelt, obgleich sie direkt aus den Gefangenenlagern herangeholt wurden. Die schriftlichen Zeugenaussagen, die die Anklagebehörde gegen mich vorbrachte, verblaßten demgegenüber schnell wegen ihrer Unsachlichkeit und geringen Qualität. Ich selbst habe mich bemüht, in den anstrengenden und stundenlangen Vernehmungen alle Dinge so darzustellen, wie sie mir nach sorgfältiger Gewissensprüfung in Erinnerung waren. Außer den wenigen Unterlagen, die die Verteidigung trotz der zahlreichen Erschwernisse beschafft hatte, stand mir kein weiteres Material zur Verfügung.

Großadmiral Dönitz und ich waren uns von vornherein darüber einig, daß es für uns in dem Prozeß ausschließlich auf die geschichtliche Rechtfertigung der deutschen Seekriegführung ankam, denn die Anklage richtete sich weit über die beiden Oberbefehlshaber hinaus insgesamt gegen die Führung des Seekrieges und insbesondere gegen die Art des Einsatzes der deutschen U-Boote. Jeder von uns beiden sah sein persönliches Schicksal daneben als belanglos an. Sowohl Dönitz wie ich haben es für selbstverständlich gehalten, daß wir für alles, was in den Jahren unserer Kommandoführung in der Marine vorgegangen war, die volle Verantwortung übernahmen. Es war daher nach deutscher militärischer Auffassung durch nichts gerechtfertigt, daß gegen Dönitz auch Anklage erhoben wurde auf Grund von Fällen bei der U-Bootkriegführung aus der Zeit, als ich noch an der Spitze der Marine stand.

Der Angriff der Anklagebehörde richtete sich in erster Linie gegen den Einsatz unserer U-Boote. Gerade auf diesem Gebiet waren wir sehr vorsichtig vorgegangen. Jeder Schritt war sorgfältig durch unsere Rechtsabteilung in der Seekriegsleitung geprüft worden, so daß wir sicher sein konnten, zumindest alles getan zu haben, um Verstöße gegen das internationale Recht zu vermeiden. Bei der Einstellung von Dönitz und mir sind auch keinerlei Befehle erlassen worden oder Handlungen geschehen, die sich gegen die moralischen Gesetze richteten, wie sie von allen Kulturvölkern beachtet werden. Ich wußte im Gegenteil, daß Dönitz als Befehlshaber der U-Boote in verschiedenen Fällen sogar militärische Nachteile in Kauf genommen hatte, um die Rettung von Überlebenden versenkter Dampfer zu ermöglichen.

Trotzdem war die Lage für uns bei der aggressiven Haltung der Anklagebehörde schwierig. Es verdient hervorgehoben zu werden, daß im Gegensatz dazu die schriftlichen Erklärungen der britischen Admiralität und des Oberbefehlshabers der amerikanischen Marine, Admiral Nimitz, zu unsern Gunsten sprachen. Das Gericht hatte es sonst grundsätzlich abgelehnt, den deutschen Verteidigern das beschlagnahmte deutsche Archivmaterial zur Verfügung zu stellen und ihnen den Zugang zu ausländischen Beweismitteln, alliierten Befehlen und Zeugen zu eröffnen. Im Fall der Seekriegführung hatte aber Flottenrichter Kranzbühler nach langen Auseinandersetzungen erreicht, daß einer seiner Mitarbeiter, Fregattenkapitän Meckel, die in London lagernden Akten der deutschen Seekriegführung sichten und auswerten konnte. Ferner hatte das Gericht die Beweisanträge Kranzbühlers genehmigt, die britische Admiralität und die amerikanische Marine zu befragen. Flottenrichter Kranzbühler hatte dann zusammen mit Dr. Siemers bei diesen beiden Stellen schriftlich angefragt und noch rechtzeitig Antwort bekommen. Aus den erhaltenen Auskünften ging hervor — und wurde auch vom Gericht als feststehend angenommen —, daß die britische Marine bei Kriegsbeginn ihre Handelsschiffe bewaffnete, wie es bereits in ihrem Handbuch für die Handelsmarine vom Jahre 1938 vorgesehen war, und sie mehrfach unter bewaffnetem Geleit fahren ließ. Die Handelsschiffe sollten ferner jedes Sichten von U-Booten melden, wodurch sie in das Warnsystem der Admiralität eingebaut wurden, und hatten am 1. Oktober 1939 Anweisung bekommen, U-Boote, wenn möglich, zu rammen. Am 8. Mai 1940 hatten die britischen Streitkräfte Befehl erhalten, alle im Skagerrak fahrenden Schiffe nachts ohne vorherige Warnung zu versenken.

In der Beantwortung des an Admiral Nimitz gesandten Fragebogens waren drei Punkte besonders wichtig. Die amerikanische Regierung hatte gleich bei Beginn des Krieges mit Japan den ganzen pazifischen Ozean als Operationsgebiet erklärt und den uneingeschränkten U-Bootkrieg gegen Japan angeordnet. In diesem größten Seegebiet der Welt durften die amerikanischen U-Boote sämtliche Handelsschiffe ohne Warnung angreifen; eine Ausnahme bildeten natürlich Lazarettschiffe und andere Fahrzeuge, die unter Sicherheitsgeleit für humanitäre Zwecke fuhren. Die dritte Frage hatte gelautet: »War es den amerikanischen U-Booten durch Befehl oder durch die allgemeine Praxis verboten, Rettungsmaßnahmen zugunsten von Passagieren und Mannschaften von warnungslos versenkten Schiffen auszuführen, falls dadurch die Sicherheit des eigenen Bootes gefährdet worden wäre?« Die eindeutige Antwort des Oberbefehlshabers der amerikanischen Marine besagte: »Im allgemeinen haben die amerikanischen U-Boote feindliche Überlebende nicht gerettet, wenn dies für das U-Boot eine ungewöhnliche zusätzliche Gefahr bedeutet hätte oder das U-Boot dadurch in der weiteren Durchführung seiner Aufgaben gefährdet worden wäre.«

Die Auskünfte von diesen maßgebenden hohen Stellen der beiden großen Marinen, mit denen wir im Kriege gestanden hatten, waren für die gerechte Beurteilung der deutschen Seekriegführung durch den Nürnberger Gerichtshof von großer Bedeutung. Sie bewiesen, daß die deutsche Marine ihren Seekrieg nach den gleichen Regeln und Gepflogenheiten geführt hatte wie die ihr gegenüberstehenden beiden größten Seemächte. Die deutsche Seekriegführung ging als einwandfrei und mit den Regeln des Völkerrechtes im Einklang stehend aus dem Gerichtsverfahren hervor. Damit ist in vollem Umfang das erreicht worden, was Großadmiral Dönitz und mir als unsere erste und wichtigste Aufgabe in diesem Prozeß vor Augen gestanden hat. Daß die Rechtfertigung unserer Seekriegführung wesentlich unterstützt worden ist durch die Stellungnahme unserer Kriegsgegner, gegen deren Streitkräfte wir gerade im U-Bootkrieg besonders hart gekämpft hatten, ist eine Tatsache, die für alle Zukunft ihre Bedeutung behalten wird.

Die Ausführungen von Flottenrichter Kranzbühler über die deutsche Seekriegführung in seinem Schlußplädoyer erfolgten von einer hohen Warte aus und widerlegten in allen Einzelheiten die Thesen der Anklagebehörde. Er hat sich ein großes und bleibendes Verdienst um die deutsche Kriegsmarine erworben. Mein Verteidiger Dr. Siemers hatte in einem glänzenden und eindrucksvollen Plädoyer meinen Freispruch beantragt. Nach meiner Auffassung hat er alle Anklagepunkte gegen mich entkräftet. Insbesondere hatte er sich eingehend mit der Vorgeschichte der Norwegenunternehmung beschäftigt, hatte hierzu wertvolle Unterlagen vorgelegt und sorgfältige Zusammenstellungen gemacht. Hauptsächlich in diesem Punkte hat sich das Gericht seinen Ausführungen nicht angeschlossen, sondern mich »auf Grund des zur Verfügung stehenden Beweismaterials« verurteilt. Diese Begründung der Verurteilung berührte mich um so merkwürdiger, als das Gericht ja selbst das ihm zur Verfügung stehende Beweismaterial beschränkt hatte, indem es den Antrag meines Verteidigers, Dr. Siemers, die englische Dokumentation über den Norwegenfeldzug heranzuziehen, ablehnte. Nachdem diese Dokumentation inzwischen bekannt geworden ist, insbesondere durch die Memoiren von Churchill, dürfte dem Nürnberger Urteil über den Norwegenfeldzug der Boden entzogen sein.

In meinem Schlußwort habe ich mich nach den eingehenden Plädoyers der Verteidiger kurz fassen können und folgendes ausgeführt:

»Der Prozeß hat am Schlusse der Beweisaufnahme ein für Deutschland segensreiches, für die Anklage aber unerwartetes Ergebnis gehabt: durch einwandfreie Zeugenaussagen ist das deutsche Volk — und damit auch alle mit mir in gleicher Lage befindlichen Personen — von dem schwersten Vorwurf entlastet, um die Tötung von Millionen von Juden und anderen Menschen gewußt, wenn nicht gar daran mitgewirkt zu haben. Der Versuch der Anklage, die durch frühere Vernehmungen die Wahrheit schon lange kannte und trotzdem ihre Beschuldigungen in den Trial-Briefen und bei den Kreuzverhören — mit dem erhobenen Finger des Moralpredigers — aufrechterhielt und immer wiederholte, dieser Versuch, das ganze deutsche Volk zu diffamieren, ist in sich zusammengebrochen.

Das zweite allgemeine, daher auch für mich wichtige Ergebnis des Prozesses ist die Tatsache, daß der deutschen Marine grundsätzlich ihre Sauberkeit und Kampfsittlichkeit auf Grund der Beweisaufnahme hat bestätigt werden müssen. Sie steht vor diesem Gericht und vor der Welt mit reinem Schild und unbefleckter Flagge da. Die Versuche im Plädoyer Shawcross, den U-Bootkrieg auf eine Stufe mit Greueltaten zu stellen, können wir mit reinem Gewissen nachdrücklichst zurückweisen; denn sie sind nach den klaren Ergebnissen der Beweisaufnahme unhaltbar. Insbe-

317

sondere ist der Vorwurf, daß die Marine »niemals die Absicht gehabt habe, die Seekriegsgesetze einzuhalten«, völlig entkräftet; ebenso ist es erwiesen, daß die Seekriegsleitung und ihr Chef niemals »Verachtung für das internationale Recht« gezeigt haben, sondern vielmehr vom ersten bis zum letzten Augenblick ehrlich bestrebt gewesen sind, die moderne Seekriegführung mit den völkerrechtlichen und menschlichen Forderungen in Einklang zu bringen — auf der gleichen Basis wie unsere Gegner.

Ich bedaure, daß die Anklage immer wieder versuchte, mich und die Marine zu diffamieren, wie schon die Überreichung eines zweiten, abgeänderten Trial-Briefs zeigte, der nur darin von der ersten Fassung abweicht, daß er die Zahl und Schärfe der beleidigenden Ausdrücke vermehrte. Diese Tatsache zeigt, daß die Anklage selbst fühlte, daß die sachlichen Anschuldigungen zu schwach waren. Ich bin aber auch der Überzeugung, daß die britische und amerikanische Anklage der eigenen Marine einen schlechten Dienst erwiesen hat, wenn sie den Gegner moralisch herabsetzte und als minderwertig hinstellte, gegen den die alliierten Seestreitkräfte einen jahrelangen, schweren und ehrenvollen Seekrieg führten. Ich bin überzeugt, daß die Admiralitäten der alliierten Länder mich verstehen und wissen, daß sie nicht gegen einen Verbrecher gekämpft haben. Ich kann mir dieses Verhalten der Anklage nur damit erklären, daß ihre Vertreter, wie ich immer wieder feststellen mußte, nur sehr wenig Urteil über die Grundsätze wahren Soldatentums und soldatischer Führung erkennen ließen und daher kaum dazu berufen erscheinen, über Soldatenehre zu urteilen.

Ich fasse zusammen:

Ich habe als Soldat meine Pflicht getan, weil ich der Überzeugung war, dem deutschen Volk und Vaterland, für das ich gelebt habe und für das zu sterben ich jederzeit bereit bin, damit am besten zu dienen. Wenn ich mich irgendwie schuldig gemacht haben sollte, so höchstens in der Richtung, daß ich trotz meiner rein militärischen Stellung vielleicht nicht nur Soldat, sondern doch bis zu einem gewissen Grade auch Politiker hätte sein sollen, was mir aber nach meinem ganzen Werdegang und der Tradition der deutschen Wehrmacht widerstrebte. Dies wäre dann aber eine moralische Schuld gegenüber dem deutschen Volk und kann mich nie und nimmer zum Kriegsverbrecher stempeln; es wäre keine Schuld vor einem Strafgericht der Menschen, sondern eine Schuld vor Gott.«

Die Verkündung der Urteile am 30. September und 1. Oktober 1946 war in vieler Beziehung für mich überraschend. Daß ich persönlich von dem Gericht verurteilt werden sollte, ist mir vom ersten Augenblick an niemals zweifelhaft gewesen. Aber die Verurteilung von Großadmiral Dönitz war mir ganz unverständlich. Von allen Anklagepunkten gegen ihn ist praktisch nichts übrig geblieben, und die Begründung für seine Verurteilung ist völlig unzureichend. Sehr erschüttert war ich, daß Generalfeldmarschall Keitel und Generaloberst Jodl zum Tode durch den Strang verurteilt wurden. Ich hatte damit gerechnet, daß bei einem etwaigen Todesurteil ihnen wenigstens diese entehrende Form der Hinrichtung erspart bliebe. Daß offenbar auch auf der Seite unserer Gegner das Entwürdigende dieser Strafe empfunden wurde, schien daraus hervorzugehen, daß die anwesenden amerikanischen Generale vor der Verlesung der Todesurteile gegen die deutschen Generale den Saal verließen.

Die Lage der beiden verurteilten Armeegenerale war in dem Prozeß besonders ungünstig gewesen. Als die täglichen Mitarbeiter Hitlers sollten sie die Verantwortung für alle von ihm erlassenen militärischen Befehle und Anordnungen tragen, obgleich sie mit vollem Einsatz ihrer Arbeitskraft und oft ihrer Person viel Schlimmes verhütet haben. Generaloberst

Jodl habe ich stets sehr hoch geschätzt. Im Oberkommando der Wehrmacht war er der beste Kopf und einer der wenigen, die einen umfassenden Überblick besaßen, um über das eigene Ressort hinaus in großen Zusammenhängen zu denken und zu handeln. Er war nicht nur ein klarer und zuverlässiger geistiger Arbeiter und vielseitig gebildeter Generalstabsoffizier, sondern hatte auch einen festen und aufrechten Charakter. Den vielen Auseinandersetzungen mit Hitler ist er nicht aus dem Wege gegangen und hat ihm gegenüber seine Ansichten ohne Rücksicht auf etwaige persönliche Nachteile vertreten. In Nürnberg beherrschte er überlegen alle komplizierten Fragen und Zusammenhänge des Krieges und schlug unsachliche Angriffe der Anklagebehörde mit logischen, knapp formulierten Antworten zurück. Generalfeldmarschall Keitel war als Persönlichkeit in seiner ungemein schwierigen Stellung zweifellos nicht fest und sicher genug aufgetreten und war trotz bester Absichten dem stärkeren Willen Hitlers unterlegen. Er hätte dies erkennen und einem anderen Platz machen müssen. Aber er hat seine Pflicht, so wie er sie ansah, unermüdlich und selbstlos zu erfüllen gesucht. Als den Angeklagten in den Tagen zwischen den Schlußworten und der Urteilsverkündung erlaubt wurde, sich gegenseitig in den Gefängniszellen zu besuchen, habe ich mich als erstes zu einem Besuch bei Keitel angemeldet, um ihn in seiner furchtbaren Lage meine menschliche Anteilnahme fühlen zu lassen.

Während der langen Monate des Prozesses war ich mit der großen Sorge um meine Frau belastet, die ich in Moskau hatte zurücklassen müssen. Über ihr weiteres Schicksal war mir lange nichts bekannt, bis ich dann später hörte, daß sie in der Nähe von Berlin in einem russischen Lager unter unwürdigen Bedingungen festgehalten wurde. Nach den Schlußworten der Angeklagten wurde Mitte September 1946 gestattet, daß die Angeklagten Besuch von ihren nächsten Angehörigen erhielten. Ich hatte den Wunsch, meine Frau sowie meine Tochter und meinen Sohn zu sehen. Meine Kinder haben mich besucht. Dagegen haben alle Bemühungen meines Verteidigers wie auch des Vorsitzenden des Nürnberger Gerichtshofes, Lord-Richter Lawrence, nicht vermocht, den Besuch meiner Frau zu ermöglichen. Telegramme an meine Frau kamen als unbestellbar zurück. Die Versuche meines Verteidigers, mit ihr über die sowjetische Delegation in Nürnberg Verbindung aufzunehmen, führten zu Versprechungen, aber zu keinem Erfolg. Auch die persönlichen Bemühungen des Gerichtsvorsitzenden beim »Alliierten Kontrollrat für Deutschland«, die er auf meine Briefe an ihn unternahm und die ich dankbar anerkannte, blieben ohne Ergebnis. Ich habe unter dem Verhalten der Russen gegenüber meiner Frau sehr gelitten. Zum ersten Mal habe ich meine Frau im März 1950, mehr als vier Jahre nach unserer Trennung in Moskau, durch ein kleines Sprechgitter im Spandauer Gefängnis wiedergesehen. Sie war dann endlich aus dem russischen Konzentrationslager entlassen worden, wo man sie auf Grund des einzigen Vorwurfs, meine Frau zu sein, festgehalten hatte.

Meine Verurteilung zu einer lebenslangen Strafe bedeutete, daß ich die mir noch verbleibende Lebenszeit hinter Gefängnismauern zu verbringen hatte und ich so für meine Familie Anlaß zu dauernder Sorge sein würde. Daher habe ich mich damals — entgegen dem Rat meines Verteidigers — entschlossen, beim Kontrollrat ein Gesuch um Begnadigung zum Tode durch Erschießen einzureichen. Ich wollte in meinem Alter nicht eine ständige seelische Belastung für meine Angehörigen sein. Das Gesuch wurde abgelehnt.

Dankbar habe ich in Nürnberg empfunden, daß eine Anzahl ehemaliger Kaiserlicher Admirale, die auch in England bekannte Persönlichkeiten waren, eine Adresse an die britische Admiralität gerichtet haben, in der sie für Großadmiral Dönitz und mich eintraten. Ebenso haben die gefangenen deutschen Marineoffiziere in amerikanischen und englischen

Lagern gemeinsame Gnadengesuche für uns eingereicht. Sie erklärten unter anderem, daß sie sich dazu auch zur Ehrenrettung ihrer verwundeten und gefallenen Kameraden verpflichtet fühlten; sie hätten das Bewußtsein, daß ihre früheren Gegner sicherlich nicht glaubten, gegen Piraten gekämpft zu haben.

Während der Urteilsverkündung war der Erste Seelord der britischen Admiralität, Admiral Lord Cunningham, anwesend. Mit ihm hat der Verteidiger von Dönitz wenige Tage später über das Gnadengesuch der gefangenen deutschen Marineoffiziere gesprochen. Lord Cunningham riet, es unmittelbar an den britischen Admiral im Kontrollrat zu leiten unter ausdrücklichem Hinweis auf diesen seinen Ratschlag; man durfte darin wohl seine Befürwortung erblicken. Admiral Cunningham war Ende Dezember 1938 im Auftrag der Admiralität zu Verhandlungen mit der deutschen Marineleitung in Berlin gewesen. Wir hatten der britischen Admiralität entsprechend den getroffenen Vereinbarungen angezeigt, daß wir beabsichtigten, die uns nach dem Flottenvertrag von 1935 gestattete Erhöhung der U-Bootstonnage auf 100 % der britischen sowie den Bau von zwei Kreuzern durchzuführen. Die Besprechungen waren glatt und harmonisch verlaufen. Nach ihrem Abschluß hatten Admiral Cunningham und ich in gegenseitigen Ansprachen der bestimmten Hoffnung Ausdruck gegeben, daß ein Krieg zwischen unseren beiden Marinen niemals wieder in Frage kommen würde. Ich bin überzeugt, daß dies von ihm genau so aufrichtig gemeint war, wie von meiner Seite. Unser beiderseitiger Wunsch ist nicht in Erfüllung gegangen. Als der Krieg nur acht Monate später ausgebrochen war, hat Admiral Cunningham, einer der hervorragendsten britischen Seeoffiziere, für sein Vaterland gekämpft und ich für das meine.

Spandau — Heimkehr — Rückschau

Nachdem der Internationale Militärgerichtshof in Nürnberg die Urteile verkündet hatte, begann der Vollzug der verhängten Strafen. Wenn ich in jenen Tagen mit meinem Verteidiger Dr. Siemers sprechen wollte, wurde ich, sobald ich meine Zelle verließ, mit meinem rechten Arm durch Handschellen an den begleitenden Wachsoldaten gefesselt. Wollte ich im Arbeitszimmer meines Verteidigers etwas schreiben, mußte der an mich gefesselte Soldat seine Hand mit auf- und abführen. Wie den anderen zu Freiheitsstrafen Verurteilten wurden mir die Haare geschoren, und ich erhielt Gefängniskleidung. Ich war damals über siebzig Jahre alt. Am 18. Juli 1947 wurde ich, ebenso wie meine Mitgefangenen, Freiherr von Neurath, Dönitz, Heß, Funk, Speer und von Schirach, nach Spandau in das Viermächtegefängnis überführt.

Von der Außenwelt waren wir völlig abgeschlossen. Nur einmal im Monat durften wir unter Kontrolle durch den Zensor einen kurzen Brief schreiben und auch empfangen. Aber oft wurden die Briefe nicht ausgeliefert, oder es waren große Stellen herausgeschnitten. Auch wurden unsere Briefe häufig zu spät zur Post gegeben, so daß die Angehörigen nicht mehr rechtzeitig zum Zensurtage antworten konnten. Ein Besuch von fünfzehn Minuten Dauer durch einen Familienangehörigen war in jedem zweiten Monat gestattet. Ich erhielt den ersten Besuch von meiner Frau am 15. März 1950. Sie war am 1. Juli 1949 aus dem Konzentrationslager Sachsenhausen und am 1. September 1949 aus Oberursel entlassen worden. Bis zum März 1950 wurde ihr ebenso wie meinem Sohn ein Besuch in Spandau verwehrt. Gründe wurden nicht angegeben. Von dem Besucher war man durch ein doppeltes engmaschiges Sprechgitter getrennt. Rechts und links von ihm saßen Dolmetscher. Offiziere der vier Nationen überwachten die Unterhaltung und unterbrachen sie oftmals. Ein Verkehr der Gefangenen untereinander war nicht erlaubt. Bis zum Sommer 1954 war auch jede Unterhaltung bei den gemeinsamen Tätigkeiten wie Tütenkleben, Reinigungs- und später Gartenarbeiten im Gefängnishof verboten.

Ich möchte es mir versagen, über Einzelheiten aus dieser Zeit zu berichten, solange noch andere Deutsche in Spandau gefangengehalten werden. Gegen die Soldaten britischer, französischer, nordamerikanischer und russischer Nationalität, die uns bewachten, hege ich keinen Groll. Sie führten die Befehle aus, die sie von ihren Vorgesetzten und letztlich von ihren Regierungen erhielten; weder die westlichen Demokratien noch die Sowjetunion lassen eine Befehlsverweigerung zu. Die jeweils diensttuenden Militärärzte haben nach meinen Feststellungen ihre ärztliche Pflicht korrekt und ohne Ansehen der Person erfüllt. Dankbar möchte ich die Tätigkeit der französischen Gefängnisgeistlichen anerkennen; in dem ihnen gezogenen engen Rahmen haben sie ihres Amtes mit menschlichem Takt gewaltet. Eine Seelsorge von ihnen war jedoch nicht möglich, weil wir nicht mit ihnen sprechen durften.

Das Nürnberger Tribunal war in seiner Art etwas Außergewöhnliches gewesen. Als einziges Gericht in westlichen Ländern hatte es über sich keine Revisions- oder Gnadeninstanz. Der Alliierte Kontrollrat für Deutschland hatte keine derartigen Befugnisse. Er durfte Erleichterungen gewähren, aber

keine Verschärfungen verfügen. Mit dieser Begründung hatte
der Kontrollrat schon in Nürnberg mein Gnadengesuch abgelehnt, in dem ich um meine Erschießung anstelle der lebenslangen Haft gebeten hatte. Das Spandauer Gefängnis und
damit die Gefangenen unterstanden diesem Kontrollrat, dessen Tätigkeit aber bald aufhörte und der daher praktisch nicht
mehr vorhanden war. Nur das Viermächtegefängnis bestand
noch immer als die einzige gemeinsame politische und militärische Einrichtung, die aus der Zeit des von den vier Mächten
organisierten Nürnberger Prozesses übriggeblieben war — ein
merkwürdiger Gegensatz zu der politischen Wirklichkeit und
der eingetretenen Spaltung zwischen Ost und West. Da dem
Gefängnisdirektorium keine höhere Instanz gesetzt war, wurden oft von ihm Erschwerungen durchgeführt, die im Gegensatz zu den in Nürnberg verfügten Bestimmungen standen.

Die Enge der Gefängnismauern und die Stille der Einzel-
zelle geben einem Menschen viel Gelegenheit und Veranlassung zum Nachdenken. Ich habe in den langen Spandauer
Jahren oft mit Dankbarkeit meiner Eltern und Erzieher gedacht, die mir einen festen christlichen Glauben als starken
Halt für das ganze Leben mitgegeben haben. Er hat mich vor
der Verzweiflung bewahrt, denn ich war mir keiner Schuld
vor den Menschen bewußt. Um meine Frau und meinen Sohn
war ich in schwerer Sorge. Meine Gedanken waren immer bei
ihnen. Wie dankbar war ich meinem Hans, daß er stets pflicht-
treu und unbeirrt seinen Weg ging, obwohl ihm durch mein
Schicksal viele Schwierigkeiten bereitet wurden. Bewährte
Freunde der Familie standen ihm zur Seite. Daß er endlich
wieder mit meiner Frau vereint wurde, war mir ein großer
Trost. Seinen eigentlichen Beruf als Landwirt, in dem er sich
auf einem größeren schlesischen und auf schleswig-holsteini-
schen Gütern bewährt hatte, mußte er zu seinem Bedauern
aufgeben, da ein Fortkommen auf diesem Gebiet für ihn unmöglich wurde. Den Berufsabschluß hatte er auf der höheren

Landbauschule in Schleswig erreicht. In Lippstadt fand er in der Westfälischen Metallindustrie bei Dr. Röpke einen ihm zusagenden und ihn ausfüllenden Posten, der ihn wieder zuversichtlich in die Zukunft sehen ließ. Sein früher Tod beendete diese Hoffnungen.

Solange im Gefängnis das elektrische Licht brannte und wir keinen anderen Dienst tun mußten, konnten wir lesen. Aus einigen Büchern, die Heß aus England erhalten hatte und zur Verfügung stellte, und aus den von treuen Freunden gesandten Büchern entwickelte sich der Anfang einer kleinen Bücherei, zu der auch verschiedene Berliner Bibliotheken beitrugen. Politische und militärische Bücher waren nicht darunter. Ich führte die Ausgabelisten. Persönliche Schreibarbeiten waren — außer dem monatlichen Brief an unsere Familien — nicht gestattet.

Soweit sich später die Möglichkeit einer gegenseitigen Unterhaltung ergab, kam unter den Gefangenen auch ein ernstes Gespräch zustande. Ich hatte am meisten Berührung mit Freiherrn von Neurath und Dönitz. Neurath war noch drei Jahre älter als ich und besaß nicht mehr seine volle Gesundheit. Aber seine Ruhe und Ausgeglichenheit waren wohltuend. Nie verlor er einen Augenblick seine ihm angeborene Würde und Haltung. Es war erschütternd zu beobachten, wie sich das hohe Alter immer stärker bei ihm bemerkbar machte und seine Kräfte zusehends schwanden. Als er schließlich im Jahre 1954 entlassen wurde, hielt er sich nur noch mit Anstrengung aufrecht. Er ist fast zwei Jahre später in seiner Heimat gestorben. Daß ich mit Dönitz häufig Unterhaltungen und Aussprachen hatte, ergab sich schon aus unserer gemeinsamen Marinezeit und dem vereinten Kampf in Nürnberg. Er las viel, beschäftigte sich wie früher mit allen Problemen sehr gründlich und hatte eine feste, charaktervolle Haltung; gesundheitlich war auch er nicht immer auf der Höhe. Bei meiner Entlassung ist es mir sehr schwer gefallen, meinen alten Kameraden im Gefängnis zurücklassen zu müssen. Ich hatte es bis zum letzten Augenblick für selbstverständlich gehalten, daß Dönitz als erster von uns die Freiheit zurückerhalten würde. Dönitz wurde erst ein Jahr nach mir — nach Ablauf seiner zehnjährigen Haft — entlassen. Es war dann ein bewegendes Wiedersehen mit ihm.

Nachträglich ist mir bekannt geworden, daß während der Zeit meiner Haft viele Männer und Frauen auf den verschiedensten Wegen für mich eingetreten sind und sich um meine Freilassung bemüht haben. Es waren neben meinen treuen, alten Kameraden aller Dienstgrade auch namhafte Persönlichkeiten im In- und Ausland — selbst in den ehemals feindlichen Ländern. Ein tiefes Gefühl der Dankbarkeit erfüllt mich ihnen allen gegenüber und hilft mir, mit weniger Bitterkeit an die letzte schwere Vergangenheit zu denken.

Für mich selber hatte ich nie mit der Möglichkeit gerechnet, das Spandauer Gefängnis jemals verlassen zu können. Ich hatte genügend Zeit gehabt, um mich an den Gedanken zu gewöhnen, dort mein Leben zu beschließen. Am meisten bedrückte es mich, daß ich meiner Familie nicht beistehen konnte und sie mit der steten Sorge um mich belastete. Als mein einziger Sohn am 17. Januar 1953 in Lippstadt an einer Folgekrankheit des Kriegsdienstes starb, waren alle Bemühungen meiner Frau und zahlreicher wohlwollender Stellen um einen kurzen Urlaub für mich, damit ich meinen Sohn noch ein letztes Mal sehen oder wenigstens an seiner Beerdigung teilnehmen konnte, erfolglos. Erst zwei Tage nach seinem Tode erfuhr ich davon. Der französische Geistliche überbrachte mir die Nachricht. Es ist mir noch heute unverständlich, warum bei diesem traurigen Anlaß die eigens herbeigeholten Gefängnisdirektoren, vier Obersten, zugegen sein mußten.

Auch bei mir traten die Beschwerden des Alters in Erscheinung. Vorübergehend lag ich im Lazarett. Im Sommer 1955 — in meinem achtzigsten Lebensjahr — war ich so stark gelähmt, daß ich nur noch mit Mühe an zwei Stöcken gehen konnte. Wahrscheinlich war mein Gesundheitszustand der Anlaß für meine mir völlig unerwartete Entlassung. Der britische Militärarzt holte mich am 26. September 1955 aus meiner Zelle mit der Begründung, er wolle mich untersuchen, brachte mich aber in die Besucherzelle. Dort lagen meine Kleidungsstücke, die ich vor vielen Jahren mit der Gefängniskleidung vertauscht hatte. Kurze Zeit später holte mich meine Frau ab, und wir bestiegen am Gefängnistor einen geschlossenen Wagen, der zu meiner Freude von meinem alten Fahrer Rudolf Schulze gesteuert wurde und in dem sich auch mein alter Hausunteroffizier, Adolf Palzer, befand. Diese beiden treuen Männer hatten es sich nicht nehmen lassen, mich aus dem Gefängnis abzuholen. Freunde und Bekannte, aber besonders auch deutsche Dienststellen ermöglichten uns, daß wir noch am gleichen Tage mit Flugzeug und Wagen unseren vorläufigen Wohnort Lippstadt erreichten. Der Verkehrsamtsleiter in Lippstadt, Herr Bünker, hatte alle Wege für meine Heimkehr geebnet. Dr. Röpke stellte mir seinen Wagen zur Verfügung, der von seinem Sohn gefahren wurde. Da Bedenken wegen meines Gesundheitszustandes bestanden, war der damalige Oberarzt des Lippstädter Evangelischen Krankenhauses, Dr. Hoffmann, zu meiner Betreuung nach Hannover gekommen, wo wir mit dem Flugzeug ankamen. Viele Freunde und Bekannte erwarteten mich vor unserm Hause, das sie wunderschön mit Blumen geschmückt hatten. Mein früherer Adjutant, Admiral Baltzer, drückte mir hier als erster die Hand. Die Fülle der brieflichen, telegraphischen und persönlichen Wünsche, die an mich gelangt sind, war überwältigend. Ich war tief bewegt von dem Empfang, der mir zuteil wurde. Allen, die mir bei meiner Heimkehr halfen und meiner gedacht haben, möchte ich auch an dieser Stelle herzlich danken.

Das Deutschland, das ich nach meiner Rückkehr vorfand, hatte sich in den zehn Jahren meiner Abgeschiedenheit in

Moskau, Nürnberg und Spandau von Grund auf verändert. Ich war darauf nicht ganz unvorbereitet, denn wir hatten im letzten Jahr in Spandau deutsche Zeitungen bekommen, aus denen allerdings häufig Nachrichten und Artikel durch den Zensor ausgeschnitten worden waren. Am stärksten wurde ich beeindruckt durch die vorläufige Trennung Deutschlands in zwei Teile, die noch immer bestehende Vertriebenen- und Flüchtlingsbewegung, die Konsolidierung Westdeutschlands unter einer zielbewußten Führung und den Wandel in der Einstellung unserer früheren Gegner zu uns. Was die letzteren der Weimarer Demokratie vorenthalten hatten, haben sie der heutigen demokratischen Regierung zugestanden: die innere und äußere Gleichberechtigung. Trotzdem will es mir scheinen, als sei die auf uns liegende Last der Zweiteilung Deutschlands schwerer als alles, was uns durch Versailles aufgebürdet war, und die Aufgabe der Männer, die das Vertrauen des deutschen Volkes zur Führung berufen hat, daher in vieler Beziehung noch schwieriger als damals. Aber ich bin überzeugt, daß wir Deutschen, wenn wir beiderseits der Zonengrenze den gleichbleibenden festen Willen haben, uns wieder zu vereinigen, auch eines Tages den Weg dazu finden werden. Freilich darf die im deutschen Menschen ruhende Kraft, die in der staatlichen und wirtschaftlichen Leistung während des letzten Jahrzehntes sichtbar wurde, sich nicht verzetteln und zersplittern. Nicht im egoistischen Lebensgenuß des Individuums, sondern in der sinnvollen Einordnung in das Ganze besteht die erste Aufgabe und Verpflichtung des einzelnen. Wir alle müssen aus der Vergangenheit unsere Lehren ziehen. Nach der Art und Einstellung der Menschen werden sie vielfältig und verschieden sein. Die eine Erkenntnis dürfte sich jedoch aus allen Epochen unserer Geschichte ergeben, daß große staatliche Leistungen nur dann erzielt werden, wenn die Kräfte des überwiegenden Teils des Volkes auf das jeweils erstrebte Ziel ausgerichtet sind. Vor uns liegen in naher und weiter Zukunft

329

noch viele solcher Aufgaben. Bei ihrer Lösung darf niemand beiseite stehen oder sich ausgeschlossen fühlen, denn es geht um unser gemeinsames Vaterland.

Der deutschen Bundesmarine fühle ich mich innerlich verbunden. Durch die grundsätzliche Veränderung der Stellung Deutschlands in Europa und in der Welt sind ihre Ziele und Aufgaben andere als die der alten Kriegsmarine. Ihre Zusammensetzung, ihr Schiffsmaterial und ihre Formen werden sich wesentlich von denen früherer Zeiten unterscheiden. Ihr stehen die Lehren und Erfahrungen aus zwei Kriegen und aus dem Neuaufbau nach 1918 zur Verfügung. Dabei wird sie viele neue Wege beschreiten müssen. Denn nicht in der Nachahmung, sondern im Lebendigmachen des Alten liegt der Sinn der Tradition, und in dem unablässigen Streben nach Fortschritt und Vervollkommnung findet sie ihre Erfüllung. Auch in der Weimarer Republik haben wir, als wir aus Trümmern wieder eine Marine aufzubauen begannen, nicht in der bedenkenlosen Übernahme alter, überkommener Einrichtungen und Gepflogenheiten unsere Aufgabe gesehen, sondern unser Denken und unsere Arbeit darauf ausgerichtet, Neues und Besseres an die Stelle von dem zu setzen, was überholt war oder sich nicht bewährt hatte. Unveränderlich aber sind — damals wie heute — die grundlegenden Elemente des Soldatentums. Nach wie vor gehören Mut und Offenheit, Gehorsam und Kameradschaft, Vaterlandsliebe und Treue zum Staat zu den vornehmsten Eigenschaften des Soldaten, und stets bleibt die Festigung seiner Persönlichkeit und seines Charakters durch eine verständnisvolle Erziehung das erste und höchste Ziel.

Von größter Bedeutung für unsere weitere Entwicklung ist es, wieweit in unserem Volke das Verständnis für die mit der See zusammenhängenden Fragen und Probleme vorhanden ist. Deutschland liegt zwar mit ausgedehnten Landgrenzen inmitten Europas, aber zugleich ist es als Industrie- und Handelsstaat mit der Welt auch außerhalb unseres Kontinentes

untrennbar verbunden. Die Entwicklung der Menschheit hat
es mit sich gebracht, daß heute kein Staat mehr in der Lage ist,
sich wirtschaftlich, politisch oder gar militärisch zu isolieren.
Am wenigsten aber vermag dies ein Staat wie Deutschland,
dessen Wirtschaft und Industrie auf Ein- und Ausfuhr angewiesen ist, das mit seinen Nachbarn und vielen Ländern über
See aufs engste verflochten ist und in dem Schiffahrt und
Fischerei zu den wichtigsten Erwerbszweigen gehören. Es ist
verhängnisvoll gewesen — obwohl in gewissem Umfang aus
unserer geschichtlichen Vergangenheit erklärlich —, daß große
Teile des deutschen Volkes, vor allem auch seine führenden
Schichten, dies in den zurückliegenden Jahrzehnten nicht genügend berücksichtigt und damit die Stellung Deutschlands
verkannt haben. Vor und während des ersten Weltkrieges hat
unsere politische und militärische Führung die Bedeutung der
uns gegenüberstehenden Seemächte nicht erkannt und zu wenig
die Möglichkeiten in Betracht gezogen, über die jene durch die
fast unumschränkte Beherrschung der Seewege verfügten.
Trotz des Zusammenbruchs der gegen uns kämpfenden Land-
macht Rußland sind wir im Kriege 1914–1918 schließlich, an
Rohstoffen und Nahrungsmitteln ausgehungert, durch den
Druck der Seeblockade auf die Knie gezwungen worden. Auch
die Führung des nationalsozialistischen Staates hat aus den
eindeutigen Lehren des ersten Weltkrieges in ihrer Politik und
Kriegführung nicht die richtigen Folgerungen gezogen. Davon
ist in diesem Buch die Rede gewesen. Als zentraler, kontinen-
taler Staat mit einer nur schwachen Seerüstung waren wir nicht
in der Lage, den Ring zu sprengen, den die großen Seemächte
um uns legten. Auf dem leistungsfähigsten Transportweg, dem
Meer, gingen gewaltige Lieferungen an Gütern und Lebensmitteln von Amerika nach England und gelangte unentbehr-
liches Kriegsmaterial zu dem wankenden russischen Verbündeten. Über See kamen die alliierten Armeen heran, die in
Nordwestafrika landeten und damit den Angriff gegen die

»Festung Europa« einleiteten, und auf dem Seewege wurden die starken Feindkräfte versammelt, die mit der Landung in Frankreich im Jahre 1944 zum entscheidenden Stoß gegen uns antraten.

Die Lehren aus zwei Kriegen, in denen wir gegen die großen Seemächte im Kampf standen, sind hart, aber deutlich gewesen. Ich glaube, daß viele Deutsche sie erkannt und richtig verstanden haben. Wir leben in einem Zeitalter, in dem der Luftverkehr, die Erhöhung der Geschwindigkeiten aller Verkehrsmittel sowie Funk und Fernsehen die Entfernung und damit die Trennung der Menschen voneinander weitgehend überwunden haben. Die Zeit innerstaatlicher Grenzpfähle ist vorbei, und die äußeren Grenzen bilden — sofern sie nicht künstlich verstärkt werden — keine schwer übersteigbaren Hindernisse mehr. Das Verbindende und Gemeinsame der westlichen Völker und Länder hat gegenüber dem Trennenden wesentlich an Gewicht gewonnen. Die Engstirnigkeit eines rein kontinentalen Denkens scheint auch bei uns größtenteils überwunden zu sein. Über unsere Küsten- und Landesgrenzen hinaus gehen mehr als je zuvor feste geistige, politische, wirtschaftliche und persönliche Bindungen. Wir sind ein Glied der freien Welt, zu der wir innerlich gehören. Damit befinden wir uns in enger Gemeinschaft mit den großen Seemächten. In zwei Kriegen waren sie unsere Gegner, und wir sind ihrem Druck erlegen. Jetzt aber ergibt sich durch das Zusammengehen mit ihnen ein neuer Ausblick in die Zukunft. Die durch die atlantischen Staaten verkörperte Seemacht, zu der wir unseren Teil beitragen, wird auch uns Sicherheit geben und — wie ich hoffe und wünsche — den Frieden erhalten. Ein Menschenalter ist vergangen, seit Großadmiral von Tirpitz das Wort geprägt hat, daß das deutsche Volk die See nicht verstanden habe. Heute habe ich die Hoffnung, daß unser Volk seitdem durch eigenes Erleben die fehlenden Erkenntnisse gewonnen und in sein Denken aufgenommen hat.

Wenn ich auf die anderthalb Jahrzehnte zurückblicke, in denen ich an der Spitze der Marine stand, möchte ich allen Angehörigen der Kriegsmarine meinen unauslöschlichen Dank sagen, daß sie mir in den Friedensjahren treu und kameradschaftlich gefolgt sind. An dem, was bis zum Kriegsbeginn aufgebaut werden konnte, hat jeder an seiner Stelle nach Kräften mitgewirkt und damit einen unentbehrlichen Beitrag gegeben. Für das, was unvollendet geblieben ist oder sich nicht bewährte, trage ich allein die volle Verantwortung. Mit mir hat die Marine die Verständigung Hitlers mit England über das Stärkeverhältnis der Flotten aufrichtig begrüßt. Sie hat in ihrem überwiegenden Teil — wesentlich durch mich beeinflußt — bis zuletzt geglaubt, daß es niemals wieder zu einem Krieg mit England kommen würde. Als dann der Krieg unerwartet ausgebrochen war, ging sie in ihn hinein schweren Herzens und ohne Haß, aber mit dem festen Willen, ihr Äußerstes herzugeben und ihre festgefügte Einheit und Disziplin bis zum letzten Augenblick aufrechtzuerhalten.

Von allem, was in den Jahren von 1918 bis 1939 in der Marine geschaffen worden ist, ist die erzielte innere Geschlossenheit das wichtigste gewesen. Mit dem Hereinströmen einer großen Zahl von Männern aller Dienstgrade, die gar nicht oder nur kurze Zeit durch die Friedensausbildung gegangen waren, mit dem Aufstellen zahlreicher neuer Schiffs- und Bootsverbände sowie Landformationen und mit der zunehmenden Erweiterung der Einsatzgebiete veränderte sich weitgehend die Organisation und die personelle Zusammensetzung. Die Einheitlichkeit der Marine, das Gefühl für die Verbundenheit ihrer Angehörigen und die Disziplin sind trotzdem bis zum Kriegsende voll bestehen geblieben; dies beweist, daß unsere Friedensarbeit auf den richtigen Grundlagen aufgebaut war. Es zeigte sich, daß die in der Marine vorhandene Auffassung von den soldatischen Pflichten des einzelnen und die Handhabung des Dienstes nicht nur für eine Marine von

Berufssoldaten passend war, sondern ebenso diejenigen ansprach, die nun als Staatsbürger ihrem Kriegsdienst nachkamen. Zwischen den Angehörigen der Friedensmarine und denen, die im Kriege einberufen waren oder sich freiwillig meldeten, hat es keinen Unterschied in der Erfüllung ihrer Pflicht gegeben. Sie alle haben treu und kameradschaftlich zusammengestanden.

Die Marine hat in enger Gemeinschaft mit den anderen Wehrmachtteilen im Kriege eine militärische Leistung vollbracht, deren Ausmaß vielleicht erst in größerem zeitlichen Abstand voll gewürdigt werden kann. Voraussetzung hierfür war das dem deutschen Menschen angeborene innere Gefühl für die Verpflichtung gegenüber dem Vaterland und die Tapferkeit, die er zu allen Zeiten der Geschichte bewiesen hat. Die Bewertung des Menschen ist im Kriege eine andere, als sie im Frieden sein kann und darf. Daß das deutsche Volk an den Soldaten des Krieges in erster Linie den Maßstab der bewiesenen Tapferkeit legt und daher sein Herz vor allem dem Kämpfer an der Front gehört, ist ein Zeichen für seine gesunde Einstellung und bildet zugleich eine feste innere Bindung zwischen den einzelnen Gliedern unseres Volkes. Ich fühle mich nicht berufen, den Angehörigen der Marine für die im Kriege gezeigte Einsatzbereitschaft bis zum Letzten meinen Dank zu sagen. Ihn wird das deutsche Volk in seiner Gesamtheit zum Ausdruck bringen müssen. Darin wird es mit denen, die die Uniform der Wehrmachtteile getragen haben, auch die Männer und Frauen mit einschließen, die sich auf verschiedene Weise, aber mit gleicher Hingabe für die anderen selbstlos eingesetzt haben.

Menschliche Größe ist nicht abhängig davon, ob sie beim Sieg oder in der Niederlage zu Tage tritt und ob die politischen Umstände eines Krieges anerkannt oder abgelehnt werden. Sie kann allein danach gemessen werden, welcher charakterlichen Grundhaltung sie entspringt. Ihren Wert und ihre Würde trägt sie in sich selbst. Wenn das deutsche Volk einmal mit den vielen Problemen der letzten Vergangenheit fertig geworden und zur Ruhe gekommen ist, so wird — das ist meine Überzeugung — die im Kriege gezeigte menschliche Größe des einzelnen die dunklen Schatten jener Zeit überstrahlen und in unser geschichtliches Bewußtsein eingehen.

Der Dienst für die Marine war uns allen nicht nur eine vaterländische Pflicht, sondern eine Herzenssache. Viele Männer aus unserer Mitte haben im Frieden und zahllose im Kriege Blut und Leben dafür hingegeben. Das Werk, an dem sie gearbeitet haben, ist aber nicht mit den Schiffen versunken und mit den Trümmern des einst stolzen Baues dahingegangen. Wohl hat sich über den Gefallenen die ewige See geschlossen, und die Kränze, die zu ihrem Gedächtnis von überlebenden Seeleuten dem immer bewegten Element übergeben werden, versinken in der unendlichen Weite des Meeres. Aber die Toten hinterlassen späteren Geschlechtern als etwas Unvergängliches jene Kameradschaft, die die Marine zu allen Zeiten umschlungen hat, die die Verbindung bildet zwischen alt und jung, zwischen Vergangenheit, Gegenwart und Zukunft und die zugleich die Brücke schlägt zu den Seeleuten in aller Welt.

*

Dieses Buch lege ich in die Hände meiner geliebten Frau, die mein Leben in Glück und Leid mit mir geteilt hat, die in dunkelster Zeit mit unserem Sohn unermüdlich für meine Befreiung gekämpft hat und so tapfer allein am Sterbebett und am Grabe unseres einzigen Kindes stehen mußte. Für alle Liebe und Güte, die ich von meiner Frau empfing, sei ihr, meinem besten Kameraden, innigst gedankt.

Anhang

Weiler/Allgäu, 11. April 1946.

Eidesstattliche Versicherung
von *Dr. Otto Geßler,*
Reichsminister a. D. in Lindenberg

Ich, Geßler, kenne den früheren Großadmiral Dr. Raeder persönlich seit etwa Mitte der Zwanzigerjahre, als ich Reichswehrminister war. Raeder war damals Inspekteur des Bildungswesens bei der Marine. Ich habe Raeder stets als einen Mann von untadeliger, ritterlicher Gesinnung, als einen Pflichtmenschen kennengelernt. Zum Gegenstand der Anklage weiß ich nur wenig:

Raeder hat mich, als ich nach meiner Entlassung aus der Haft der Gestapo im März 1945 im Hedwigkrankenhaus in Berlin lag, wiederholt besucht und sich auch um meine Heimbeförderung bemüht, da ich krank und völlig entkräftet war. Ich habe ihm dabei auch von der mir zuteil gewordenen Mißhandlung, insbesondere der Folterung erzählt. Er war darüber sichtlich überrascht und empört. Er sagte, er werde das dem Führer melden. Ich bat ihn sofort, das zu unterlassen, war mir doch vor der Folterung gesagt worden, und zwar offiziell, alles dies geschehe auf ausdrücklichen Befehl Hitlers. Zudem wußte ich genau, daß ich sofort wieder verhaftet werden würde, da ich bei meiner Entlassung den bekannten Revers unterschrieben hatte, und nicht einmal eine Bestätigung meiner Haft erlangen konnte, um eine Fahrkarte zur Heimreise zu erhalten.

Zur Zeit des nationalsozialistischen Regimes wurde ich von meinem früheren Ressort teils ignoriert, teils geschnitten. Zu den wenigen Ausnahmen hiervon gehörte auch Dr. Raeder. Er hat mich u. a. vor 1939 dreimal zu einem Besuch auf dem Kreuzer »Nürnberg« eingeladen, obwohl ich zweimal abgesagt hatte. Bei dem Besuch im Juni 1939 kam er selber nach Kiel, um mich zu begrüßen. Dabei unterhielten wir uns auch über die politische Lage. Ich äußerte die Befürchtung, daß ein Angriff auf Polen den europäischen Krieg bedeuten würde. Raeder erklärte bestimmt, er halte es für ausgeschlossen, daß Hitler Polen angreifen werde. Als es später doch dazu kam, erklärte ich mir dies daraus, daß Hitler es liebte, auch die höchsten Militärs vor vollendete Tatsachen zu stellen.

gez. *Dr. Otto Geßler,* Reichsminister a. D.

Karl Kühlenthal   Frankfurt/Main, 28. 10. 1950
                                     Niedenau 54

Eidesstattliche Erklärung

Hiermit erkläre ich, Karl Kühlenthal, Konteradmiral a. D., Frankfurt/Main, Niedenau 54, das Nachstehende an Eidesstatt:

Ich bemerke, daß ich über die Bedeutung einer eidesstattlichen Versicherung orientiert bin, insbesondere darüber, daß eine falsche Versicherung strafrechtlich verfolgt wird. Ich bin damit einverstanden, daß meine Erklärung ausländischen oder inländischen Dienststellen oder Gerichten vorgelegt wird.

Ich war bis zum Jahre 1920 Seeoffizier in der alten deutschen Kriegsmarine und bin mit Großadmiral Dr. h. c. Erich Raeder seit dem Jahre 1901 durch Kameradschaft und Freundschaft verbunden. Ich bin Halbjude und habe eine Jüdin zur Frau. Nach den Nürnberger Gesetzen wurde ich daher mit meinen beiden Söhnen als Volljude behandelt und war somit mit meiner Familie dem schwersten Schicksal ausgeliefert. Um mich aus dieser furchtbaren Lage zu befreien, bat ich den Großadmiral Raeder, die in den Nürnberger Gesetzen vorgesehene Ausnahme von den schweren Bestimmungen für meine Familie und mich bei Adolf Hitler zu erwirken.

Obwohl Raeder die erbarmungslose, antisemitische Einstellung Hitlers kannte und aus seiner Fürsprache die unangenehmsten Folgen für sich erwarten mußte, setzte er sich mit seiner Person in vorbildlicher Treue für mich voll ein und verlangte von Hitler die von mir erbetene Ausnahme. Zunächst wurde er scharf abgewiesen, wiederholte aber dessen ungeachtet, als die Verfolgungen der Juden einen immer größeren Umfang annahmen, seinen Versuch aufs Neue und hat in hartnäckigem Kampfe schließlich doch eine gewisse Erleichterung für mich dahin erzielt, daß wir von allen unerträglichen Diffamierungen verschont blieben und vor allem meine Frau, die sonst sicher in eins der berüchtigten Konzentrationslager verschleppt worden wäre, so einem entsetzlichen Schicksal entgangen ist. Im besonderen hat Raeder ein von Hitler eigenhändig unterzeichnetes Dokument für mich erwirkt, wodurch meine Frau und ich vor jeder Verfolgung geschützt wurden, ich meine Pension ungekürzt weiterbezog, wir unser Eigentum behielten und uns auch die Wohnung nicht genommen werden durfte.

Großadmiral Raeder hat sich also im Widerspruch zu den verdammenswerten Grundsätzen des Nationalsozialismus freimütig und ohne Rücksicht auf seine eigene Person für einen nach den nationalsozialistischen Gesetzen verfolgten Kameraden und Freund eingesetzt und verdient als Verfechter edler Menschlichkeit gewürdigt zu werden.

Ich kann noch einen anderen Fall seiner edlen Gesinnung anführen: Die Frau eines mir befreundeten hiesigen Marinekameraden wurde wegen ihrer Zugehörigkeit zu der Christian Science ins Gefängnis gebracht. Der ehemalige Oberbürgermeister der Stadt Frankfurt/Main, Dr. Friedrich Krebs, setzte sich für sie ein, da er ihre Gesinnung genau kannte, fuhr nach

Berlin und meldete den Vorfall persönlich dem Großadmiral Raeder. Dieser setzte sich sofort mit dem Chef der Gestapo Heydrich in Verbindung und verlangte in energischer Form ihre Befreiung. Nur durch seine Vermittlung wurde die Frau eines Kameraden nach einmonatiger Gefängnishaft befreit und ist dann vor weiteren Verfolgungen verschont geblieben.

Durch meine Fürsprache möchte ich meiner unendlichen Dankbarkeit gegenüber Großadmiral Raeder Ausdruck geben und bitte meine Ausführungen zu seinen Gunsten zu verwenden.

gez. *Karl Kühlenthal*, Konteradmiral a. D.

ABSCHRIFT

Guenter Jacobsen
Hamburg 39   Hamburg, den 26. 2. 46
Sierichstr. 20

Herrn Dr. Walter Siemers
Nürnberg
Maximilianstr. 23, bei Müller

Betr.: Großadmiral Raeder

Aus der Zeitung erfuhr ich, daß Sie die Vertretung von Raeder übernommen haben. Ich halte es für meine selbstverständliche Pflicht, darauf aufmerksam zu machen, daß Raeder meinen jüdischen Onkel und meinen jüdischen Vater aus dem Konzentrationslager befreit hat. Raeder ist mit der Familie meines Vaters aus seiner Vaterstadt Grünberg/Schlesien gut bekannt. Als meine Großmutter 1935 starb, drückte er meinem Onkel, Herrn Amtsgerichtsrat a. D. Fritz Jacobsen aus Berlin, auf das herzlichste sein Beileid aus, obwohl er Volljude ist. Als mein Onkel dann 1938 ins Konzentrationslager Oranienburg gelangte, erreichten es seine Freunde durch Fürsprache Raeders, daß er freigelassen wurde.

Ähnlich verhielt es sich mit meinem Vater, Herrn Dr. med. Erwin Jacobsen. Mein Vater wurde von der Anklage der Rassenschande freigesprochen, wurde aber trotzdem in das Konzentrationslager Fuhlsbüttel gesteckt. Durch Fürsprache Raeders wurde mein Vater 1939 aus dem Konzentrationslager im Mai 1939 entlassen, so daß er noch nach England auswandern konnte, wo er in den Jahren 1940/43 interniert war und seitdem in Appleby, Westmoreland, lebt. Raeder hat somit meinem Vater das Leben gerettet. Als mein Vater das Konzentrationslager verließ, fragte ihn ein Gestapo-Beamter, ob er ein Verwandter von Raeder sei, da dieser sich so sehr um ihn bemüht habe.

Selbstverständlich bin ich bereit, meine Aussagen zu beeidigen.

Hochachtungsvoll
gez. *Guenter Jacobsen*

ABSCHRIFT

Versicherung an Eidesstatt

am 18. Februar 1946 in Starnberg —

von Herrn *Konrad Lotter*, Betriebsleiter in Unterbrunn
über Starnberg, Oberbayern

Ich habe von 1914—1918 und auch im letzten Krieg von 1944—1945 in der Kriegsmarine gedient. Von 1907—1909 diente ich an Bord S.M.S. »Yorck«, wo ich den späteren Großadmiral Raeder, damals Navigationsoffizier, kennengelernt habe.

Großadmiral Raeder ist mir stets als ein Mann erschienen, der die besten Traditionen der alten Kaiserlichen Marine in sich verkörperte. Dies ganz besonders in weltanschaulicher Beziehung. Als Mensch und als Offizier war er stets das denkbar beste Vorbild.

Im Jahre 1941, als die antichristliche Politik des Hitler-Regimes in Bayern mit voller Wucht einsetzte, Klöster gesperrt wurden und in der Jugenderziehung die Intoleranz gegen jedes gläubige Bekenntnis kraß zutage trat, sandte ich dem Herrn Großadmiral eine zwölfseitige Denkschrift, in welcher ich ihm meine Einwände gegen diese Politik dargelegt habe. Großadmiral Raeder griff sofort ein. Ich wurde durch seine Vermittlung zu dem Gauleiter und Innenminister Wagner nach München gerufen. Nach einer Reihe von Besprechungen zwischen den kirchlichen, staatlichen und Parteistellen kam es zu einer Abmachung, die zur Folge hatte, daß das Schulgebet bestehen blieb, das Kruzifix in den Schulen verbleiben durfte usw., ferner daß 59 Geistliche, die zu je 500 Mark Geldstrafe verurteilt worden waren, begnadigt wurden.

Auch die Klosteraufhebungen wurden damals eingestellt. Gauleiter Wagner mußte sich in Berlin wegen seiner verfehlten Politik verantworten und schob die Schuld übereifrigen Kreisleitern in die Schuhe. Das alles wäre ohne die Initiative des Herrn Großadmirals unmöglich gewesen. Der Ordnung halber möchte ich hinzufügen, daß ich als Gegner des Hitler-Regimes verschiedenen Nachstellungen der Gestapo ausgesetzt war und auch verhaftet worden bin.

Ich glaube daher, als unverdächtiger Zeuge gelten zu können. Ich versichere hiermit an Eidesstatt, daß alle meine vorstehenden Angaben wahr und richtig sind und von mir nach bestem Wissen und Gewissen gemacht werden.

gez. *Konrad Lotter*

Personenregister
für Band I und Band II